Un mariage anglais

DU MÊME AUTEUR

Les jours infinis, *Stock 2015 ; Le Livre de Poche, 2018*

Claire Fuller

Un mariage anglais

roman

Traduit de l'anglais par Mathilde Bach

TITRE ORIGINAL :
Swimming Lessons

ISBN 978-2-234-08329-5

Publié à l'origine en Grande-Bretagne en 2017
dans la collection Fig Tree, Penguin Books.

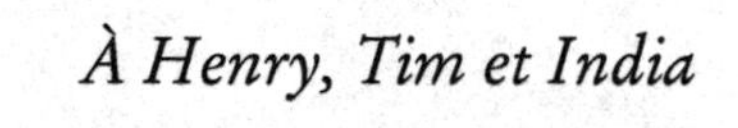

À Henry, Tim et India

Prologue

Depuis la fenêtre du premier étage de la librairie, Gil Coleman aperçut sa défunte femme debout sur le trottoir d'en face. Il avait passé la matinée à fureter dans les étagères, feuilletant chaque livre d'occasion de la première à la dernière page, s'arrêtant aux cornes, aux passages soulignés, fouillant les volumes un à un comme si, à force, il pouvait les convaincre de lui révéler quelque secret. Oubliée sur la banquette devant la fenêtre, la tasse de thé que Viv lui avait apportée avait eu le temps de refroidir. Aux alentours de trois heures, il était tombé sur *Who was changed and who was dead*[1], il connaissait ce livre, sans

1. Ce titre d'un roman de Barbara Comyns signifie *Ceux qui changèrent et ceux qui moururent*. De nombreux ouvrages dont les titres sont cités dans ce livre n'ont jamais été publiés en France, nous proposerons donc une traduction de ces titres, dans la mesure où chacun de ces ouvrages, et leurs titres en particulier, sont choisis pour leur sens et leur résonance par rapport à l'histoire des personnages. (*Toutes les notes sont de la traductrice.*)

doute l'avait-il déjà chez lui. Le volume lui avait échappé et s'était ouvert : à l'intérieur, coincée entre les pages, il avait découvert, surpris, une feuille jaune fine et couverte de lignes bleu pâle pliée en quatre.

Tremblant, Gil s'était assis à côté de sa tasse et il avait penché le livre d'un côté puis de l'autre, déployant la feuille sans avoir à l'ôter du volume. C'était une de ses règles d'or : ne jamais déplacer les choses qu'il trouvait de leur emplacement d'origine. Il leva donc le morceau de papier et le livre vers la fenêtre hachurée de pluie. Encore une lettre, écrite à la main, à l'encre noire, il parvenait à deviner la date – 2 juillet 1992, 14 h 17 – et dessous, son nom à lui. Plus bas, les caractères rapetissaient et la plume ne tenait plus compte du lignage de la page, les mots suivant des courbes descendantes, comme jetés à la hâte.

Il tâta la poche de poitrine de sa veste, changea le livre de main et plongea l'autre main dans sa poche intérieure, puis il tapota les jambes de son pantalon. Aucune trace de ses lunettes de lecture. Il approcha puis éloigna la feuille de son visage, cherchant la bonne distance pour la déchiffrer, il s'avança encore plus près de la fenêtre. La lumière était faible ; l'orage prévu pour samedi avait un jour d'avance. Pendant qu'il fermait les portes de sa voiture dans le parking à côté du terrain de jeux Jurassic Crazy Golf, Gil avait aperçu un sac plastique plaqué par le vent sur l'une des griffes du Tyrannosaurus Rex, la créature semblait ainsi sur le point de franchir la grille pour aller faire ses courses. Et tandis que

Gil poursuivait son chemin le long de la promenade jusqu'à la librairie, le vent creusait des dépressions dans la mer grise et venait précipiter les lèvres des vagues contre le rivage, de sorte qu'à présent, au milieu de tous ses vieux livres, il sentait le goût du sel jusque sur ses lèvres.

Une bourrasque de pluie fouetta la fenêtre, attirant son attention vers l'extérieur et la petite rue étroite en bas.

Sur le trottoir d'en face, une femme dans un pardessus trop grand pour elle scrutait la route. Seul le bout de ses doigts dépassait de ses manches et l'ourlet en bas du manteau lui arrivait presque aux chevilles. Détrempé par la pluie, l'habit avait viré à l'olivâtre, sombre et sale – cette nuance que revêt la mer après une averse – Gil se dit que sa fille Flora saurait le nom exact de cette couleur. D'un geste du poignet, la femme dégagea une mèche de cheveux humide de son visage et se tourna vers la librairie. Ce geste était si familier qu'aussitôt Gil bondit sur ses pieds, sans même se rendre compte qu'il avait renversé sa tasse de thé. La femme bascula son visage en forme de cœur vers l'arrière, levant les yeux vers lui comme si elle savait que Gil était en train de l'observer, et à ce moment-là il comprit que c'était sa femme ; plus âgée, certes, mais c'était bien elle, aucun doute. La pluie avait aplati et assombri ses cheveux, l'eau lui dégoulinait le long du menton, mais elle le dévisageait de ce même air de défi qu'elle avait le jour où il l'avait rencontrée. Il aurait reconnu cette expression et cette femme n'importe où.

Ingrid.

Gil frappa la vitre du plat de la main, mais la femme se détourna et reporta son attention sur la rue, en direction de la ville, et, comme si elle avait soudain aperçu la personne ou la voiture qu'elle attendait, s'en alla à grands pas. Il frappa la fenêtre de nouveau, mais la femme ne s'arrêta pas. La joue collée contre la vitre froide, il parvint à l'apercevoir encore quelques instants avant qu'elle disparaisse de sa vue. « Ingrid ! » appela-t-il inutilement.

D'un geste vif, il referma le livre, le serra contre sa poitrine, dévala les escaliers puis se précipita dehors. Viv l'appela de derrière sa caisse, mais il continua. Dehors, la pluie plaqua ses cheveux gris sur son front, transperça son gilet. La rue était déserte, il poursuivit néanmoins, se forçant à courir un peu tous les deux ou trois pas, les poumons brûlants dans l'effort. Le temps d'atteindre la rue principale, Gil toussait, luttait pour reprendre son souffle. Il s'arrêta au coin, leva les yeux vers la montée. Personne sur le trottoir. Côté plage, quelques touristes pressaient le pas, sans cesse repoussés vers la mer par les rafales. Il claudiqua dans leur direction, passant en revue chaque silhouette en quête du grand manteau, plissant les yeux vers les vitrines embuées des cafés et des boulangeries. Il zigzagua pour éviter une jeune femme avec une poussette puis, ignorant la douleur dans sa hanche, traversa la route sans même vérifier qu'aucune voiture n'arrivait. Il était sur la digue, à environ deux mètres cinquante au-dessus de la plage. Au loin, il vit un homme qui marchait bravant les rafales tandis qu'un affreux chien bondissait, attaquant le vent – cela ne ressemblait pas à une tempête de mai, trop violente, on aurait plutôt cru un orage d'automne. Gil ralentit mais continua tout de même, d'un pas traînant, la tête baissée, le long de la digue jusqu'à ce qu'en contrebas la plage laisse place à un tas de rochers et d'énormes blocs de béton, détrempés par les vagues. La pluie lui fouettait le visage, le vent le malmenait, le poussait contre la rampe métallique qui longeait la promenade, il ne cessait de basculer vers elle comme s'il était emporté, projeté de bras en bras dans une danse sauvage. Entre les rochers, à une dizaine de mètres de lui, en bas, Gil eut l'impression de distinguer un fragment olivâtre et quelques mèches battues par le vent.

« Ingrid ! » cria-t-il, mais le vent l'emporta, et la femme, si c'en était bien une, ne tourna même pas la tête. Il poursuivit le long de la digue, dans sa direction. Par deux fois, il s'arrêta, se pencha par-dessus la rampe métallique, mais l'inclinaison et la hauteur de la digue, ajoutées à la barricade que formait son manteau autour d'elle, finissaient toujours par la soustraire à sa vue. Quand il estima se trouver au-dessus d'elle, il se pencha de nouveau, sur la pointe des pieds, mais à présent il ne voyait même plus son manteau. Il glissa alors la tête et le torse dans le large trou entre la barre du haut et celle du bas, et, le livre toujours dans une main, l'autre posée sur un des montants verticaux de la rampe, il passa lentement la jambe gauche au-dessus des barreaux du bas, pivotant maladroitement de sorte que son pied gauche resta sur le rebord de la digue tandis qu'il commençait à manœuvrer pour faire passer sa jambe droite. Une fois de l'autre côté, cramponné d'une main au montant vertical humide, le corps en porte-à-faux, il était sur le point de s'extirper de sa manœuvre quand son pied gauche, dans sa chaussure richelieu en cuir, glissa.

Gil eut l'impression de tomber dans le vide au ralenti, il eut tout le temps de songer à la montagne que ferait Nan, sa fille aînée, de toute cette histoire, à l'inquiétude que cela causerait à Flora, et puis il songea aussi que, s'il survivait à cette chute, il ferait promettre à ses filles de dresser un bûcher de ses livres à sa mort, et il songea encore au spectacle incroyable que ce serait. Le feu, tel un phare annonçant sa mort, serait sans doute visible jusqu'à l'île de Wight. Et Gil se dit aussi que si aujourd'hui était bien le 2 mai 2004, ce qui lui semblait probable, cela signifiait qu'Ingrid avait disparu depuis onze ans et dix mois exactement, et il se dit aussi qu'il aurait dû mieux lui montrer qu'il l'aimait. Tout ceci lui traversa l'esprit durant sa chute entre les rochers, après quoi il y eut cette douleur au bras, des éclairs de lumière sous son crâne, mais avant que le noir ne l'absorbe complètement, il vit le livre ouvert à côté de lui, le dos fendu en deux.

1

La sonnerie tira Flora d'un sommeil profond. Couché à côté d'elle, Richard avait la tête enfouie sous un oreiller, elle dut lui grimper dessus pour sortir du lit dans le froid et le noir de la chambre. Elle trébucha sur des reliefs de vêtements, des bouteilles vides et des assiettes sales qui jonchaient le sol, ramassa une vieille nappe qu'elle utilisait pour dissimuler les taches de gras laissées sur le canapé par les précédents locataires et s'enroula dedans comme dans une cape. La sonnerie cessa. Flora soupira, et le temps qu'elle ait chassé tout l'air de ses poumons, la sonnerie reprit. Elle tendit l'oreille puis se mit à fouiller parmi les vêtements, tomba enfin sur son jean et son téléphone portable resté dans la poche arrière. *Nan* s'affichait sur l'écran. Richard roula sur le lit en grognant et Flora alla se réfugier dans la salle de bains.

« Nan ? dit-elle en tirant le cordon de la loupiote et en clignant des yeux ».

— Allô ? Flora ?

— Oh, non, je suis désolée, pardon, j'aurais dû appeler, dit Flora. Joyeux anniversaire avec un jour de retard.

— Merci, dit Nan. Mais je ne t'appelais pas pour ça. »

Le ton de sa voix était paniqué, inquiet, Flora sentit une créature s'insinuer en elle, tapie dans son ventre.

« Qu'est-ce qui se passe ? » La voix de Flora n'était plus qu'un murmure. Elle s'affala sur le linoléum, coincée entre la baignoire et le pied du lavabo. De si près, les volutes et les tourbillons abstraits du motif de la nappe semblaient se transformer en poissons bleu argent nageant sur ses genoux.

« Quoi ? dit Nan. Je ne t'entends pas bien. La ligne est très mauvaise. Flora ? Allô ? »

La voix de Nan hurlait dans ses oreilles.

« C'est à propos de Papa, cria-t-elle.

— Papa ? » interrogea Flora, l'esprit gravitant déjà à toute allure autour des différents scénarios possibles.

« Il n'y a pas de quoi s'inquiéter pour le moment, mais…

— Quoi ?

— Il a eu un accident.

— Un accident ? Quel genre d'accident ? Quand ?

— Je ne t'entends pas », dit Nan.

Flora grimpa sur le rebord de la baignoire et ouvrit la fenêtre qui donnait sur le trottoir, à ras du sol. Il faisait sombre dehors, une obscurité déconcertante. Une bourrasque de vent s'engouffra à l'intérieur et au-dessus d'elle des silhouettes d'arbres et de buissons s'agitaient en tous sens.

« C'est mieux, là ?

— C'est mieux, répondit Nan en continuant de crier. Papa est tombé de la digue à Hadleigh. Il a quelques coupures, des bleus, une commotion peut-être, une entorse au poignet. Rien de grave...

— Rien de grave – tu en es sûre ? Est-ce qu'il faut que je vienne tout de suite ?

— ... mais peut-être qu'il a sauté, poursuivit Nan.

— Sauté ?

— Non, ne viens pas tout de suite.

— De la digue ?

— Flora, est-ce qu'il faut vraiment que tu répètes tout ce que je dis ?

— T'as qu'à me répondre !

— Est-ce que tu es ivre ?

— Bien sûr que non, dit Flora, même si elle n'était pas sûre d'avoir complètement dessaoulé.

— Ou bien stone ? Tu es stone ? »

Un rire inattendu jaillit de la bouche de Flora.

« Plus personne ne dit stone, Nan. On dit défoncé.

— Donc, c'est ça, tu es défoncée.

— Je dormais, dit Flora. Raconte ! Qu'est-ce qui s'est passé ?

— Tu viens de te lever ? Il est neuf heures et demie du soir, pour l'amour du Ciel. » Nan semblait outrée.

« Du soir ? demanda Flora. Ce n'est pas le matin, tu es sûre ? »

Nan émit un son désapprobateur, Flora pouvait parfaitement imaginer le mouvement de tête de sa sœur se joignant au son.

« Hier je n'ai pas dormi de la nuit », reprit Flora. Elle n'avait aucune intention de raconter à Nan qu'elle et Richard n'avaient pas quitté le lit depuis deux jours. Qu'à deux reprises elle s'était levée, avait sauté dans son jean et filé au supermarché de Stockbridge Road pour acheter deux bouteilles de vin, une tranche de cheddar sous vide, du pain de mie, une boîte de haricots blancs à la tomate et du chocolat. Richard avait proposé d'y aller à sa place mais Flora avait absolument besoin de ces dix minutes loin de lui. Une fois passée la porte de son appartement en sous-sol, elle laissait tomber ses sacs par terre, son jean à ses chevilles et retournait se glisser sous les couvertures.

« Qu'est-ce que tu as fait ? demanda Nan. Oh, Flora, tu n'as pas une dissertation en retard, rassure-moi ?

— Tu es à l'hôpital ? Je peux lui parler ?

— Il dort. Flora, il y a deux ou trois autres choses. » Sa sœur renifla, il y eut un froissement comme si elle se mouchait, s'essuyait le nez, puis elle prit une grande inspiration. « Il m'a dit qu'il avait vu Maman devant la librairie à Hadleigh, qu'elle portait son vieux pardessus, celui avec lequel tu te déguisais quand tu étais petite, et qu'il l'avait suivie jusqu'aux rochers. »

Une vague d'adrénaline balaya Flora, comme un courant déboulant à toute allure de son ventre, inondant ses membres jusqu'au bout de ses doigts, et jusqu'au sommet de sa tête. « Maman ? À Hadleigh ? » Une odeur de noix de coco surgit, inextricablement mêlée à une couleur de miel doré, sucré et pur, la sève des épines et des fleurs d'ajonc fanées.

« Mais il ne l'a pas vue, ajouta Nan. Il a juste cru qu'il l'avait vue. C'est sans doute l'âge, ou bien la commotion.

— Oui » murmura Flora. Le vent l'éclaboussa de pluie par la fenêtre ouverte, elle recula dans la baignoire, tout en restant penchée vers le dehors pour ne pas perdre le réseau.

« Flora, tu es toujours là ? interrogea Nan dans son oreille.

— Toujours, dit Flora. Je viens à l'hôpital. Le temps de faire ma valise et de sauter dans le prochain train.

— Non, ne fais pas ça. Papa dort. J'espérais qu'ils le laissent rentrer à la maison ce soir, mais c'est trop tard maintenant, ce ne sera pas avant demain matin, une fois qu'il aura été vu par quelqu'un du service psychiatrique.

— Du service psychiatrique ? Pourquoi ? Qu'est-ce qu'il a ?

— Flora, calme-toi, dit Nan. Ils se contentent d'exclure des hypothèses. C'est sans doute une infection urinaire. Viens demain. Je te retrouve à la maison, on pourra parler tranquillement. »

Le Pavillon de nage : leur maison, ainsi qu'elles continuaient de l'appeler, même si aucune d'entre elles ne vivait plus là désormais.

« Je veux le voir.

— Et tu le verras, dans la matinée. Vérifie bien les horaires du bus pour le ferry. Ne reste pas coincée comme la dernière fois. »

Flora avait oublié cette habitude agaçante qu'avait sa sœur de penser à tout pour tout le monde tout le temps.

Elles se dirent au revoir, Flora posa son téléphone sur le rebord du lavabo et se brossa les dents. Quand elle se retourna, elle le poussa sans faire exprès et il tomba dans les toilettes avec un bruit d'eau bien net.

La lumière était allumée dans la pièce principale – à la fois cuisine, chambre et salon – mais Richard, qui s'était forcément levé pour l'allumer, s'était remis sous les couvertures, il avait les yeux fermés. Plus d'assiettes sales par terre, elles étaient empilées sur la table, les restes de nourriture s'entassaient dans la poubelle. Dans le placard à provisions, Flora trouva un paquet de riz au curry dans lequel elle fourra son téléphone. Elle s'assit sur le canapé, tentant de se représenter son père, brisé, blessé, sur un lit d'hôpital, mais il lui apparaissait obstinément élancé, bronzé, arpentant les collines de bruyère à ses côtés, ou bien exhibant pour elle sa dernière trouvaille livresque. Elle songea à sa mère, errant dans Hadleigh en ce moment même, assise dans une boutique, dans un pub ou un café. Ses mains tremblèrent et la créature dans son ventre s'enroula sur elle-même. Et puis soudain, elle se dit que jamais sa mère n'irait dans aucun de ces endroits ; non, elle les attendrait forcément à la maison.

Flora regarda Richard dormir. Dans cette pièce, on n'entendait ni le bruit de la pluie ni celui du vent. L'ampoule suspendue au plafond éclairait son visage d'une lumière crue, il avait l'air différent sans ses lunettes, pas seulement plus jeune, mais plus innocent, moins mature. Elle s'agenouilla à côté du lit et farfouilla dessous pour chercher sa valise.

« C'était qui ? demanda Richard, ouvrant un œil.

— Personne, répondit Flora, en tirant sur ce qu'elle espérait être une poignée.

— Qu'est-ce que tu fais avec ce truc sur le dos ? C'est pas une nappe ? Tu dois te geler. Reviens au lit. »

Il souleva la couette, laissant entrevoir son torse.

« Oh, dit-elle. J'avais oublié ça.

— Quoi ? »

Richard plia la nuque pour contempler son propre corps. De sa main libre il tâtonna sur la table de nuit et enfila ses lunettes. Quand il les eut chaussées, il fit mine d'avoir le souffle coupé par la surprise. Sous les poils bruns qui recouvraient son torse et couraient jusqu'à son nombril, on distinguait un croquis anatomique représentant son squelette et ses organes internes – côtes, sternum, clavicules, naissance du pelvis, et le serpent enroulé sur lui-même formé par ses intestins – le tout dessiné au feutre noir indélébile.

« Il faut absolument que tu reviennes au lit. » Il se pencha pour l'attirer à lui. « Je n'ai toujours ni bras ni jambes. Il faut que tu finisses ton dessin ou bien je ne pourrai jamais retourner travailler, dit-il en souriant.

— Tu savais qu'il était neuf heures et demie ? demande Flora, et, tirant de plus belle la poignée de sa valise, elle atterrit les quatre fers en l'air sur le tapis.

— Neuf heures et demie ? Du matin ? » Richard laissa retomber la couette.

« Non, du soir, bon sang. »

Richard tendit de nouveau la main vers le chevet. Cette fois, il récupéra son téléphone branché au chargeur, et Flora éprouva alors un sentiment d'irritation, pas uniquement parce qu'il avait eu l'idée de penser à mettre son portable en charge mais aussi parce qu'il avait fait bien attention à le poser dans un endroit où il ne craignait rien.

Il émit un long sifflement. « Neuf heures et demie. Peut-être même qu'il est neuf heures et demie demain, et que nous avons manqué tout le samedi, je vais avoir de gros problèmes au travail, moi. »

Flora renonça à la valise, se dirigea vers le tiroir où elle rangeait ses sous-vêtements, et fouilla dedans.

« Tout va bien ? »

Il se redressa dans le lit et l'observa.

« C'était Nan, dit-elle. Au téléphone.

— Ta grand-mère ?

— Non, ma sœur.

— Je ne savais pas que tu avais une sœur. Plus grande ou plus petite ?

— Elle a cinq ans et demi de plus que moi », dit Flora.

Elle largua une poignée de culottes et soutiens-gorge au milieu de la pièce, puis retourna vers les tiroirs pour fouiller dans ses jeans et ses pulls.

« Qu'est-ce qu'elle voulait ?

— Il faut que je rentre à la maison.

— Maintenant ? Tu veux dire, tout de suite ?

— Oui, tout de suite, dit-elle en lâchant une nouvelle pile de vêtements par-dessus la première, puis elle se tourna vers lui. Immédiatement, je veux dire. Papa est à l'hôpital, et j'ai besoin que tu te lèves maintenant pour récupérer ma valise qui est sous le lit.

— Papa ? interrogea Richard.

— Oui, Gil, mon père. Tu vas répéter tout ce que je dis ? »

Flora se tenait debout, les poings sur les hanches. Richard sortit du lit, ramassa son caleçon, son pantalon et les enfila. Il se pencha, lui attrapa sa valise, et s'assit sur le bord du lit pour la regarder préparer ses affaires. La valise appartenait à sa mère autrefois, c'était une valise en carton bleu, arrondie aux angles. Flora lui tournait le dos, mais elle pouvait sentir le fourmillement de ses pensées.

« Attends un peu, reprit-il. Gil ? Ton père s'appelle Gil ? Et ton nom de famille, c'est Coleman, n'est-ce pas ? »

Flora soupira. Elle avait oublié qu'il connaissait son nom de famille. Il avait fallu moins de deux semaines à Richard pour la démasquer. Pas si mal ; une fois, elle avait découvert qu'un garçon n'avait couché avec elle que parce qu'il avait appris qui était son père. Après cela, elle ne l'avait plus jamais rappelé.

« *Le* Gil Coleman ? » demanda Richard. Le Gil Coleman qui a écrit *Un homme de plaisir* ? » Pas besoin de se retourner pour deviner l'expression sur son visage, et c'était la raison pour laquelle, s'admonesta-t-elle, plus jamais elle ne coucherait avec un libraire.

« Celui-là, oui, dit Flora, tout en appuyant sur la pile de vêtements pour réussir à caser un carnet et une boîte de fusains par-dessus.

— Mon Dieu. Gil Coleman est ton père. Je n'arrive pas à y croire. Je croyais qu'il était mort. Il n'a plus rien écrit depuis ce livre, n'est-ce pas ?

— J'imagine que tu as l'impression d'avoir atterri dans *Le Château de Cassandra*[1] », s'efforça-t-elle de plaisanter.

Mais de là où elle était, assise sur la valise qu'elle essayait de fermer, elle voyait bien que Richard venait de se souvenir d'autre chose ; un autre fait mémorable à propos de Gil Coleman, à part ce

1. *Le Château de Cassandra* est un classique de la littérature britannique. Publié en 1948, le roman raconte la vie d'une famille assez pauvre vivant dans un château en ruines dans l'Angleterre des années trente. C'est le journal intime de la cadette de la famille, Cassandra, dont le père est un écrivain taciturne connu pour un seul ouvrage.

livre qu'il avait écrit. Cela n'allait pas tarder à émerger, autant en finir au plus vite, s'en aller et ne plus jamais revoir Richard. Le verrou de la valise cliqueta enfin.

« Attends, dit-il en se redressant, une main sur le front et l'autre en l'air, comme si elle avait tenté de le déconcentrer d'une quelconque manière. Attends, je connais cette histoire.

— Ce n'est pas une histoire, Richard. C'est ma famille.

— Oui, bien sûr, désolé. »

Il était encore en train de sonder sa mémoire quand elle lui tourna le dos et laissa tomber la nappe à ses pieds. Elle rouvrit la valise, sortit une culotte propre et l'enfila. Puis elle trouva son jean, en renifla l'entrejambe et sauta dedans. Elle n'accorda pas un regard à Richard, l'idée de voir peu à peu tous les détails de l'histoire lui revenir à l'esprit lui était insupportable.

Flora ramassa un soutien-gorge, essaya de le fermer, ne trouva pas les encoches, réessaya, et l'entendit prononcer un « Oh » embarrassé. Lorsqu'elle eut finalement réussi à attacher son soutien-gorge, elle s'accroupit à côté du lit et enfila maladroitement un tee-shirt qui traînait là. Richard se pencha en avant et lui prit le poignet gentiment. La cavité osseuse de l'épaule qu'elle avait dessinée sur sa peau se plia quand il bougea le bras, il ajouta alors : « Je suis désolé. Pour ta mère.

— Il n'y a pas de quoi être désolé, dit Flora, bravache. Elle n'est peut-être pas morte.

— Mais, dit Richard, je croyais qu'elle…

— Les journaux, l'interrompit Flora, racontent n'importe quoi.

— … s'était noyée… il y a longtemps, acheva Richard.

— Je… commença Flora. Elle a disparu, c'est tout. »

L'odeur de noix de coco et la couleur miel doré refluèrent de nouveau, ainsi que la silhouette de sa mère se détournant dans la lumière du soleil.

« On ne sait pas ce qui s'est passé. Et c'était il y a onze ans. Mais à présent elle est revenue. Papa l'a vue à Hadleigh. » Flora était incapable de dissimuler son excitation.

« Quoi » Richard lui tenait toujours le poignet.

« Je ne peux pas t'expliquer ça maintenant. Il faut que je rentre à la maison. Il a besoin de moi. »

Elle s'assit par terre à côté de lui. Ainsi donc elle ne reverrait jamais Richard, à présent qu'il savait qui elle était, il ne la regarderait plus de la même manière. C'était une chose qu'elle détestait, ce moment où ses parents devenaient ce que les hommes trouvaient de plus intéressant chez elle.

« Laisse-moi te conduire là-bas. » Sa main glissa de son poignet à ses doigts. « Ton père vit à Hadleigh, c'est ça ?

— Juste à côté. Je prendrai le dernier train, pas de problème. De toute façon, tu dois sûrement rentrer toi aussi. »

Elle remarqua le changement dans son attitude quand elle prononça ces mots, quand il comprit ce qu'ils signifiaient réellement.

« Il part à quelle heure ? »

Richard se leva, tapa sur son téléphone.

« Vers dix heures, je suppose.

— C'est dans quinze minutes, ça. Flora, tu ne vas jamais y arriver. Prends ma voiture. »

2

Pavillon de nage, 2 juin 1992

Cher Gil,

Il est quatre heures du matin et je n'arrive pas à dormir. Je suis tombée sur un bloc de ce papier jaune et je me suis dit que j'allais t'écrire une lettre. Une lettre qui mettrait à plat les choses que je n'ai pas réussi à te dire en face – la vérité sur notre mariage, depuis le début. Je sais que je vais écrire des choses que tu prétendras tout droit sorties de mon imagination, rêvées, inventées, mais c'est ainsi que je les vois. Ceci, ici, est *ma* vérité.

Si je te le demandais, serais-tu capable de dater notre première rencontre ?

Moi, je peux. C'était le 6 avril 1976, même si, en l'occurrence, je prends quelques libertés avec le terme « rencontre ». C'était un mardi. Chaud et ensoleillé, plein de cette sensation exaltante que l'arrivée du printemps procure quand il semble enfin s'installer pour de bon. Louise et moi étions assises dans l'herbe devant la bibliothèque de l'université, ignorant les pancartes « Pelouse interdite » et détaillant les projets que nous formions pour le reste de notre vie. Bien entendu, ni l'une ni l'autre ne connaissions l'avenir, mais nous étions d'accord sur une chose : nous n'aurions pas les mêmes vies que nos mères (le ménage, les enfants, pas de travail), des vies étriquées et vaines que nous rejetions à toute force.

« Avoir de l'argent ne m'intéresse pas, déclara Louise.

— Ni posséder quoi que ce soit, d'ailleurs, ajoutai-je.

— Mon Dieu, non. Ce que nous possédons – enfants, maris, maisons, amants – nous entrave. Nous empêche d'accomplir nos rêves. L'essentiel aujourd'hui, ce sont les études. C'était le problème de nos mères – de ne pas avoir fait d'études. De ne pas avoir de diplômes. Et donc de ne servir à rien.

— À rien du tout » approuvai-je. (Nous étions si sévères, si intransigeantes.) Je m'étendis dans l'herbe. « Mais je voudrais pouvoir continuer à faire l'amour. De temps à autre.

— Bien sûr. Tant qu'on est libre, on peut le faire aussi souvent qu'on veut. Tant qu'il n'y a pas d'attaches. Pas d'engagement. Eux le peuvent, pourquoi pas nous ? »

Par « eux », Louise entendait « les hommes ».

Une fois diplômées, Louise et moi partirions à la découverte du monde et de ce qu'il avait à nous offrir (les endroits et les gens, et – d'une manière générale – les hommes bien sûr). Nous passions nos soirées à explorer des cartes d'Amérique du Sud, d'Australie, de Chine, à tracer des itinéraires, faire des projets en buvant du mauvais vin rouge.

Cet après-midi-là, Louise alla à son cours d'histoire et moi j'allai récupérer ma bicyclette dans l'un des garages à vélos du campus. C'est là que je trouvai un mot, coincé entre le câble du frein et le guidon du vélo d'homme que j'avais acheté d'occasion à un étudiant de ma promotion. Le mot, plié en quatre, disait (je m'en souviens parfaitement) : « Monsieur, à l'avenir, soyez plus attentif lorsque vous attachez votre vélo. Vous avez manifestement accroché le mien avec le vôtre, et maintenant je suis obligé de rentrer à pied, sous la pluie, sans parapluie. »

Il faisait un grand soleil, tu te souviens ? Les mots avaient été écrits au crayon et à certains endroits la mine avait transpercé la feuille comme s'ils avaient été griffonnés à la hâte sur un genou. Il n'y avait pas de signature.

Je regardai autour de moi, fourrai le mot dans ma poche, fixai les pans de mon jean à l'aide d'une pince et détachai les vélos. Je cueillis une jonquille sur un parterre de fleurs à côté, la glissai entre les rayons de ce vélo voisin et rentrai chez moi. Le lendemain, alors que j'avais garé mon vélo ailleurs, un nouveau mot avait été glissé entre mes câbles de frein. Celui-ci, de la même écriture, me fit rire : « Vous ne devriez pas cueillir les fleurs de l'université, disait le mot. Les gros bonnets du campus ne vont pas aimer, et quand ce sera arrivé aux oreilles du doyen, ce qui ne saurait tarder, alors vous aurez droit à un de ses interminables discours sur les règles de l'université. Je vous assure que cela n'en vaut pas la peine, aussi belle soit la fleur et agréable le geste. »

Après avoir dîné avec Louise, je m'allongeai sur mon lit. J'aurais dû être en train de travailler sur mon devoir de littérature mais à la place j'attrapai une enveloppe jaune qui traînait dans la poubelle. Je pliai le papier en forme de pétales de jonquille et les collai à mon crayon que je posai sur ma table de nuit. Ce fut la dernière chose que je vis avant d'éteindre la lumière. Le lendemain matin, je fichai ma jonquille en papier entre le guidon et le câble des freins du vélo de l'auteur de la lettre. Quand je revins l'après-midi, le vélo avait disparu et la fleur avec lui.

Puis, ce fut Pâques, et je réussis à convaincre ma tante qui m'appelait d'Oslo sur une ligne grésillante que, puisque mon loyer était payé pour toute l'année, je ferais aussi bien de rester à Londres. Chaque matin des vacances, qu'il pleuve, qu'il vente, qu'il neige, Louise et moi pédalions vers le nord à travers Regent's Park jusqu'aux bassins de nage de Hampstead Heath. Emportant avec nous œufs durs et crackers Ritz, serviettes-éponges et maillots de bain. Louise insistait toujours pour aller au bassin réservé aux femmes, et cela avait beau être plus loin et j'avais beau être tentée de m'aventurer dans le bassin mixte, je ne discutais pas et me laissais faire. C'était pour l'eau que je venais : pour être saisie par le froid en descendant l'échelle, pour la teinte vert-de-gris de mes jambes battant sous l'eau, pour l'œil du foulque sur le bassin où je nageais, les insectes rasant la surface, les rayons du soleil s'y réfractant, s'y reflétant, la pluie qui la mouchetait. J'aimais le bruit de l'eau claquant contre les poutres en bois de la jetée, les rires et les cris au loin des autres nageurs, et ce lieu secret, sous l'eau, où je pouvais plonger et ouvrir les yeux sur un monde d'herbes, de boue, de bulles, de membres à peine esquissés, aussitôt disparus, d'autres nageurs. Je regrettais que, contrairement à la règle qui régissait le bassin des hommes, les femmes n'aient pas le droit de nager nues.

Le semestre d'été commença, ainsi que l'atelier d'écriture auquel je m'étais inscrite et nous étions encore en train de bavarder à nos bureaux lorsque tu entras dans la salle. Tu posas ton sac et t'appuyas sur le pupitre du professeur devant la classe, les jambes croisées, attendant tranquillement qu'un à un nous te remarquions et cessions de parler. Tu avais l'air jeune pour tes trente-neuf ans, tu étais très beau. Sur le tableau noir derrière toi, il y avait un graphique détaillant la composition chimique de l'eau de mer.

La première chose que tu me dis fut : « Comment vous appelez-vous ? » Je me souviens d'avoir pensé que ta voix était faite pour les émissions de radio nocturnes. La deuxième chose fut : « Ingrid Torgensen, voudriez-vous bien fermer la porte de la classe, s'il vous plaît ? »

Je remuai sur ma chaise et lançai un regard à ma voisine, qui me renvoya un rire embarrassé.

« Eh bien, allez. Qu'est-ce que vous risquez ? »

J'hésitai encore un instant avant de me lever et d'aller jusqu'à la porte poser ma main sur la poignée. Dans mon dos, j'entendais les étudiants parler et glousser en suivant tes instructions pour déplacer les tables et les chaises sur le côté de la salle. Je regardai par-dessus mon épaule et te vis en train de vider ton sac. Tu sortis un objet emballé dans des mouchoirs en papier – un pot de confiture vide. C'était en 1976, souviens-toi, nous étions jeunes, assoiffés de découvertes, exaltés par le champ infini des possibles. Tu déposas le pot de confiture sur la moquette, puis t'assis en croisant les jambes tout en sortant un autre objet, également dissimulé sous des mouchoirs, et tu le déballas avec précaution comme un objet précieux. Un à un les étudiants s'installèrent en cercle. Tu te penchas sur le pot de confiture et posas dedans ma jonquille artisanale. La poignée de la porte ripa sous mes doigts.

« Je vais vous révéler un secret, dis-tu au moment où je me glissais dans un creux du cercle et m'asseyais à mon tour. Après, ce sera à vous. Quelque chose que vous n'avez jamais dit à personne. Quelque chose que vous avez toujours caché. » Tu avais les yeux fixés sur la jonquille, tu parlais lentement, chuchotais presque, nous étions tous penchés en avant, tendant l'oreille pour ne pas en perdre une miette. « Les vérités cachées, déclaras-tu, sont les forces vives de l'écrivain. Vos souvenirs, vos secrets. Oubliez l'intrigue, les personnages, le plan ; si vous voulez vraiment être un écrivain, il va falloir plonger les mains dans la fange jusqu'aux poignets, aux coudes, aux épaules, creuser pour déterrer vos secrets les plus obscurs, les plus intimes. » Tu t'avanças et t'accroupis par terre devant la classe.

« Ce n'est pas moi qui ai fabriqué cette jonquille », dis-tu en la désignant d'un geste de la tête. Deux pétales étaient tombés, les autres étaient pliés. Je sentais l'afflux de sang pulser dans mon corps, la chaleur remonter le long de mon cou, gagner mes joues.

« Je l'ai volée, poursuivis-tu. Quand j'étais jeune, pas beaucoup plus vieux que vous, ma mère est tombée très malade. Elle a été emmenée d'urgence à l'hôpital et mon père m'a téléphoné et m'a dit de venir immédiatement car elle ne passerait pas la journée. J'habitais loin de l'hôpital, j'ai abandonné donc tout ce que j'étais en train de faire – écrire ou lire sans doute – et sauté dans ma voiture. J'avais plusieurs heures de route devant moi, j'ai foncé sans m'arrêter, pensant à ma mère dont j'étais très proche, là-bas, dans son lit d'hôpital. Je suis arrivé en début de soirée, j'ai garé ma voiture n'importe où et me suis rué à l'intérieur.

« Ma mère était une femme d'une autre époque. Elle entendait qu'on respecte certaines règles, une étiquette aujourd'hui presque oubliée, et tandis que je me précipitais dans le bâtiment, je savais que, même sur son lit de mort, ma mère serait encore à cheval sur les bonnes manières. Hors de question de me présenter à elle sans un cadeau ou des fleurs, mais la petite boutique de l'hôpital était fermée.

« Je suis donc entré dans la première aile du bâtiment : celle des enfants. Personne ne m'a demandé qui j'étais ou ce que je faisais là. J'espérais trouver un bouquet de fleurs ou des chocolats, je me disais que je viendrais les remplacer dès que la boutique aurait rouvert, mais bien sûr personne n'apporte des fleurs ou des boîtes de chocolats aux enfants malades. Et j'étais sur le point de me résoudre à aller voir ma mère les mains vides, quand j'ai vu cette jonquille en papier dans un vase sur un chevet. » Tu désignas la fleur d'un geste de la tête. « L'enfant dans son lit était endormi, il n'y avait pas de visiteurs, alors j'ai pris la fleur et rejoint la chambre de ma mère. Nous nous sommes dit au revoir et elle est morte quelques minutes après que je lui ai donné la fleur. »

Il n'y avait plus un bruit dans la salle, nous te regardions, tu avais les yeux fixés sur la jonquille. Une fille en face de moi renifla et s'essuya les yeux. Et moi, que pensais-je ? Ton histoire avait l'air tellement vraie, tellement sincère, que j'étais presque tentée de la croire, de me demander si ce pouvait être une autre jonquille. Il me fallut beaucoup de temps pour distinguer la vérité dans la fiction.

Je ne me souviens pas des secrets que mes camarades ont racontés durant ce cours – aucun ne m'a réellement marquée. Tout ce que je me rappelle, c'est le silence hébété quand nous avons ramassé nos sacs et nos manteaux pour partir. Je ne t'ai raconté aucun secret ; je n'ai plongé mes bras dans aucune fange, ni lors de ce cours, ni jamais. Ce n'est que beaucoup plus tard que j'ai inventé une histoire pour toi. Cet après-midi-là, lorsque je racontai le cours à Louise, elle déclara : « Cet homme est un idiot, tu ferais mieux de garder tes distances. »

Gil, tu nous manques, s'il te plaît, rentre à la maison.

À toi,

Ingrid

P.-S. : Qu'est-il arrivé à ta bicyclette ?

3

La Morris Minor de Richard était la dernière voiture à embarquer sur le ferry ce soir-là. Avant que Flora ne démarre, il lui avait donné des instructions compliquées sur le fonctionnement du starter de sa « vieille copine », sur son levier de vitesse « un peu collant », et l'avait mise en garde : surtout ne pas repasser en première une fois la voiture lancée, au risque de se casser les dents sur le volant. Flora s'était imaginée avec une canine fendue en deux. Elle n'était peut-être pas très pratique mais c'était une jolie voiture couleur framboise écrasée et elle sentait le plastique chaud.

Dans son ciré jaune fluo, l'employé du ferry fit signe à Flora d'avancer et lui annonça qu'après celle-là les traversées étaient interrompues à cause du mauvais temps.

« Vents violents, ma jolie » furent ses mots exacts.

« Mais ma sœur doit traverser ce soir ! » cria Flora par la vitre entrouverte, bien qu'à la réflexion elle ne se rappelât plus tout à fait ce que Nan avait dit à propos de son retour à la maison, et elle se dit qu'elle aurait peut-être mieux fait d'aller à l'hôpital.

« Pas ce soir, non. Ou bien il faudra qu'elle fasse le grand tour. Vous avez bien mis le frein à main ? »

Flora sortit de la voiture bien que la traversée de la Pointe ne prenne que dix minutes, jusqu'à l'endroit où elle avait grandi, cette volute de terre comme un doigt qui vous faisait signe d'approcher. Elle se posta à la proue, derrière la rambarde, giflée par les bourrasques de pluie, dans le bruit des moteurs qui vrombissaient pour maintenir le ferry sur ses chaînes, par-delà cet étroit bras de mer. L'estomac de Flora imitait le roulis et les haut-le-cœur du bateau. Ce soir, il n'y avait pas de lumières sur la rive d'en face, ils auraient aussi bien pu faire route vers le grand large. Elle n'avait jamais été la dernière passagère – la seule passagère – et elle se demandait si sa mère avait récemment posé le pied sur ce même pont pour traverser la Pointe, et si elles se reconnaîtraient quand elles se reverraient. Tandis que le bateau vibrait, luttait, à chaque tintement Flora imaginait que les chaînes du ferry se brisaient, libérant leur vaisseau minuscule dans les flots déchaînés. Les vagues viendraient rugir par-dessus le bastingage, inonderaient le ponton des voitures, puis l'eau se glisserait par la fenêtre entrouverte de la Morris Minor de Richard. Alors elle grimperait les marches qui menaient au poste d'observation, tout en haut du ferry, elle se pencherait par-dessus la rampe et verrait le bateau disparaître peu à peu dans le noir, ses lumières s'éteignant une à une, jusqu'à ce que la dernière, à côté du poste de commande, se mette à clignoter avant d'être définitivement avalée par la mer. Des déferlantes noires soulèveraient et emporteraient le bateau dans leur tourbillon, pareilles à des montagnes s'élevant là où auparavant il n'y avait nulle montagne. L'air serait chassé de chaque cavité, de chaque tuyau, de chaque poumon, recraché en bulles à la surface, tandis que le ferry sombrerait, plongeant par la proue, l'emportant au fond, et, avec elle, la petite voiture de Richard et tous les hommes en veste jaune.

Il fallut deux ou trois tentatives à Flora pour démarrer la voiture, pendant ce temps l'homme attendait, s'impatientant sur la passerelle. Il fit même quelques pas dans sa direction, mais Flora jura, tira sur le starter et la voiture démarra dans un soubresaut. Sur la route, les péages étaient éteints et les barrières levées : un tour gratuit. Les phares de la voiture se révélèrent plus faibles que lorsqu'elle était partie, et la pluie tambourinait sur la tôle du toit. Les essuie-glaces ne parvenaient pas à chasser le déluge assez vite, ce qui l'obligeait à conduire la poitrine écrasée sur le volant pour voir les pâles lueurs des feux s'évaporer sur la route en noir et blanc. Même avec le chauffage et la ventilation à fond, il lui fallait essuyer le pare-brise de sa manche toutes les cinq minutes.

La route entre le débarcadère et le village traversait une réserve naturelle : des marais salants zébrés de sentiers et de cratères marécageux, se transformant en dunes poussiéreuses côté mer, en affleurements rocheux côté terre. Les pistes de sable serpentaient entre les étendues de roseaux et de bruyère contournant la Petite Mer, un lac d'eaux saumâtres niché entre le bitume et la mer et bordé par des bosquets d'arbres ficelés en ballots qui le protégeaient des voitures.

L'obscurité importait peu. Même si c'était la première fois qu'elle conduisait sur cette route elle en connaissait par cœur chaque coin et recoin. Elle avait toujours effectué ce trajet comme passagère, soit à l'avant à côté de sa sœur, soit à l'arrière, quand elles étaient enfants et que leur père était au volant. Elle avait presque dix ans quand sa mère avait disparu, pourtant Flora n'avait pas le moindre souvenir en voiture avec elle, mais c'était forcément arrivé. Elle bidouilla la radio, essayant de changer la fréquence, en vain, elle n'obtint qu'un larsen et une voix lointaine ici et là.

Le premier choc sur le toit de la voiture se produisit juste après un relief surnommé l'Enclume du Diable, où la roche érodée dessinait une tête de boxeur au nez cassé, aplati par le vent. À sa droite, quelque chose tomba et sembla atterrir sur une colline, de derrière ses vitres embuées elle ne pouvait être sûre de rien. Entre le vrombissement du moteur et le vacarme de la pluie, elle n'était même pas sûre d'avoir bien entendu. Puis quelque chose heurta le pare-brise avant d'être balayé par les essuie-glaces.

Flora s'enfonça dans son siège, les mains agrippées au volant, le pied écrasé sur le frein. La voiture glissa sur le sol humide et se déporta de l'autre côté de la route, tandis que Flora tentait de se souvenir si dans un dérapage il valait mieux tourner dans le même sens ou contrebraquer. Quelque chose d'autre tomba sur le capot, qui parut se jeter sur la route, encore une fois, et puis une autre. La voiture s'arrêta enfin, immobilisée, un des pneus arrière ensablé dans le bas-côté et l'autre sur le tarmac. Les buissons d'ajonc et d'aubépine se pressaient contre la vitre côté conducteur comme si, curieux, ils voulaient voir ce qu'il y avait à l'intérieur.

Flora plissa les yeux vers l'avant, frotta la vitre avec son poing. Les courts rayons des phares éclairaient des objets qui continuaient de tomber et de rebondir sur la route. Lorsque cela cessa, qu'elle fut certaine que ce n'était plus que de la pluie qui tambourinait sur le toit, elle passa sur le siège passager et ouvrit la portière. Le vent rugissait dans les pins, la pluie giflait le bitume. Avant même d'avoir posé le pied par terre, elle aperçut sur le tarmac luisant et noir un poisson gisant sur le flanc, gueule ouverte. Il faisait la taille de sa paume et brillait d'un éclat bleu argent iridescent. Elle aventura son pied gauche à l'extérieur pour retourner la bête, et alors, même sous cette pluie, elle put voir ses chairs lacérées, écrabouillées par le choc de la chute. Flora se frotta les yeux et observa les cônes de lumière pâle des phares de la voiture : des centaines de créatures semblables recouvraient la route, dont quelques-unes frémissaient encore vaguement. Des bébés maquereaux sans doute. Le vent entraîna la portière ouverte mais Flora la claqua violemment, regagna la place du conducteur et resta assise les yeux fixés droit devant elle. Elle n'était pas certaine d'arriver à reprendre la route. Elle ferma les yeux et mit le contact. Par deux fois, le moteur produisit un bruit sourd, grogna, la troisième fois il en jaillit une toux de vieillard, lente, douloureuse et rocailleuse. Elle tira sur le starter, malgré les indications de Richard qui lui avait bien dit que ce n'était pas nécessaire si le moteur était chaud, la voiture ne voulut toujours pas démarrer, à la quatrième tentative les phares s'éteignirent et elle se retrouva dans le noir.

De nouveau elle regarda par-dessus son épaule ; qui sait, l'homme du ferry s'était peut-être trompé, il ferait peut-être encore un autre aller-retour avant de fermer, mais il n'y avait que la nuit dans son dos. Elle attendit encore cinq minutes, réessaya de mettre le contact, cette fois le mécanisme s'enclencha dans le vide. Alors elle prit sa valise et sa sacoche sur la banquette arrière, et se hissa hors de la voiture.

4

Pavillon de nage, 4 juin 1992, 3 h 55 du matin

Cher Gil,

Bien sûr, il va me falloir plus d'une lettre pour écrire toute l'histoire de notre mariage. Forcément, cela prendra plus longtemps.

Après avoir achevé ma première lettre, je voulais l'envoyer directement. J'avais trouvé l'enveloppe d'une vieille facture d'électricité dans un des tiroirs sous le plan de travail de la cuisine et je me disais que j'allais marcher jusqu'à la boîte aux lettres dès le lever du soleil avant d'avoir le temps de changer d'avis. Mais alors que je m'asseyais sur l'accoudoir du canapé dans la chambre encore sombre, le stylo à la main, j'ai entendu un bruit dans la chambre des filles (les montants du lit qui grinçaient, la porte qui couinait), et sans réfléchir j'ai attrapé un livre sur l'étagère la plus proche, glissé la lettre à l'intérieur et l'ai vite remis à sa place.

Flora s'est alors encadrée dans la porte, les premiers rayons du soleil entraient par les fenêtres de notre chambre, dessinant les contours du corps frêle de ses neuf ans dans sa chemise de nuit.

« C'est le matin ? a-t-elle demandé.

— Non, Flora, ai-je répondu. Retourne te coucher.

— Est-ce que Papa est rentré ?

— Non, ai-je dit. Pas encore. »

La première lettre que je t'ai écrite, je l'avais glissée dans *The Swimming-Pool Library*[1] d'Allan Hollinghurst. C'était tout à fait pertinent, à bien des égards. J'ai alors songé que je laisserai toutes mes lettres dans tes livres. Peut-être ne les trouveras-tu jamais, peut-être ne seront-elles jamais lues. Je me ferai une raison.

Ainsi donc, 1976. Nous, les quatre élus, sommes assis dans ton minuscule bureau, très haut dans l'angle d'un bâtiment des années soixante aux grands couloirs blancs, plein d'amphithéâtres, de fines moquettes collées à même le béton, d'éclairage au néon et de fenêtres qui laissent passer les courants d'air. En dehors de l'étroit bureau croulant sous les monceaux de papiers, tu avais fait de ton antre un modèle réduit de club pour gentlemen anglais : tapis, lampes, murs couverts de livres, un vieux fauteuil Chesterfield et quelques

1. La Piscine-Bibliothèque.

sièges bas rassemblés autour d'un pouf en velours piqueté. Il y avait une odeur dans la pièce – un mélange de café, de capitonnage moelleux et de tabac – une odeur dont je me délectais, celle d'un lieu d'adultes. Tu portais un cardigan noir à côtes, la fermeture éclair remontée jusqu'au menton, et tu te balançais dans ta chaise habituelle.

« Les six dernières lignes du dernier chapitre », annonças-tu, et aussitôt nous plongeâmes dans nos livres, cherchant la page en question, la scrutant. Tu récitas les lignes à voix haute, de tête. « Alors, quel effet produisent-elles ? » interrogeas-tu.

Un ange passa, mais on pouvait toujours compter sur Brian pour rompre ce genre de silence.

« Jackson nous fait savoir que Merricat s'est endurcie. Elle n'a plus peur des enfants du village – en fait, elle pourrait même n'en faire qu'une bouchée. Alors que Constance est de plus en plus dépendante de sa sœur et semble ne plus devoir quitter la maison de toute sa vie.

« Mais, vous, qu'en pensez-*vous* ? » insistas-tu, tout en sirotant ton café, la tasse posée tout contre ton menton. Brian, un peu perdu, me chercha des yeux, mais je haussai les épaules. Plus personne ne dit rien pendant au moins une minute.

« Eh bien, reprit Brian, en fait, *c'est* ce que je pense. »

Tu soupiras. « Et vous, Elizabeth ? » Tu te délassas dans le fauteuil en velours, dont les accoudoirs luisaient d'usure et la garniture blanche s'échappait par les coutures, on aurait dit un homme dans une veste de smoking qui aurait rentré les mains dans ses manches pour faire une blague.

« Je... » commença-t-elle, manifestement hésitante, tentant de trouver la réponse que tu attendais. « Je, je crois qu'avec les araignées, Jackson essaie de nous dire que Constance a couvert Merricat... » Elizabeth s'interrompit, guettant un signe lui indiquant qu'elle était sur la bonne voie. « Parce que, vous savez, au goûter, quand l'oncle, quel est son nom déjà, dit que Constance a vidé le sucrier, parce que, vous vous souvenez, c'est dans le sucrier qu'il y avait l'arsenic, quoi qu'il en soit l'oncle, peu importe son nom, il a dit qu'il y avait une araignée à l'intérieur. » Tu étiras tes jambes et la laissas continuer jusqu'à ce qu'elle s'essouffle et s'arrête. Même moi, j'étais gênée pour elle.

« Et donc ? dis-tu en laissant traîner ta voix sur notre silence. Quelle est votre interprétation ? » Tu flanquas ta tasse sur une liasse de papiers posée sur le bureau à côté de toi. De ma place, je n'arrivais pas à lire la page du haut, qui était à l'envers. « Allez, faites un effort. » Désespéré par notre niveau, tu te passas les mains dans les cheveux – encore bruns mais légèrement dégarnis sur le devant – laissant une sorte de promontoire bouclé cascader sur ton front.

« Allez, Guy, aidez vos camarades », ajoutas-tu. Je n'ai jamais vraiment compris pourquoi tu avais invité Guy à faire partie de notre groupe. À mes yeux, il n'y avait pas plus mauvaise plume, le genre à aligner les mots longs et compliqués pour se rendre intéressant. L'année précédente, je couchais avec Guy de temps à autre. Le moins souvent possible, pour tout dire, car il avait beau être assez doué, mon corps le dérangeait. Une fois il m'avait expliqué que pour lui, c'était comme de « le faire » avec une étrange créature sous-marine, et puis il parlait tout le temps et j'en avais marre de l'écouter.

Pendant que Guy se livrait donc à un discours pompeux sur les intentions de Jackson, je m'efforçai de penser à ce que je pourrais trouver d'intéressant à dire quand ce serait mon tour de parler. Quelque chose qui te fasse te redresser dans ta chaise rembourrée avec un geste d'approbation, quelque chose qui ne te serait même pas venu à l'esprit. Je n'avais aucune idée. Pas même une théorie dont nous pourrions discuter. Vraiment, rien du tout. À la fin de la logorrhée de Guy, j'avais le cœur au bord des lèvres, horrifiée par le vide de mon cerveau, toi, tu croisas les bras derrière la tête et bâillas. Un bâillement si fort et si long qu'il nous fit détourner le regard. Lorsque ta bouche se referma enfin, tu te penchas en avant et te frottas les yeux avec les paumes de tes mains. Après cela, le blanc de tes yeux était rougi. Je me demande ce que tu avais pu boire la veille, toujours est-il que tu irradiais encore les vapeurs de l'alcool ingurgité.

J'attendais, nerveuse, que tu demandes mon opinion. Tu ne pris même pas la peine de te tourner vers moi.

« Écoutez-moi bien, commenças-tu. Certains d'entre vous, en particulier ceux qui se prennent pour des poètes maudits », dis-tu – sans quitter Guy des yeux, qui te regardait lui aussi en fronçant les sourcils –, « fantasment peut-être sur cette représentation d'eux-mêmes noircissant des pages et des pages dans leur antre, injustement méconnus d'un monde des lettres ignorant, jusqu'à la mort et la gloire posthume. C'est foutrement inutile, croyez-moi. Écrire ne sert à rien tant que personne ne vous lit, et chaque lecteur voit quelque chose de différent dans un roman, dans un chapitre, dans une ligne. Aucun d'entre vous n'a donc lu Barthes ou Rosenblatt ? » (Les noms furent aussitôt griffonnés par chacun.) « Un livre ne prend vie que lorsqu'il entre en interaction avec un lecteur. Que pensez-vous qu'il se produise dans les creux, les non-dits, dans tout ce qui n'est pas écrit ? Le lecteur comble les vides avec sa propre imagination. Mais tous les lecteurs remplissent-ils ces creux comme vous le souhaiteriez, ou bien tous de la même manière ? Bien sûr que non. Je vous ai demandé quel effet produisaient ces lignes, et vous m'avez tous répondu en m'expliquant quelles étaient les intentions de Jackson, ce que ces lignes signifient, ou du moins ce que vous croyez qu'elles signifient. Dans certains cas, même là-dessus vous vous trompez. » De nouveau, tu fixas Guy. « Mais aucun d'entre vous ne m'a dit quel effet elles avaient produit sur vous. Ce qu'elles ont suscité dans votre imagination de lecteur. » Tu te frappas la poitrine. « Vous êtes passés à côté de l'essence même de la littérature, de la lecture. On s'en fout de Jackson et de ses intentions. Elle est morte, littéralement et métaphoriquement. Ce livre » – tu arrachas le livre des mains d'Elizabeth et fis claquer ses pages dans le vide – « et tous les autres livres sont créés par leurs lecteurs. Et si vous n'avez pas compris cela, et tout ce que cela signifie pour votre travail, vous ne savez absolument rien sur l'écriture et vous ne saurez jamais rien, alors autant laisser tomber maintenant. »

J'avais l'impression d'être revenue des années en arrière, dans l'appartement de mon père, recroquevillée dans un coin, à l'écouter déblatérer sur son ex-femme, c'est-à-dire ma mère. Me sentant coupable par association. Tu te penchas en avant une nouvelle fois, étiras tes jambes, cambras le dos et remis les mains derrière la tête, les paupières fermées, comme si tu t'étendais dans une chaise longue un dimanche après-midi. Je t'observais, fascinée, tandis que ton cardigan remontait le long de ton torse, dépassait la ceinture de ton pantalon, et révélait une bande de peau, de ventre plat ; tu ne portais rien en dessous, et mon regard se porta alors sur tes pieds et je remarquai que tu n'avais pas non plus de chaussettes. Tu avais dû dormir sur le canapé, et tu étais sûrement encore endormi quand Brian, qui arrivait toujours le premier, avait frappé à la porte de ton bureau à deux heures cet après-midi-là.

« Ouais, lanças-tu les paupières toujours closes. On va s'arrêter là. Allez, sortez. »

Brian, assis sur le canapé, à côté d'Elizabeth, émit un bruit en s'éclaircissant la gorge, mais nous autres nous contentâmes de rester assis.

« Allez, allez vous faire foutre maintenant », ajoutas-tu. Nous patientâmes encore quelques instants, mais tu restas immobile et j'en vins même à me demander si tu ne t'étais pas endormi. Alors nous rassemblâmes nos notes, nos livres hérissés de post-it, nos sacs, nos stylos et nos crayons, tout en gardant un œil attentif sur toi au cas où tu bondirais tout à coup et te mettrais à crier : « Où est-ce que vous allez comme ça ? On a du pain sur la planche ! » Mais tu demeuras dans la même position, affalé dans ton fauteuil, tandis qu'avec mes camarades nous nous déplacions les uns contre les autres comme les pièces d'un puzzle coulissant, l'un s'asseyant pour que l'autre puisse se lever, Elizabeth se serrant contre ton bureau pour que Guy puisse se frayer un chemin derrière elle. J'étais la dernière dans la file indienne que nous formions, ondulant vers la porte, Elizabeth, devant, disparaissait déjà dans le couloir.

« Ingrid ! » crias-tu, et je sursautai, en me retournant. Tu t'étais redressé. « Jetez un œil à ça. » D'un seul et même geste, tu pivotas sur le côté, piochas un livre sur une étagère et me le lanças. Il vola jusqu'à moi et je lâchai mon sac pour l'attraper, le saisissant par les deux pans de la couverture juste avant qu'il atterrisse sur l'arête de mon nez. « Vous me direz ce que vous en pensez », lâchas-tu avant de te réinstaller dans ta position initiale, bras derrière la tête, jambes dépliées, yeux fermés. J'étais priée de m'en aller.

Reviens-nous, Gil.

À toi, pour toujours,

Ingrid

[Glissée dans *Nous avons toujours vécu au château*, de Shirley Jackson, 1962]

5

Même la tête courbée pour affronter le vent et la pluie, Flora retrouva son chemin à travers la bruyère. Sept ans plus tôt, l'été de ses quinze ans, elle s'était souvent allongée dans un creux de cette lande, à même le sable, non loin de ce chemin, de ces bois, les yeux et les jambes grands ouverts, sous un garçon nommé Cooper.

Ils formaient un groupe d'adolescents – villageois et vacanciers mélangés – qui se rassemblaient dans les dunes le soir quand il ne pleuvait pas, et faisaient un feu dans le sable. Un soir, Cooper avait proposé une taffe de sa cigarette et une gorgée de sa bière à Flora, puis il l'avait regardée intensément, guettant ce qu'elle aurait à offrir en retour. Alors elle l'avait conduit à travers les sentiers de sable dans la lande, jusqu'aux bois, à l'autre extrémité de la Petite Mer, et l'avait plaqué contre le tronc noueux d'un charme. C'était la première fois qu'elle embrassait un garçon, cette langue dans sa bouche, c'était vraiment censé lui plaire ? Elle s'imaginait, reculant et se retrouvant nez à nez avec lui, les yeux fermés, la langue pendue hors de la bouche. Flora savait que personne ne se ferait de souci pour elle, ni son père, toujours fourré au pub, ni Nan, courant d'une patiente à l'autre à la maternité, et qui aurait pris soin de laisser deux assiettes dans le frigo : une nage de ragoût séparée de ses petits pois par une digue de purée de pommes de terre.

Après leur baiser, sur le chemin qui les ramenait au feu de camp, Cooper demanda : « Tu seras là demain ?

— Peut-être », avait répondu Flora.

Le lendemain soir, ils quittèrent le feu de camp un peu plus tôt et retournèrent à leur arbre, à son tronc déformé par le vent, recourbant un bras protecteur au-dessus d'un creux dans le sable.

Flora n'arrivait plus à se souvenir des traits de Cooper et elle n'avait même jamais su son prénom, en revanche elle se rappelait parfaitement les contours des feuilles du charme ondulant sur le ciel étoilé. Ils ne se dirent pas grand-chose, mais c'était soir de pleine lune et Flora avait apporté un carnet de croquis. Elle demanda à Cooper d'ôter son pull et son tee-shirt, il s'exécuta, non sans se plaindre de la nuit froide, et s'appuya contre le tronc de l'arbre pour qu'elle puisse le dessiner. Elle s'efforça de le scruter, de le détailler sans se laisser distraire par les interprétations que son modèle lui inspirait, ainsi que son professeur le lui avait enseigné, et malgré le peu de ressemblance de son dessin avec Cooper, le résultat lui plut : la manière dont ses traits épousaient l'écorce de l'arbre. Après quoi, il ôta son pantalon et elle s'allongea dans le sable. Elle se figura Cooper en faune ou en satyre, juché sur les pattes griffues d'une chèvre ; créature mi-humaine mi-animale accomplissant un acte jailli des tréfonds d'une âme, par ailleurs incapable d'une conversation intéressante et fascinée par des tatouages médiocres. Elle recréait mentalement une image fantasmée de leur accouplement, de l'image qu'ils formaient d'en haut, pour un oiseau ou un inconnu perché dans cet arbre : leurs corps emmêlés se confondant dans le clair de lune. Elle supporta les racines qui s'enfonçaient dans son dos tandis que le garçon perdait le fil de son propre rythme et achevait sa chevauchée de deux ou trois ruades finales qui lui arquèrent le corps tout entier.

Cet été-là, Flora commença à prendre la pilule, avec Cooper ils rendirent de nombreuses visites à cet arbre, et peu à peu elle découvrit les possibilités de son corps, ses préférences. Mais elle le faisait surtout pour pouvoir le dessiner et pour ce moment, juste après, où il la serrait dans ses bras et l'embrassait en silence, pesant encore de tout son poids sur elle, jusqu'à ce qu'ils sentent tous les deux le liquide chaud rejeté par son corps.

« Et voilà, refoulé à l'entrée de la boîte, encore une fois », plaisantait Cooper avant de rouler sur le côté. Puis il enfilait son pantalon et s'étendait sur le dos à côté d'elle, leurs doigts entrelacés.

Parfois, ils partageaient une cigarette, parfois aussi il s'endormait et ses doigts devenaient inertes.

Le dernier soir avant le départ de Cooper – il devait rentrer chez lui, dans une ville du nord, jamais ils n'avaient évoqué ni sentiments, ni avenir, ni même parlé de se revoir l'année suivante – tandis qu'il allait et venait au-dessus d'elle, Flora porta le regard au-dessus de lui, elle observa les branches du charme qui découpaient pour elle la lune en parts de tarte. Plus tard, cette nuit-là, elle prit un canif et revint laisser une empreinte, une trace de son passage qui demeurerait bien après son départ ; elle fit une encoche dans le tronc et y glissa une dent, l'une des dents, parmi une bonne dizaine qu'elle gardait dans un vieux coffret à boutons de manchettes de son père.

Flora gravit la dernière dune de sable en soufflant dans l'effort : sa valise et sa sacoche étaient lourdes. Devant elle, une mer d'encre semblait déborder de la plage, se mêler au ciel sans qu'on puisse les distinguer l'un de l'autre. La pluie avait cessé, le temps pouvait se montrer brutal sur cette côte et changer du tout au tout d'une heure à l'autre, on n'entendait plus que le crissement des vagues et les crécelles du vent dans les arbres derrière elle. À sa gauche, la plage formait un coude qui disparaissait en direction du ferry et de la Pointe. À sa droite, un kilomètre et demi d'une plage concave s'évanouissait dans les ombres, adossée à d'autres dunes, jusqu'à un parking. Au-delà, quelques lumières trahissaient la présence d'une dizaine de maisons, de boutiques et d'un pub : c'était Spanish Green, le village où Flora avait grandi. Au loin, une falaise abrupte de craie se dressait, signalant l'entrée de Barrow Down. Mais juste en face d'elle, à ce moment-là, s'étendait la plage nudiste, l'endroit où sa mère avait disparu. Pour la première fois depuis douze ans, Flora reposa le pied sur ce sable, la mer se retirait. Elle ôta ses chaussures et ses chaussettes, noua ses lacets ensemble, passa le nœud autour de son cou et avança jusque chez elle les pieds dans les vagues du bord de l'eau, essayant d'imaginer qui, si tant est qu'il y ait quelqu'un, elle trouverait à la maison pour l'accueillir.

6

Pavillon de nage, 4 juin 1992, 5 h du matin

Cher Gil,

(Je songe à prendre un chien. Flora serait ravie. Un setter rouge ou un lévrier irlandais – un gros chien qui aboierait après le vent quand je l'emmènerais à la plage. Je sais bien que tu n'aimes pas les chiens. Mais tu n'es pas là.)

Je pris mon temps pour lire le livre que tu m'avais prêté. Je n'arrive plus à me souvenir du titre, mais c'était un mauvais titre et un mauvais livre et je tentais en vain de comprendre pourquoi tu me l'avais donné. J'avais peur d'être passée à côté de quelque chose. Sur mon vélo, entre l'université et la maison, je tournais et retournais des phrases dans ma tête, des réflexions positives ou du moins constructives, mais j'étais incapable de trouver le moindre argument pour sauver ce livre. J'étudiai les parties que tu avais surlignées – les scènes de sexe que tu avais soulignées, tes notes dans la marge – m'efforçant d'analyser tes interprétations, rougissant à la vue de tes dessins explicites. Quelques semaines s'écoulèrent, j'assistai à plusieurs de tes cours, et chaque fois je m'attardais dans la salle à la fin, prenais tout mon temps pour ranger mes affaires, enfiler mon manteau, espérant que tu m'abordes pour m'en parler, mais j'avais beau être toujours la dernière à partir, tu ne prononças jamais mon nom, ni ne me prias de rester.

Je pensais que tu avais oublié, alors un jour, pendant un creux entre deux cours, je me rendis à ton bureau. Il ne sera pas là, me disais-je, même si j'avais mis ma robe en crochet jaune, celle qui ne laissait personne indifférent. Ce n'est qu'un salaud et un rustre et il ne sera pas là de toute façon, me répétais-je. Mais quand je quittai le chemin pour me diriger vers ton bureau, je t'aperçus, assis à ta fenêtre, désœuvré, quatre étages plus haut, une cigarette à la main. Tu me vis, souris et m'adressas un signe de la main que je pris pour une invitation à monter, je gravis donc les escaliers et traversai le couloir plein d'échos, partagée entre la terreur et l'impatience.

Je m'apprêtais à frapper lorsque la porte s'ouvrit. Tu étais là devant moi, le réservoir en verre de ta machine à percolateur à la main, et, à ton expression surprise, je compris instantanément que le signe que tu m'avais adressé était un simple bonjour, pas une invite.

« Quelle charmante surprise, dis-tu, vous veniez me voir ? » Tu passas devant moi et cette odeur flotta à nouveau dans l'air, je fermai les yeux pour me concentrer sur elle, pour la respirer pleinement. « Entrez, faites comme chez vous. » Tu levas le réservoir et dis : « Plus d'eau », avant de gagner le bout du couloir.

Debout dans un recoin étroit entre le canapé et les fauteuils, je m'imprégnais de ton odeur, tout en tirant sur ma robe et en regrettant de l'avoir mise. Une machine à écrire Smith-Corona marron trônait au milieu de ton bureau avec une feuille enroulée à la sortie. Je me penchai pour lire et déchiffrai le mot « Guy », puis je tirai sur la page et lut quelques lignes à propos d'un homme attendant une femme sur une plage. Je continuai de lire jusqu'à ce que j'entende tousser derrière moi.

« Pardon. » Je fis un bond en arrière.

« Pas de problème. »

Ma nervosité t'amusait.

« Cela dit, vous feriez mieux d'attendre une version plus travaillée avant de lire. »

Tu mis le café en route et ventilas la pièce en agitant ton journal. « Je fais du café parce que je déteste l'odeur de cigarette, j'essaie d'arrêter, dis-tu. Mais une fois que j'ai un café à la main, j'ai toujours envie d'une cigarette pour l'accompagner, si vous voyez ce que je veux dire ? »

— Parfaitement », répondis-je. Je n'avais jamais touché une cigarette de ma vie et je buvais du café soluble en Angleterre.

— Bien, que puis-je faire pour vous ? »

Tu marquas une pause, sans me quitter du regard, le menton baissé, avec ta barbe de trois jours, les yeux levés. « Ingrid. » Tu avais le double de mon âge, tu étais professeur d'université, mon professeur d'université.

« Je suis venue vous rendre votre livre », dis-je en m'asseyant au milieu du canapé.

— Mon livre ? » interrogeas-tu derrière moi, tout en balançant le marc de café par la fenêtre.

Sur le bureau, la machine gargouillait et crachotait.

« Désolée de l'avoir gardé si longtemps, j'espère qu'il ne vous a pas manqué. »

Je plongeai dans mon sac pour en sortir le roman et le posai sur la peau blanche de mes jambes voilées par la robe qui remontait sur mes cuisses.

Tu reposas les tasses, t'assis sur l'accoudoir du canapé et pris le livre sur mes genoux. De nouveau, je tirai sur ma robe. Tu feuilletas le livre, t'arrêtant de temps à autre en souriant pour toi-même.

« J'ai trouvé vos notes très éclairantes… tentai-je d'une voix presque inaudible.

— Quoi ? » dis-tu en me regardant comme si tu venais de te rappeler que j'étais là. Tu secouas la tête.

« Vos notes, dans la marge.

— Les notes dans la marge ? Vous n'avez quand même pas pensé qu'elles étaient de moi ? »

Tu éclatas de rire, la tête basculée en arrière, toutes dents dehors, d'un rire contagieux, au point que, malgré l'impression désagréable que j'avais d'être jeune et stupide, je souriais avec toi.

« Mon Dieu, non, elles ne sont pas de moi. Je voulais juste vous montrer l'interprétation d'un autre lecteur – le fait que chacun d'entre nous voie des choses différentes dans un même livre. J'ai peut-être pu souligner quelques phrases ici ou là, corner une ou deux pages, mais je peux vous jurer que je n'ai jamais dessiné une queue et des couilles dans la marge d'aucun livre. »

Je sentais le rouge monter le long de mon cou. Tu plaquas le livre en arrière à la page où tu l'avais ouvert et le tournas vers moi. « Marginalia juvéniles, déclaras-tu. L'auteur de ces œuvres est un garçon, vierge, jamais même embrassé, et s'adonnant fréquemment à la masturbation. Aucune fille ne dessinerait une queue. Il faut en avoir une pour en dessiner une – avez-vous déjà vu un frein de prépuce dessiné dans une marge ? »

Je secouai la tête, il ne me vint pas de meilleure réponse. Je n'avais aucune idée de ce qu'était un frein de prépuce, je savais en revanche que j'étais rouge comme une pivoine mais tu eus l'élégance de ne faire aucun commentaire à ce sujet.

Au bout d'un moment, tu déclaras : « J'imagine que vous n'avez pas aimé le livre ?

— Non, en effet. C'est l'un des pires livres que j'ai jamais lus, répondis-je.

— Vous l'avez lu en entier ? »

Je hochai la tête.

« Oh la la. Ce n'était pas le but, c'est atrocement mauvais. Il va falloir que je rattrape le coup. » Tu te levas et reposas le livre sur une autre étagère que celle où tu l'avais pris. « Comment prenez-vous votre café ? En fait, ne me répondez pas, je n'ai ni lait ni sucre.

— Noir, c'est parfait.

— Je sais... » Tu te retournas une nouvelle fois et te rassis sur l'accoudoir du canapé. « Oublions le café, si on sortait et qu'on allait boire un vrai verre. »

Tu te laissas glisser sur le cuir du Chesterfield et atterris à côté de moi dans un nuage de poussière.

« Vous n'aviez rien prévu d'autre, si ? »

C'était la première fois que je me tenais aussi près de ton odeur poivrée. « Il faut que j'aille à la bibliothèque mais je peux y aller plus tard », répondis-je.

Nos jambes se touchaient, je sentais le tissu de ton jean contre ma jambe nue. À ce moment-là, juste après que je t'ai répondu, tes yeux s'attardèrent sur mes genoux, sur ma robe courte, et sur tes jambes collées aux miennes. Tu te levas d'un bond.

« La bibliothèque ? interrogeas-tu en regardant par la fenêtre, où il n'y avait rien à voir à part le ciel bleu. J'ai des livres à rendre. Ils sont là quelque part. Vous croyez que vous pourriez les rendre pour moi quand vous serez là-bas ? »

Tu ramassas une pile de dossiers et un tas de feuilles volantes et les laissas tomber lourdement au sol, en dessous il y avait six livres recouverts de plastique. « Ils traînent là depuis des lustres. » Tu me les fourras dans les mains. « Bon Dieu, il me faut une cigarette. »

Il y avait la queue à la bibliothèque et je te maudissais à voix basse, je me maudissais moi-même, j'avais été si ridicule, incapable d'interpréter correctement les signaux, à deux doigts de me mettre dans une situation vraiment embarrassante. « C'est un idiot », déclarai-je sans me rendre compte que je parlais à voix haute jusqu'à ce que la femme replète sous sa cape grise devant moi fasse pivoter sa tête de pigeon.

Devant la bibliothécaire, je lui tendis tes livres.

« Ça fera huit livres et quarante pence », annonça-t-elle. Soixante-cinq francs. L'équivalent d'une cinquantaine de petits pains, d'une quarantaine de boîtes d'œufs, de vingt-sept verres de Cinzano au pub du Duke of York. C'était plus que je n'avais jamais sur moi.

« Ils ne sont pas à moi. Je les ai rapportés pour un... » Je m'interrompis. « Quelqu'un. » La bibliothécaire se renfrogna et les gens dans la queue commencèrent à s'agiter et à marmonner derrière moi. Je pris mon carnet de chèques dans mon sac, la femme me surveilla pendant que je le rédigeais, le signais et le détachais. Je n'étais pas sûre qu'il ne soit pas rejeté. J'aurais dû foncer dans ton bureau et te demander de me rembourser sur-le-champ, au lieu de quoi je me dirigeai vers le garage à vélos et toute la tension de la journée retomba tandis que je rentrais à la maison.

Je ne te revis vraiment qu'à mon cours particulier suivant. L'un de tes cours avait été annulé, un autre dispensé par le directeur adjoint du département de littérature. Il circulait toutes sortes de rumeurs : tu étais malade, tu avais été suspendu pour alcoolisme, ta femme était morte. Ta femme ! Mon cœur vacilla. Partout où j'allais – autour du département de littérature, à la bibliothèque, à travers les rues de Bloomsbury – je te cherchais. Une fois, je t'aperçus de loin, les mains fourrées dans les poches, tu marchais dos à moi, la tête baissée, superbement voûté, près des classes d'histoire. Je fis demi-tour et me précipitai pour contourner le bâtiment, ralentissant ma course à l'approche du coin où je pourrais faire semblant d'être tombée sur toi par hasard, mais le temps que j'atteigne ce coin, tu étais en train de parler avec la femme à tête de pigeon de la bibliothèque. Tu ris, elle devait avoir dit quelque chose de drôle, tu lui touchas le bras et je vis le plaisir qu'elle retirait de cette attention. Tu t'éloignas ensuite avec elle. J'avais envie de lui arracher ses vieilles plumes.

Durant toute une semaine après cela, je fis exprès de ne jamais consulter mon casier, de cette manière, si tu annulais mon cours particulier, je pourrais toujours dire que je l'ignorais. J'avais beau être furieuse contre moi-même d'avoir payé ta facture de bibliothèque et contre toi, qui ne pouvais pas ignorer que je l'avais fait, je remis quand même la robe jaune en crochet.

Comme la fois précédente, la fenêtre de ton bureau était grande ouverte, cette fois-ci cependant tu n'étais pas penché par-dessus. En haut, je trouvai ta porte entrebâillée et, lorsque je toquai, elle s'ouvrit pour de bon, mais tu n'étais pas à l'intérieur. Je restai debout sur le seuil, respirant ton odeur, observant ton bazar.

« Ingrid », prononças-tu dans mon dos. Je me retournai, tu avais ce réservoir de machine à café à la main et un sourire collé sur ton visage. Tu portais une paire d'espadrilles et un pantalon en lin froissé dont tu avais roulé les revers au-dessus de tes chevilles bronzées. Tu avais ouvert les boutons de ta chemise à large col, manches courtes et grosses rayures. Tu avais l'air d'un riche Américain des années cinquante, en vacances sur la côte italienne. Un coup d'œil par la fenêtre et je verrais sans doute surgir une voiture de sport avec à son bord une belle femme, lunettes de soleil et foulard noué autour de la tête, t'attendant pour partir.

« Je n'étais pas sûr que vous viendriez. Vous avez manqué plusieurs cours, dis-tu.

— Je n'en ai manqué aucun.

— Bien, asseyez-vous. »

Tu manœuvras pour me contourner et mis la machine en route. J'étais assise tout au bord d'un fauteuil.

« Alors. » Tu fis pivoter ta chaise de bureau face à moi. « Comment ça va ?

— Très bien.

— Bon, tant mieux. »

Derrière toi, le ventre du percolateur gargouillait tant qu'il pouvait. Nous nous efforcions de ne pas croiser le regard de l'autre. « Bien, je suppose que nous ferions mieux d'en venir au fait. » Tu donnas une claque sur tes cuisses et poussas les roulettes de ta chaise du bout du pied jusqu'à une pile de papiers, où tu dénichas mon devoir à peu près au milieu. Mon prénom sur la copie était entouré par une trace de tasse à café. « Est-ce que vous avez apporté votre exemplaire ?

— Non, répondis-je en croisant les bras.

— Non, répétas-tu.

— Non », confirmai-je.

Tu tournas les pages posées sur tes genoux.

« Cela se passe en Norvège si j'ai bien compris ?

— Dans l'archipel d'Oslo.

— C'est de là que vous venez ?

— La famille de mon père. »

Je croisai les jambes.

« D'accord », dis-tu en levant les yeux et en recommençant à tourner les pages. J'apercevais des mots en rouge sur les pages blanches. « L'esprit des lieux est très bien traduit.

— Je n'y ai jamais vécu.

— Eh bien, j'ai beaucoup aimé cet aspect, mais je n'ai pas trop compris où vous vouliez en venir avec le dénouement.

— Ce n'est pas terminé.

— Non, j'avais remarqué. »

Tu me regardais avec un sourire en coin, la tête baissée tandis que je te fixais, en me retenant de te rendre ton sourire. Dans ma tête, je me répétais en boucle : « Huit livres et quarante pence », m'efforçant de te détester, de ne pas t'apprécier, du moins pas autant que je le pressentais déjà.

« Si nous prenions un café ? proposas-tu en pivotant et te levant pour nous servir. Noir ?

— Parfait. »

Tu me tendis une tasse avec une soucoupe et déplaças ta chaise à côté de moi. « Ingrid, commenças-tu, vous retireriez sans doute davantage de ce cours particulier si vous ne vous contentiez pas de répondre par "parfait" et par "non". »

Je pris une gorgée de café. Il était brûlant et je l'avalai difficilement.

« Tout va bien ? Vous n'avez pas l'air dans votre assiette, t'enquis-tu. Vous êtes pâle.

— Alors que vous, vous avez l'air en pleine forme et bronzé. »

C'était le genre de choses que Louise aurait pu dire.

Tu éclatas de rire, de ce rire sonore et franc, et passas la main dans tes cheveux.

« Que diriez-vous d'aller prendre ce verre que je vous ai promis la dernière fois ? » J'étais étonnée que tu t'en souviennes. « Pour que nous discutions de tout cela. » Tu tapotas ma copie sur tes genoux. Je devais avoir l'air d'hésiter. « Pour travailler ? » Tu regardas ta montre. « Nous ferions mieux de nous dépêcher. » Tu te levas et pris ma tasse. « Allez, allez », me pressas-tu hors de ton bureau, jusqu'à ta voiture. Si tu m'avais tenu la portière, ainsi que mon père insistait toujours pour le faire, je ne serais pas venue, mais tu montas, pris place sur le siège du conducteur et mis le contact avant même que j'aie eu le temps de fermer la portière. L'habitacle de ta voiture dégageait une odeur de cuir, et cette odeur qu'il y avait aussi dans ton bureau, concentrée, comme une essence de toi.

Tu roulas vers l'est, le long des étroites rues londoniennes, dépassant les taxis noirs, apparemment aussi à l'aise dans la ville que leurs chauffeurs. Tu te garas devant un pub tout décrépit, dont la devanture faisait davantage penser à une boucherie – avec des carreaux marron à l'extérieur. Aucune lumière n'était allumée à l'intérieur, et lorsque tu poussas la porte elle ne s'ouvrit pas.

« Merde ! lanças-tu en frappant les carreaux du plat de la main. Décidément nous n'arriverons pas à le boire, ce verre.

— Et une tasse de thé ? hasardai-je.

— Quoi ? » On aurait dit un gamin capricieux qui fait mine de ne pas entendre quand on lui propose une pomme après que le camion des glaces est passé sans s'arrêter.

« Allons prendre une tasse de thé », dis-je.

Assis face à face à une minuscule table derrière la vitrine d'un café qui sentait les bananes trop mûres du maraîcher d'à côté, tu pris un café et je commandai un thé à une serveuse revêche. Elle nous apporta le thé dans un pot en fer. Tu demandas un petit pain avec un glaçage au sucre, qu'aucun de nous ne toucha. Le café était plein de plantes araignées jaunâtres, certaines alignées sur un rebord qui faisait tout le tour de la pièce, d'autres suspendues au-dessus de nos têtes, dans des panières en macramé. J'éprouvais ce sentiment exaltant de me trouver à un seuil, et qu'à tout moment ma vie pouvait basculer dans une direction que je n'avais jamais envisagée ou appréhendée. Nous nous observions sans un mot, le vertige m'étourdissait. Nous étions les seuls clients du café. Une mouche cognait contre la vitre, la serveuse n'arrêtait pas de changer de station de radio sur son petit poste sans fil : à la musique dance succédaient un grésillement puis quelques secondes de musique classique, et à nouveau un bourdonnement. Tu te penchas en avant, comme pour remettre une mèche de cheveux derrière mon oreille, mais au lieu de cela tu posas la main sur ma nuque et m'attiras à toi jusqu'à ce que ta bouche se retrouve contre ma joue. Ton odeur me figea là, tendue au-dessus des tasses et des assiettes. Je sentais la barbe naissante de ton menton contre ma peau. « Je suis désolé pour la facture de la bibliothèque », chuchotas-tu à mon oreille. Tu bougeas la tête de sorte que tes lèvres vinrent effleurer le coin de ma bouche et je me mis à paniquer, ne sachant plus tout à coup ce que je voulais vraiment. D'un même geste, je me reculai et me levai, ce qui te fit osciller vers l'avant, renversant au passage ton café sur le petit pain. Le liquide marron dégoulinait sur la table. La serveuse, qui du coup avait cessé de nous ignorer, arrêta la radio sur une station qui passait « Big Bad John » et me dévisagea tandis que je me précipitais dans la rue.

« Ingrid, arrête-toi, je suis désolé », dis-tu en me suivant dehors, mais je continuai de m'enfuir. La serveuse te courut après, et lorsque je regardai par-dessus mon épaule, je t'aperçus à la porte du café, soutenant le chambranle des deux mains comme si le bâtiment reposait sur toi et s'écroulerait si tu lâchais.

Ta femme qui t'aime,

Ingrid

[Dans *Boulangerie et Pâtisserie suisse*, de Walter Bachmann, 1949]

7

Le temps qu'elle arrive au bout de l'étroit sentier côtier qui menait au village, Flora souffrait quelle que soit sa position, à force de porter sa valise et son sac, ses épaules et ses bras étaient meurtris. Autrefois, il y avait un chemin en lacets qui allait de la plage au jardin du Pavillon de nage, mais aujourd'hui le seul accès à la maison était ce sentier côtier qui débouchait sur le village de Spanish Green. Jusqu'au cœur des étés les plus chauds, les arbres dominaient le sentier de leur ombre et les fougères et les herbes suintaient encore d'humidité à travers les rochers.

Elle prit plusieurs grandes inspirations et leva le visage vers le ciel. Les nuages s'étaient clairsemés, dispersés vers l'intérieur des terres, dévoilant les étoiles dans leur sillage. Un jour, des années auparavant, son père lui avait pris la main et lui avait raconté que certaines personnes croyaient qu'Ingrid était là-haut, brillant dans le noir. Mais

Flora, qui avait alors onze ou douze ans, continuait de convoquer l'image de sa mère en elle-même, cette scène fugitive repassant en boucle dans son esprit : à la porte du Pavillon de nage, sa mère tournait la tête et s'en allait, encore et encore. Elle répétait inlassablement la même chorégraphie dans sa longue robe rose, les rayons du soleil s'accrochant aux perles du tissu, elle franchissait les quelques mètres qui la séparaient de la véranda, embrassait du regard la pelouse, les parterres de fleurs et la vue sur la mer, puis elle se retournait et ses yeux balayaient le buisson d'ajonc où Flora était cachée avant de quitter le jardin pour toujours.

Flora avait retiré sa main de celle de son père. « Ils se trompent, Papa, avait-elle déclaré.

— C'est dur de vivre dans l'espoir et le chagrin à la fois. » Il lui avait toujours parlé comme à une adulte. « De continuer d'imaginer qu'un jour nous rentrerons à la maison et qu'elle sera là à nous attendre dans la véranda, tout en apprenant à vivre avec l'idée qu'elle est morte. C'est un exercice d'équilibriste. Tu as le droit de croire que ta mère est morte, et tu peux me le dire, personne ne t'en voudra.

— Et toi, tu le fais cet exercice d'équilibriste ? demanda Flora.

— Oui, répondit son père.

— Alors moi aussi. »

Gil avait repris sa main et l'avait serrée fort.

À la seule pensée que Nan avait peut-être ramené leur père de bonne heure à la maison et que leur mère pourrait être là elle aussi, Flora trouvait la force de mettre un pied devant l'autre, d'arpenter le sentier côtier, pieds nus, dans le noir, guidée par ses propres pas, pourtant lorsqu'elle atteignit l'allée de leur maison, l'idée qu'Ingrid puisse surgir au prochain virage la fit hésiter. Depuis des années elle réfléchissait à ce qu'elle dirait à sa mère quand elle la reverrait, elle s'y préparait. Il y avait tellement de possibilités – « Où étais-tu passée ? » « Comment as-tu pu nous quitter ? » – mais elle en revenait toujours à un simple « Pourquoi ? » Flora ne savait plus si elle voulait avancer et cependant elle courut, presque malgré elle, avalant les derniers mètres de bitume à toute allure, sa valise serrée contre elle, retenant son souffle en déboulant devant la maison. Mais aussitôt le coin tourné, elle vit qu'il n'y avait aucune voiture dans l'allée, pas même celle de Nan, ni aucune lumière dans la maison. Ne subsistaient que les ombres des buissons et des arbres rendus à l'état sauvage dans ce jardin abandonné, et la silhouette basse de la maison.

Les pieds de Flora reconnurent les trois marches qui menaient à la véranda, la hauteur de chaque pas, le bois mou sous la plante, la marche du haut plus basse que les autres. Sa main droite rencontra le pilier carré et, à côté, la rambarde où ses doigts retrouvèrent dans le noir l'accroc en forme de cœur dans la peinture ; elle le toucha par superstition. Deux pas encore et elle était à la porte d'entrée. Elle posa ses chaussures et sa valise et fouilla dans son sac pour trouver les clés. Elle glissa la clé dans la serrure mais ne parvint pas à la tourner. Elle essaya la poignée, la porte s'ouvrit.

À l'intérieur, la maison avait la même odeur qu'à l'accoutumée : vieux livres, humidité dans la salle de bains, œufs frits ; sa maison avait la couleur des graines de fenouil grillées – un brun chaud et moucheté.

« Il y a quelqu'un ? » murmura Flora dans l'entrée plongée dans le noir. « Papa ? Nan ? » Elle tendit une main en avant et appela. « Maman ? » La maison était silencieuse. Elle appuya sur l'interrupteur et l'ampoule du plafonnier s'alluma.

« Mon Dieu », dit-elle.

8

Pavillon de nage, 5 juin 1992, 4 h 20 du matin

Cher Gil,

Hier après-midi, j'ai décidé de faire un peu de rangement. Je me suis attaquée aux placards et aux commodes des filles afin de rassembler les vêtements devenus trop petits pour elles. Dans les affaires de Flora, j'ai trouvé ta vieille robe de chambre, une chemise sur laquelle tu avais renversé du vin rouge et que je croyais avoir jetée, et cette paire de demi-lunes sur lesquelles tu n'arrivais plus à mettre la main l'année dernière. Quand Flora est entrée dans la pièce et m'a vue, elle a serré ces objets contre elle, a prétendu que j'étais en train de jeter ses « talismans ». Nous nous sommes disputées et je l'ai frappée au mollet, si fort qu'elle avait la trace rouge de mes doigts sur la peau. Elle n'a pas pleuré, à la place elle s'est figée dans une expression froide qui me ressemblait, après quoi elle est partie d'un pas ferme et décidé. C'est moi qui ai couru jusqu'à ma chambre et pleuré dans mon oreiller. Plus tard, j'ai tiré cette vieille valise remplie de vieux objets de sous notre lit. J'avais prévu de faire le tri mais chaque passeport périmé, chaque carte de fête des Mères, chaque photo différait mon ouvrage. Chaque fois, je voyais s'étaler sous mes yeux l'image de la famille parfaite : des pique-niques sur la plage, des enfants en plein jardinage au milieu des parterres de fleurs, les parents apparaissant en pointillés – un album de photos, qui, feuilleté par un proche de la famille, susciterait des « oh » et des « ah » à l'évocation du bon vieux temps, ignorant tout des centaines d'images effacées, jetées.

Au fond de la valise, il y avait ta lettre.

Assise par terre, au milieu de tout ce bazar, je t'imaginais là-bas, au fond de ce terrain envahi par les ajoncs que tu appelais jardin, dans ton atelier, à des années de là, tapant cette lettre sur ta machine à écrire. Peut-être portais-tu ce vieux short que tu aimais tant et ces tongs qui te laissaient toujours du sable entre les orteils, peut-être sortais-tu de l'eau, peut-être tes cheveux étaient-ils encore raidis par l'eau de mer. J'ai relu cette lettre et retrouvé ce ton présomptueux, cette façon de supposer, déjà, que c'était d'amour qu'il s'agissait alors que nous ne nous étions pas encore déclarés, cette absurdité à dessiner d'emblée les contours de nos vies alors que nous venions de nous rencontrer, ce choc que j'avais éprouvé en lisant tes mots qui parlaient de vieillir ensemble quand je n'avais même pas encore envisagé le fait de vieillir tout court, et le rire que j'avais laissé échapper en voyant à quel point tu te faisais des idées sur les enfants que nous aurions ; et je me rappelais aussi ce plaisir secret que j'avais éprouvé à me sentir ainsi choisie. Je n'avais que vingt ans, j'étais une tout autre femme que celle que je suis aujourd'hui.

J'ai lu cette lettre tant de fois, en me demandant quelle réaction tu espérais de ta lectrice en l'écrivant. La relire hier m'a fait pleurer, par nostalgie pour cette époque où tout commençait, avant que je ne mette les pieds dans cette maison, et parce que rien de ce que tu espérais ne s'était produit. Enfin si, une chose, peut-être : je n'aurais peut-être pas dû rire si crânement à l'idée des enfants.

Flora entra et me trouva assise par terre.

« Ne sois pas triste, maman, dit-elle. Qu'est-ce que tu risques, après tout ? »

J'aimais ce que nous étions à l'époque, ce que nous aurions pu devenir.

À toi,

Ingrid

Spanish Green, Dorset, Juin 1976

Ingrid,

Si je pouvais, je nous ferais vivre notre histoire à rebours : d'abord nous connaîtrions la colère, la culpabilité, la honte, la déception, l'agacement, le quotidien et la banalité, et nous les viderions de leur substance. Après cela, tout le reste nous attendrait encore.

Aux premiers jours amers, je serai vieux, j'aurai perdu la force ou l'usage de mes capacités, alors tu reviendras. Toi, infiniment plus sage que moi, tu me feras patienter longtemps. Des années peut-être, ou bien jusqu'à ma mort.

Après quoi tu t'en iras. Mes amis ne seront pas surpris. En public, je serai acerbe, je me saoulerai, vomirai sur la devanture et m'effondrerai en pleine rue, mais dans le secret de mes draps, je laisserai les larmes couler sur mes joues miteuses.

Toi aussi, Ingrid, tu auras vieilli : tes cheveux blonds comme les blés pâlis de reflets d'argent, le dos de tes mains plissé, ta peau affaissée et cependant plus belle encore. Dix ans après m'avoir quitté, tu insisteras pour que nous éteignions la lumière avant de nous déshabiller, et lorsque, sans le faire exprès, tu croiseras mon corps nu, tu laisseras échapper un soupir chargé de regrets de n'avoir pas choisi un homme plus jeune ; un homme avec un peu de chair encore dans le bas du dos.

Une année plus tard, tu t'installeras pour une semaine chez ta sœur, à lui raconter des histoires de pisse dans les orties en bas du jardin, de tous ces livres partout tout le temps, de dentifrice resté collé au robinet. À te plaindre que je boive trop et n'écrive pas assez. Et bien sûr ta sœur acquiescera, conviendra que je suis un boulet et que tu mérites mieux. Aucune de vous deux ne m'adressera la parole durant des mois. (Dis-moi, d'ailleurs, est-ce que tu as une sœur ?)

Cinq ans plus tard, j'essaierai, sans succès, de reboucher le trou dans le plafond du Pavillon de nage, tu refuseras de tenir l'échelle, tu auras mieux à faire, tu demanderas au fils du voisin, un jeune homme de trente-quatre ans, de venir fixer un nouveau morceau de tôle ondulée, et, tenant l'échelle pour lui, tu lèveras les yeux vers l'objet de tes regrets et songeras à cette tout autre vie que tu aurais pu avoir si tu étais restée à Londres. Le soir, nous aurons une violente dispute, l'un de nous deux claquera des portes.

À mi-course de notre amour, nous voyagerons ensemble : je t'emmènerai au lac Émeraude en juillet et nous louerons une barque, pour que tu puisses laisser ta main fendre l'eau au bord et le reflet des montagnes bleues sous la coque. Tu fredonneras une vieille chanson sur les lacs du Canada et je lâcherai les rames pour m'approcher de toi et t'embrasser ; par une journée nuageuse, nous louerons des vélos et sillonnerons les abords du Golden Gate, et le lendemain matin nous nous réveillerons avec des coups de soleil sur le visage ;

nous traverserons la Turquie en bus, debout, nous baissant avec les autochtones chaque fois que le chauffeur criera « Police ! » ; en Suède nous mettrons du gin acheté au duty-free dans nos verres de tonic, accoudés à un bar, et nous parlerons de nos six enfants.

Parvenus au début de notre histoire, nous remonterons jusqu'à Londres. Quand nous rajeunirons, j'écrirai un roman à succès que je te dédicacerai. Assis derrière ma fenêtre, je taperai sur ma machine, heureux de te regarder partir nager l'après-midi. À ton retour, nous emporterons des brassées de livres dans les herbes encore folles du jardin et nous nous allongerons sur une couverture, entourés de tous ces volumes. À tour de rôle, nous nous ferons la lecture en contemplant les mouettes planant au-dessus de nous. Et si l'un de nous deux reçoit une fiente sur la figure, tu m'apprendras à jurer en norvégien.

Puis un jour, j'emprunterai une voiture plus spacieuse que celle que j'ai aujourd'hui, et je viendrai t'attendre en bas de ta chambre à Londres à cinq heures du matin. J'appuierai sur le klaxon, ravi, jusqu'à ce que tu passes une tête encore endormie par ta fenêtre, nous rirons tous les deux et je serai fou de désir pour toi. Nous remplirons ma grande voiture avec toutes tes affaires : la chaise en velours de ta grand-mère, une boîte de carnets et des valises de vêtements dont tu n'auras jamais besoin en vivant au bord de la mer.

Après que tu te seras installée avec moi, nous irons au supermarché et je te plaquerai contre l'étagère des confitures de cassis, au rayon des conserves, pour t'embrasser fougueusement, une vieille dame qui passera par là nous sourira, en se souvenant du bon vieux temps. Tu me battras au Monopoly, je m'énerverai et je cacherai la rue de la Paix entre les coussins du canapé. Nous préparerons un pique-nique que nous emporterons sur la plage des nudistes, nous resterons jusqu'au coucher de soleil et nous ferons l'amour sur le sable au clair de lune.

La dernière fois que tu viendras chez moi, il y aura un orage et nous serons obligés de crier pour nous entendre à cause de la pluie sur le toit en tôle. Il y aura une coupure de courant, comme il y en a souvent ici, nous allumerons des bougies et je tiendrai ton visage entre mes mains et t'embrasserai encore et quand je te guiderai jusqu'à ma chambre, nous saurons avec certitude que c'était le destin et que notre amour ne nous quittera jamais.

Vers la fin de notre histoire, je te dirai que j'aimerais bien que tu voies ma maison près de la mer, le lendemain je t'y conduirai et chacun d'entre nous saura de quelle manière ce dîner finira. Nous ferons cuire des œufs et du bacon, nous déplaçant dans ma cuisine avec une grâce comme chorégraphiée, et nous dînerons sur la table au milieu des livres.

Le lendemain, je t'emmènerai déjeuner dans Candover Street, de bœuf pimenté et bière tiède. Puis je te raccompagnerai chez toi et nous nous embrasserons pour la dernière fois, devant ta porte, au vu et au su de tous, indifférents et oublieux. Tes lèvres auront un goût de moutarde et de clous de girofle.

Je t'écrirai une lettre.

Gil

[Les deux lettres ont été glissées dans *Prophétie : Ce qui nous attend*, de Oswald J. Smith, 1943]

9

Dans l'entrée, de gigantesques piles de livres recouvraient les murs jusqu'à la cuisine. Des colonnes de livres, poches et grands formats, en équilibre précaire, leurs dos fissurés, leurs jaquettes poussiéreuses, s'élevant telles des falaises marines, patinées par le sel, dressant au vent des rochers de pages grises stratifiées. La plupart dépassaient Flora d'une tête ou deux, et tandis qu'elle avançait entre elles comme dans un précipice, il apparaissait clairement que le moindre tremblement ferait pleuvoir sur elle une avalanche de mots. La maison avait toujours été remplie de livres, beaucoup trop pour une seule personne et une seule vie. Son père ne les collectionnait pas pour les lire ni pour posséder les premières éditions ou des exemplaires dédicacés par l'auteur ; Gil collectionnait les notes dans la marge, les pages griffonnées, les babioles utilisées comme marque-pages et oubliées ensuite. Chaque fois que Flora revenait à la maison, il lui montrait ses dernières trouvailles : photos, cartes postales, lettres, bordereaux de caution, tickets de caisse, une recette écrite à la main, des dessins, des cartes de Saint-Valentin, des tickets de cinéma, une carte de bon rétablissement, un mot d'excuse pour la maîtresse ; toutes sortes de morceaux de papier qui lui permettaient de reconstituer le puzzle de la vie des autres, des autres qui avaient lu ce livre et y avaient laissé leur empreinte.

Flora n'était pas revenue depuis un mois ou deux, dans l'intervalle les livres semblaient s'être reproduits. Dans le salon, c'était la même chose : presque partout – sur les guéridons, la table basse, le canapé – les livres occupaient le moindre centimètre carré. Il y avait toujours eu, adossé au premier, un deuxième mur de livres, qui lui arrivait à la taille, mais il avait grandi désormais, à certains endroits il s'affaissait, à d'autres s'écroulait carrément, on aurait dit un éboulement sur une route de montagne, et un troisième contrefort se développait à présent, empiétant sur le peu d'espace restant. Elle était surprise que Nan n'ait pas protesté ; l'inquiétude de sa sœur quant à l'état mental de leur père ne datait sans doute pas d'hier.

Depuis le seuil de la porte, Flora vit que le tourne-disque était dégagé et qu'un vinyle était resté sur la platine. Pour se sentir moins seule dans la maison, avoir une compagnie sonore, elle traversa la pièce et l'alluma, une guitare résonna alors, accompagnée d'un homme qui chantait. Elle ramassa la pochette de l'album, elle ne l'avait jamais vue auparavant dans la collection de son père, on y voyait un homme assis à une table de cuisine, des passoires et des poêles suspendues au-dessus de la tête. « Townes Van Zandt », était-il écrit en bas de la pochette. Elle augmenta le volume de façon à l'entendre dans toute la maison, puis elle éteignit la lumière du salon et alla dans la cuisine. Il y avait un peu moins de livres, mais les murs en étaient quand même recouverts, la table encombrée, ils grimpaient jusque sur le comptoir. Des morceaux de journaux s'en échappaient, pendant comme des langues grises et molles aux pages qu'ils gardaient. Flora ramassa un grand livre rouge brique qui avait perdu sa jaquette, par endroits sa couverture élimée tirait sur le beige : *Queer Fish*[1], d'E. G. Boulenger. Elle le feuilleta et l'un de ces marque-pages maison s'en échappa. Elle le tint ouvert quelque part au milieu et leva le livre jusque sous son nez – poussière, souvenirs, l'odeur et la couleur de la vanille. Elle trouva un crayon et dessina au bas d'une page une phalange de poissons tombant d'un nuage chargé de pluie. Elle referma le livre, le reposa où elle l'avait trouvé et ouvrit le réfrigérateur : une bouteille de lait dans la porte, quatre œufs dans une boîte, un paquet entamé de bacon fumé refermé par un élastique en caoutchouc rose sans doute semé par le facteur au cours de sa tournée.

1. L'expression, littéralement « poisson bizarre », se traduirait par « drôle de zèbre » en français, mais le titre du livre joue ici sur le sens aquatique, d'autant que son sous-titre est « et autres créatures des océans ».

Flora renifla le lait, remplit la bouilloire et jeta quelques feuilles de thé dans une théière.

Elle appela le portable de sa sœur depuis le téléphone de la cuisine – Nan avait préenregistré le numéro – et laissa sonner jusqu'à l'annonce du répondeur et l'insupportable voix calme de Nan, la voix qu'elle devait utiliser pour parler aux femmes en plein travail, invitant son correspondant à laisser un message ou bien, s'il s'agissait d'une urgence, à appeler directement la maternité. Flora essaya ensuite la ligne fixe de Nan : pas de réponse. Elle fit défiler la liste de contacts du téléphone, cherchant le numéro de portable de son père, et, ne le trouvant pas, se surprit à être presque contente que pour une fois Nan n'ait pas pensé à tout. Flora envisagea d'appeler l'hôpital pour demander des nouvelles de son père, mais se dit que, s'il y avait eu quoi que ce soit d'urgent, Nan aurait essayé de la joindre.

Sa tasse de thé à la main, Flora retourna dans le couloir aux murs de livres, frôlant les tranches des livres du bout des doigts : un recueil d'expressions populaires italiennes, *Comment rentabiliser un élevage de chats*, *Les Dents de la mer*. Elle s'arrêta au tourne-disque pour changer de face et alla ensuite dans la chambre. Durant les neuf premières années de la vie de Flora, cela avait été la chambre de sa mère, remplie de ses affaires, et bien que son père ait parfois passé la nuit là plutôt que dans son atelier d'écriture, aux yeux de Flora il demeurait un visiteur dans sa maison. La chambre se trouvait à un angle de la maison, avec deux fenêtres latérales, l'une face à la mer, et l'autre avec vue sur la véranda. Elle alluma la lumière et vit qu'ici aussi les livres avaient tout envahi, les murs, l'espace autour. Sur la table de chevet, au sommet d'une pile, il y avait un verre d'eau en équilibre, de l'autre côté le réveil digital, qui ne marchait plus depuis longtemps, était perché sur une autre pile. Le lit, un baldaquin d'époque, qui trônait autrefois dans la chambre, majestueux, disparaissait désormais, noyé sous ces monceaux de papiers. Les draps et les couvertures étaient tout froissés et l'un des oreillers portait encore l'empreinte d'une tête comme si celui qui avait dormi là venait de se lever. Flora se baissa, respirant la nuance kaki de cheveux sales. À quoi s'attendait-elle ? Si sa mère était rentrée à la maison, inutile de dire que la dernière chose qu'elle aurait faite aurait été de se mettre au lit. Flora ouvrit le placard, espérant à moitié trouver le pardessus pendu à un cintre. Elle se souvenait de l'odeur de ce manteau, épaisse et lourde, une odeur de racines d'orties, de broussailles emmêlées. Elle aimait y cacher des choses dans les poches. Pas de pardessus. Rien que les chemises de Gil, toutes rangées dans le même sens, des pantalons pliés et suspendus eux aussi, les plis bien nets, une veste, un costume que Flora ne lui avait jamais vu porter et deux paires de mocassins sans lacets. Ils avaient dû être élégants autrefois : c'était du cuir souple, italien, cousu main, mais à présent les coutures craquaient et les talons étaient mangés. Alors elle comprit que son père s'était réinstallé dans la maison.

Un jour, quand elle avait quatorze ans, quatre ans tout juste après la disparition d'Ingrid, Flora était rentrée de l'école plus tôt et avait trouvé Nan et Gil en train de débarrasser les vêtements de sa mère. En passant la porte, elle entendit la voix de Nan dans la chambre.

« Il est temps, Papa. Ce n'est pas bon pour Flora d'être entourée de tous ces trucs. Tu sais bien, elle vient ici, tout le temps, elle essaye les vêtements, joue avec les bijoux, se vaporise le parfum de Maman. Je le sens sur elle », disait Nan. Son père marmonna une réponse.

Flora n'eut pas besoin d'en entendre davantage. « Qu'est-ce que vous êtes en train de faire ? » lança-t-elle en franchissant la porte de la chambre en trombe.

Debout face à la coiffeuse, Gil tenait ouvert un sac-poubelle tout en regardant vers la mer tandis que Nan y jetait toutes les choses en dentelle et en soie que Flora adorait caresser.

« On fait du rangement », déclara Nan en ouvrant le tiroir du bas, dont Flora savait qu'il contenait des pulls : quand sa sœur était au lycée et que la maison était vide, elle les sortait, les pressait contre son visage, puis les repliait et les rangeait un à un. Gil ne dit rien, il se contenta de tenir le sac-poubelle ouvert tout en fixant l'horizon par la fenêtre.

« Mais, qu'est-ce que va mettre Maman quand elle rentrera ? » Flora voulut saisir le sac-poubelle et il se déchira, éparpillant des sous-vêtements au sol.

« Regarde ce que tu as fait ! » cria Nan en rassemblant tout en tas. Flora se jeta au sol à côté de sa sœur, et tenta de lui arracher le plus de choses possible, elle les fourra sous elle et s'allongea dessus de tout son poids tandis que Nan tentait de la tirer sur le côté. Quand le tas de vêtements échappa à Flora, elle se déchaîna, griffant sa sœur au visage. Nan recula, la main sur la joue. Lorsqu'elle ôta ses doigts, le sang coula d'une longue éraflure. Elle frappa Flora au visage. Puis elles s'immobilisèrent, muettes de stupeur.

« Flora, assieds-toi sur ce putain de lit. Et ne rends pas les choses plus difficiles qu'elles ne sont déjà », dit son père. Assise en silence, elle contempla les robes frégates des années quarante de sa mère, ses pantalons larges en laine, ses jupes droites, ôtées de leurs cintres et entassées dans des cartons. Ses blouses en mousseline et sa robe jaune en crochet avaient fini écrabouillées sous un tas de mocassins, d'escarpins et de tout ce qui se trouvait sur la coiffeuse, son maquillage, son collier en toc avec la pierre en forme d'œuf d'oiseau et son parfum. Tout en haut de la pile, sa robe de soirée en mousseline rose. Ensuite ils chargèrent les cartons et les sacs-poubelle dans la voiture de Nan. Flora ne songeait même pas à l'endroit où ses affaires allaient atterrir ; elles avaient juste disparu.

Deux semaines après que Nan eut tout emporté, Flora et son père se rendirent à Hadleigh, et tandis qu'il farfouillait parmi les livres d'occasion dans la boutique solidaire, elle alla traîner au fond du magasin, au milieu des vieilles vestes en tweed et des cols pelle à tarte. Une fille d'une vingtaine d'années sortit alors de la cabine d'essayage dans la robe en mousseline rose d'Ingrid – la jupe, trop longue, traînait sur les carreaux de moquette, le col était trop serré. La fille se posta devant le miroir, tourna sur elle-même en se contorsionnant pour se regarder. Flora attrapa le rail d'un portant pour ne pas tomber, incapable de quitter des yeux le reflet de cette fille dans le miroir. Elle se souvenait du jour où elle avait vu sa mère dans cette robe, elle avait une serviette couleur sable sous le bras et un livre à la main. Il flottait un parfum de noix de coco – cette couleur miel doré une fois encore, et Ingrid tournoyant, marchant, disparaissant dans la lumière du soleil.

« Ça ne me va pas, dit la fille à son amie, touchant la matière vaporeuse. Et puis, il y a un accroc. » Elle souleva le tissu qui recouvrait ses fesses.

« C'est vintage, mais pas dans le bon sens du terme, reprit son amie en portant la jupe à ses narines. Et ça sent la morte. » La fille avec la robe fit mine de s'évanouir, étranglée. Elles éclatèrent de rire et réintégrèrent leurs cabines d'essayage. À l'avant de la boutique, Gil, imperturbable, continuait d'égrener les pages des livres. Pendant ce temps, sa fille fit glisser un collier en toc avec une perle affreuse dans sa poche de manteau.

Flora referma la porte du placard et alla dans la chambre qu'elle partageait avec Nan. Il y avait là une seule fenêtre avec vue sur le jardin en désordre et l'atelier d'écriture de Gil, et du côté de Nan, puisque c'était l'aînée, on pouvait apercevoir la mer. L'ours en peluche de Nan était posé sur son oreiller, son lit était fait au carré, garni de draps et couvertures impeccables. Entre les deux lits, il y avait une commode. Autrefois, Ingrid avait peint une bande blanche qui courait du plateau jusqu'au bas des tiroirs et se retrouvait à l'intérieur. Elle était si désespérée par l'attitude de ses filles qui ne cessaient de se disputer pour savoir quel côté était à l'une et quel côté était à l'autre que, dans sa colère, elle avait tracé ce trait au pinceau sans même ôter les vêtements des tiroirs, et pendant des années Flora avait eu des traces blanches sur ses vêtements. Là, elle ouvrit le tiroir du bas, le plus profond, et regarda à l'intérieur. Sur la gauche, une pile de pulls de Nan, bien nette, sur la droite, des collants roulés en boule, un jean dans lequel Flora n'avait jamais réussi à rentrer et des soutiens-gorge avec leurs baleines dehors. Elle fouilla dans ses vêtements, retourna complètement la pile, dégageant la boîte à boutons de manchettes vide de son père, cherchant des yeux un morceau de mousseline rose. Le lendemain de l'épisode à la boutique solidaire, Flora avait quitté l'école pendant la récréation du matin, fourré sa cravate dans sa poche, retourné son blazer et parcouru les trois kilomètres qui la séparaient du centre-ville. Avec l'argent de son déjeuner, elle avait acheté la robe et l'avait rapportée à la maison, où elle l'avait cachée au fond du tiroir. Flora remit la main dessus, abandonna ses vêtements trempés sur le sol et enfila la robe de sa mère par le haut, se tordant les bras vers l'arrière pour l'agrafer, et resta là, devant le miroir, à se regarder. Dans le salon, l'homme chantait une chanson à propos d'une femme aux cheveux blonds. Flora pivota dans la chambre, observant son reflet par-dessus son épaule. Elle avait le même âge que sa mère à l'époque où Gil lui avait acheté cette robe, juste après la naissance de Nan ; un cadeau de naissance, se disait Flora. Sur le corsage, la plupart des sequins et des perles argentées étaient tombés, laissant des fils pendants, et la jupe était tachée et un peu déchirée, mais dans le miroir elle distinguait le reflet d'une Ingrid au visage en forme de cœur qui la regardait en retour. Il ne manquait que la serviette et le livre.

10

Pavillon de nage, 7 juin 1992, 4 h 15 du matin

Cher Gil,

Il paraît que les insomniaques connaissent un pic de créativité au milieu de la nuit. Ce n'est pas l'impression que cela me fait, bien que ces lettres surgissent en moi d'un bloc et fusent à la pointe de mon stylo de manière irrépressible, lorsque je les relis, l'écriture est si peu soignée que j'ai du mal à déchiffrer la plupart des phrases. Je me souviens d'avoir entendu une anecdote sur une poétesse (une célèbre insomniaque), dont on racontait qu'elle réservait toujours cinq chambres d'hôtel, la sienne et les quatre autour, de façon à s'assurer un silence complet pendant la nuit. Comment s'appelait-elle déjà ? Si tu étais là, tu me le dirais tout de suite. Il y a un recueil de ses poèmes quelque part dans la maison, mais en l'occurrence, même toi tu serais incapable de remettre la main dessus. Certains murs font deux livres d'épaisseur. Cette poétesse, quel que soit son nom, a écrit un livre qui s'appelle *La Lettre*, elle disait que son écriture était comme les pattes d'une mouche et que son cœur était érodé par le manque de son amant. Quelle justesse. Qu'il est aisé d'imaginer le pire. Je préférerais savoir où se trouve mon amant, mon mari ; avec qui tu es et ce que tu fais. Peut-être est-ce la raison pour laquelle je n'ai jamais écrit de roman. Je suis un écrivain de la vérité, des faits. J'en ai fini de glisser les choses sous le tapis, de fermer les yeux ; ce qui se trouve ici, dans ces lettres, est la réalité brute et nue.

Flora et moi ne sommes pas faites pour le sommeil. Nos paupières sont trop fines, nos corps trop légers, nous ne nous enfonçons pas dans nos lits, nos oreilles restent à l'affût. Au moindre bruit, réel ou imaginaire, nos yeux s'ouvrent : la pluie sur le toit, la latte qui craque devant la cuisinière, les volets qui vibrent malgré les cales en bois et les sous-bocks en carton coincés dedans. Ici, quand les fenêtres sont ouvertes, le sol est jonché de morceaux de carton avec des marques de bière dessus.

Ta lettre apparut dans mon casier à l'université une semaine après mon départ précipité du café. J'avais beau l'emporter partout avec moi, imaginer toutes sortes de réponses possibles, aucune réaction ne convenait à l'énormité de ce qu'elle contenait, alors je ne répondis jamais. Et je ne racontai rien à

Louise (le cours particulier, le café, le baiser avorté), je ne lui montrai pas non plus la lettre. Je savais qu'elle m'aurait découragée, qu'elle aurait raillé ces hommes plus âgés, avant de conclure avec une grande tirade sur les enfants et toutes les raisons pour lesquelles ni elle ni moi n'en aurions jamais. Je venais à tes cours dans un état de fébrilité avancé mais n'y disais pas grand-chose, tu ne me posais pas non plus de questions, tu évitais mon regard. Comme quand tu m'avais prêté ce livre, je m'attardais à la fin des cours, pour te laisser le temps de me demander de rester, mais tu n'en faisais rien. Je découvris à quel endroit de Londres tu vivais quand tu enseignais, je passais devant l'immeuble, essayant de deviner quelles fenêtres étaient les tiennes. Je scrutais les rues en quête d'une Triumph Stag jaune moutarde, mais n'en croisais jamais. Quand j'étais censée écrire ou travailler, ou réviser, je me surprenais à griffonner les mots « Gil Coleman » sur mes feuillets, puis je les noircissais au stylo, j'appuyais de toutes mes forces de telle sorte que je laissais sur les pupitres de petits rectangles noirs. Je me rendis à la bibliothèque la plus proche mais fus incapable d'emprunter d'autres livres que les deux que tu avais écrits. Assise sur un banc dans le parc Saint Georges, je les lus d'une traite, tous les deux, tentant d'extraire l'auteur de ses mots, tel un mollusque de sa coquille. Je ne t'ai jamais dit que je les avais adorés. Je les ai adorés.

Durant toute cette semaine, je revivais si souvent les quelques minutes que nous avions passées dans ce café que le souvenir en devint grisé, usé, et je songeai que tu devais t'être trompé de personne, que cette lettre n'était pas pour moi (mais pour une autre Ingrid). Puis, je trouvai dans mon casier la nouvelle que j'avais écrite pour ton cours : une fille, un garçon et une boîte d'allumettes. Tu l'avais annotée, soulignant les mots suivants : « de temps en temps il observait l'ondulation de sa lèvre supérieure et imaginait appuyer son pouce contre ce sillon étroit », et griffonnant les mots : « S'il te plaît, viens me voir. » Ton écriture sur cette page te rendit tes trois dimensions. Je décidai de parler de toi à Louise.

Elle prononça les mots auxquels je m'étais attendue : que tu avais une certaine réputation, que tu étais misogyne, un vieil homme t'attaquant à de jeunes étudiantes, que c'était malsain, que je devrais te dénoncer, que ta lettre était un outrage, et que je serais définitivement folle d'accepter de te revoir.

Un samedi pluvieux, alors que je rentrais de l'épicerie, je crevai un pneu de mon vélo. Je craignais que les hoquets du pneu crevé contre le trottoir ne finissent par fendiller les deux œufs calés au fond du panier avec quatre tranches de lard fumé emballées dans du papier sulfurisé. Louise et moi avions fait la grasse matinée, et je lui avais proposé d'aller chercher le petit-déjeuner. Quand je levai les yeux, tu étais là, penché à la fenêtre de ta voiture.

« Bonjour », dis-tu.

Je continuai de marcher, tenant le vélo qui rebondissait dans les flaques.

« Ingrid », ta voix s'était élevée. « Ne sois pas si dure, putain. »

Je m'arrêtai et ôtai la capuche de mon ciré. Des filets d'eau froide ruisselaient sur mes joues et coulaient jusqu'à mon menton. « Monte dans la voiture, dis-tu. Qu'on puisse se parler. »

Je te désignai mon vélo de la tête, comme s'il fallait que je continue absolument à pied alors que nous étions arrivés devant les garages à vélo sous mes fenêtres.

« Ingrid, dis-tu plus bas, il faut que je remonte la vitre maintenant, je suis trempé. Monte, s'il te plaît. »

Je posai mon vélo contre la rampe, en prenant tout mon temps, comme si j'étais tout à fait détendue. Quand je fus installée sur le siège passager, tu mis le contact et l'espace d'un instant je crus que tu voulais nous emmener loin d'ici mais tu te contentas de te pencher en avant et de mettre le chauffage au maximum pour me réchauffer.

« Tu es malade ? demandas-tu. Tu ne devrais pas rester dehors sous la pluie. Tu es si pâle. » Tes doigts se posèrent sur ma joue mais je persistai à regarder droit devant moi les vitrines embuées des boutiques et maisons de Goodge Street en me demandant comment aborder le sujet de ta lettre. « Allons prendre un verre, proposas-tu. Pour parler, rien de plus. Promis. » Tu m'adressas ce sourire de vainqueur, ce sourire qui avait déjà commencé à ébrécher ma carapace.

Tu mis en marche les essuie-glaces pour éclaircir la vue devant nous et repéras le Jekyll & Hyde. « Ça te dit, là ? Allez », insistas-tu. Je n'en avais jamais franchi le seuil mais j'avais entendu dire que les consommations y étaient hors de prix et je savais en revanche avec certitude que c'était mal fréquenté ; j'avais souvent pu voir depuis ma fenêtre les soûlards qui en sortaient à la fermeture, se battaient, titubaient ou vomissaient leurs tripes dans le caniveau.

Lorsque nous passâmes la porte, onze têtes d'hommes se tournèrent vers nous. Alignés sur leurs tabourets au bar, ils portaient tour à tour pintes de bière et cigarettes à leurs lèvres. Un soleil mouillé dardait ses rayons obliques à travers de hautes fenêtres victoriennes, soulignant les tourbillons de fumée qui s'engouffraient dans tous les coins sombres du pub. Tu me payas un porto au citron. Et toi, était-ce un whisky ? Je ne me souviens plus, mais je sens encore l'odeur de cigarettes se mélangeant à celle des pâtisseries trop grasses flétrissant sous une cloche chauffante sur le bar. Sur un côté de la vitre, un écriteau annonçait fièrement en lettres jaunes : « Serveuses topless tous les mercedis à midi. »

« Dans le livre que je suis en train d'écrire, il y a une fille qui te ressemble, annonças-tu après que nous nous étions installés sur les banquettes en vinyle. J'essaie de la faire manger pour qu'elle grossisse un peu et prenne des couleurs. J'ai peur qu'elle ne finisse par s'effacer.

— Ce serait embêtant ? »

Tu réfléchis un moment à la question. « À vrai dire, sans elle, toute l'intrigue s'effondre. Elle est essentielle au bien-être du héros.

— Ah, parce que ce n'est pas elle, le héros ?

— Non. Je n'ai jamais été très douée pour me mettre dans la peau d'une femme. C'est beaucoup trop compliqué.

— Tu as essayé ?

— À de nombreuses reprises. »

Tu pris une gorgée.

« Je suis sûre que ton personnage est tout à fait capable de prendre soin d'elle toute seule.

— Je n'ai aucun doute là-dessus, mais elle ne cesse de me surprendre. Je n'ai toujours pas réussi à la cerner.

— Tu devrais peut-être envisager de lui consacrer une intrigue parallèle, suggérai-je en trempant les lèvres dans mon verre. Quel est ce cliché déjà ? Celui dans lequel tous les professeurs d'écriture finissent par tomber ? »

Tu m'adressas un sourire en coin. « Laissez-les vous échapper, au bout d'un moment vous découvrirez que ce sont vos personnages qui écrivent l'histoire et pas vous.

— Certes, mais j'ai l'impression que cette fille est partie pour écrire une fin malheureuse et ce serait vraiment dommage.

— Il y a un homme dans l'histoire que je suis en train d'écrire, annonçai-je avant de marquer un silence et de prendre une autre gorgée.

— Oui ? m'encourageas-tu.

— Il ne te ressemble pas du tout. »

Tu éclatas de rire, menton en avant, d'un rire sonore qui fit pivoter toutes les têtes au bar de quatre-vingt-dix degrés vers nous. « Et de quoi a-t-il l'air, cet homme dans ton histoire ?

— D'accord, j'ai menti.

— Il me ressemble, n'est-ce pas ?

— Il n'y a aucun homme dans ce que je suis en train d'écrire, seulement une femme.

— Elle ne se sent pas trop seule ? » Tu terminas ton verre et le reposas sur la table.

« Elle a plein de projets, de choses à faire, d'endroits à voir.

— Et un homme l'en empêcherait ?

— Oui. » Je terminai mon verre à mon tour.

« Je crois que tu te trompes. Tu en veux un autre ? proposas-tu en levant mon verre vide.

— Oui, s'il te plaît. »

Tu te glissas hors de la banquette et te mis debout près de notre table. « Pourquoi ne pourraient-ils pas faire ces choses ensemble ? Personne n'a envie de lire un livre avec un seul personnage. » Tu fouillas la poche de ton pantalon et en ressortis un billet froissé.

— *Le Vieil Homme et la Mer*, Hemingway » dis-je.

Tu secouas la tête. « Et que fais-tu du garçon, Manolin ? Tu veux bien aller nous chercher des verres ? Je reviens dans une minute. » Tu te dirigeas vers les toilettes des hommes. Avant de passer la porte, tu me lanças : « Et tu oublies le marlin ! »

Au bar, le propriétaire leva mon verre en demandant : « Un autre porto-citron ? » Il posa le verre sur un torchon propre devant moi, ramassa le tien et claironna, non pas à moi, mais à son public au premier rang : « Et la même chose pour ton papa, ma chérie ? » L'un des hommes au bar renifla dans sa pinte et le rouge me monta de la gorge aux joues.

« Non, merci, rien du tout, dis-je le ventre serré.

— Rien pour toi ou rien pour ton père ? »

Le propriétaire adressa un clin d'œil à ses habitués. Qui reniflèrent à nouveau.

« Rien du tout.

— Décide-toi, chérie. J'ai déjà servi le porto-citron, il va falloir me le régler maintenant. »

Je plaquai le billet sur le comptoir et quittai le pub, escortée par leurs rires. Dehors, la pluie avait cessé, un soleil bien chaud de midi avait jailli, Londres fumait sous les rayons. Je m'emplissais les poumons de l'air de la ville tandis que les portes du pub s'ouvraient dans mon dos, tu étais sur le trottoir près de moi, mon ciré sous le bras.

« Où étais-tu ? Que s'est-il passé ? » demandas-tu. Tu me pris par le coude. « Tout va bien ?

— Tu aurais un stylo ? dis-je entre mes dents.

— Un quoi ?

— Un stylo, ou un crayon ? »

Tu sortis un stylo rouge de la poche de ta veste. Je le pris et retournai dans le pub. Au bar, les têtes riaient encore avec le propriétaire, mais elles pivotèrent une dernière fois quand je repassai la porte. Je fonçai droit sur la cloche chauffante, ôtai le bouchon de ton stylo. Sur l'écriteau à l'intérieur, je rajoutai un « r » énorme au milieu de « mercedis » puis tournai les talons. Quand je te rejoignis, tu m'adressas un sourire étrange sans me demander d'explications. À l'intérieur de moi, le rocher se fendilla encore davantage.

« Ça te plairait d'aller déjeuner ? Je connais un endroit pas loin d'ici.

— Louise m'attendait avec le petit-déjeuner il y a une heure et demie.

— Vraiment ? » dis-tu, déçu.

Nous laissâmes passer une voiture puis traversâmes la route. « J'habite ici. Là-haut.

— Je sais. » Je me souvins alors de ta lettre, de ce passage où tu disais que tu te garerais devant chez moi et que je passerais ma tête encore endormie par la fenêtre, et je compris que, tout comme moi, tu avais découvert où j'habitais.

« Je ne peux pas te proposer de monter. »

Si je t'avais fait monter, Louise aurait été scandalisée que j'aie pris un verre avec toi, elle t'aurait accusé de tirer parti de ta position et aurait fait une scène. Je décidai donc de me pencher vers toi, et, les yeux grands ouverts, de poser mes lèvres sur les tiennes. Tu reculas pour mieux me regarder, accrochas mon ciré sur la rampe à côté de mon vélo et t'approchas à nouveau. Je vis tes mains monter jusqu'à mes cheveux, j'observai tes yeux clos, ton front lisse, ton visage qui m'embrassait tandis que Mme Carter du secrétariat de la faculté des arts de l'Université passait à côté de nous, un minuscule chien trottinant sur ses talons. Le chapeau en plastique qui recouvrait sa mise en plis était constellé de gouttelettes, et avec mes yeux grands ouverts, je la vis nous regarder et presser le pas.

Quand nous nous séparâmes finalement, nous étions intimidés, surpris, je farfouillai dans mon sac à la recherche de mes clés, et lorsque finalement j'ouvris la porte, tu étais juste derrière moi. Je manœuvrai de telle sorte que je me retrouvai dans le couloir avant même que tu aies quitté les marches du perron.

« Bien, alors au revoir. Merci pour le verre », dis-je.

Ta main tenait la porte ouverte.

« Attends, Ingrid. » Je m'arrêtai. « Si tu ne veux pas venir déjeuner avec moi, viens au moins à cette fête de fin de semestre. Le week-end prochain. Samedi. » Tu avais l'air d'un petit garçon, plein d'espoir ; tu aurais aussi bien pu avoir seize ans et moi quarante.

« Pourquoi pas », dis-je en refermant la porte.

Je grimpai les trois volées d'escaliers et fonçai vers la fenêtre, avec Louise dans mon dos qui me bombardait de questions : « Ben alors ? Quoi ? Qu'est-ce que tu as fichu des œufs et du bacon ? » Je me penchai, tu avais déjà dépassé les trois maisons voisines.

« Oui ! » criai-je.

J'ai besoin de toi.

À toi,

Ingrid

[Glissée dans *Œuvres poétiques complètes d'Amy Lowell*, 1955]

11

Pendant que Flora flottait dans l'eau tiédie de son bain, le plancher devant la cuisinière craqua. Dans le salon, la musique s'était tue et elle agrippa le rebord de la baignoire, ramenant les genoux contre sa poitrine sans un bruit ni une éclaboussure. Elle tourna la tête vers la porte, à l'affût, guettant un nouveau craquement, mais ne distingua que le gargouillis de la plomberie au sous-sol. En appuyant ses paumes sur le rebord, elle se releva et plaqua les fesses contre les carreaux froids du mur et la tête contre le miroir ancien, vestige d'une demeure oubliée. Accroché sur le côté, le cadre était déséquilibré et s'écaillait au-dessus de l'eau.

Le rideau en tissu éponge suspendu autour de la baignoire pour garder la chaleur était resté ouvert et Flora vit une ombre passer dans le rai de lumière sous la porte, elle s'enfonça plus encore en arrière, espérant presque fondre et disparaître entre le miroir et les carreaux. La poignée de la porte tourna, Flora hurla, glissa sur l'émail et valdingua dans la baignoire en envoyant une grande giclée d'eau au sol. Sur le seuil de la porte, se tenait sa sœur.

« Pour l'amour du Ciel, ça ne va pas de crier comme ça ? » lâcha Nan en entrant dans la pièce et ramassant une serviette qui traînait par terre. Elle la tendit à sa sœur et poussa du pied le tapis de bain pour éponger la flaque. « J'ai mis la bouilloire sur le feu. » Et elle tourna les talons.

« Je préférerais un truc plus fort ! » lança Flora. Puis elle ajouta pour elle-même : « Un whisky peut-être. »

Dans la cuisine, Nan avait fait du rangement, poussé les livres vers un coin de la table.

« Je croyais que tu n'arriverais que demain, dit-elle.

— Et moi j'ai cru que tu étais Maman, répondit Flora. J'ai entendu la latte de parquet craquer, je t'ai vraiment prise pour elle.

— Quelle latte de parquet ?

— Devant la cuisinière. »

Nan lui jeta un regard interrogateur.

« Comment as-tu pu oublier une chose pareille ?

— Ce parquet n'a jamais craqué, c'est juste ton imagination qui te joue des tours une fois de plus. »

Nan se posta devant la cuisinière et se balança d'avant en arrière. Sans produire le moindre bruit.

« Je t'ai prise pour Maman, répéta Flora, en resserrant sa serviette autour d'elle.

— Tu as dû t'endormir dans le bain. Tu avais laissé le tourne-disque en marche et abandonné tes affaires et tes chaussures dans l'entrée. Tu ne m'as pas entendue arriver ?

— Non, je suppose que non. »

Flora avait l'impression qu'on s'était moqué d'elle. Nan posa deux tasses de thé sur la table. « Comment va Papa ?

— Il devrait pouvoir sortir demain, normalement. » Elle regarda sa montre. « Aujourd'hui en fait. » Elle soupira et versa du lait dans sa tasse. « Mais il est encore faible, il aura besoin de soins. J'ai pris un congé pour raisons personnelles pour pouvoir m'en occuper.

— Ce n'est pas pour quand quelqu'un est en train de mourir, ça ? demanda Flora. Tout ce qu'il a, ce sont des éraflures, des bleus, un œil au beurre noir, des trucs dans le genre, non ?

— Si, dit Nan sans lever les yeux. Des trucs dans le genre. Il a eu beaucoup de chance. » Elle souffla sur son thé, ourlant la surface marron à contre-courant. « Mon Dieu, je suis tellement épuisée. »

Parfois, Nan surprenait Flora : elle pouvait être très belle, il suffisait d'un mouvement de tête, d'une lumière tamisée capturant son visage un instant et elle était pareille aux rayons du soleil accrochés au sommet d'une vague, fugitive. Mais, le plus souvent, elle semblait disproportionnée par rapport au monde autour d'elle, avec ses larges épaules, ses grandes mains, assez costaudes pour attraper un nouveau-né tout gluant. Elle portait encore son uniforme, des auréoles bleu marine sous les aisselles, et le tissu tendu sur sa poitrine épaisse.

Nan commença une phrase mais la modifia en cours de route : « Tu envisages d'enfiler un pyjama ?

— Probablement pas, non.

— Tu dois avoir froid.

— Pas vraiment. »

Flora renifla la bouteille de lait, la reposa et remua son thé avec le bout d'un stylo qui traînait sur la table.

« Je t'en prie, fais-moi plaisir, prends une cuillère », lâcha Nan, épuisée.

Flora se leva et la serviette, qui pendait, lâche, autour de son torse, resta sur la chaise. Elle déambula tranquillement, nue, jusqu'au tiroir des couverts et l'ouvrit. Derrière elle, Nan soupira.

« Quoi ? lança Flora. J'ai pris une cuillère, c'est ce que tu voulais, non ?

— Flora », souffla Nan en se prenant la tête entre les mains d'un air deséspéré.

Flora ouvrit le placard sous l'évier, là où son père rangeait sa réserve de whisky. Elle chercha dans d'autres placards. Le quatrième qu'elle ouvrit, dans l'angle, au-dessus du grille-pain, était rempli de boîtes de nourriture pour chien, parfaitement alignées, étiquettes apparentes. Flora demeura un moment interdite, puis elle referma la porte et se rassit à table. Elle remit la serviette autour d'elle, en guise de concession à la pudeur. Puis elle réfléchit à une manière d'amener la conversation vers la personne que leur père avait vue à Hadleigh mais elle n'arrivait pas à trouver comment aborder la question sans que Nan balaye d'emblée l'affaire comme de la pure folie.

Sa sœur bâilla. « Il faut que je dorme. La journée a été longue. Le ferry ne passait plus quand je suis arrivée, à cause de la météo. J'ai dû faire tout le tour.

— Oh mon Dieu ! l'interrompit Flora, en se frappant le front du plat de la cuillère. J'ai oublié de te dire. Il a plu des poissons sur ma voiture quand j'étais sur Ferry Road.

— Ta voiture ? » Nan reposa sa tasse de thé.

« Ils sont tombés du ciel. Il y avait des poissons morts partout sur le bitume.

— Flora, tu n'as pas acheté une voiture, quand même ? Tu es étudiante aux Beaux-Arts. Tu n'as pas les moyens de t'acheter une voiture.

— J'aurais pris une photo si j'avais eu un appareil, ou bien je les aurais dessinés s'il n'avait pas plu autant.

— Le montant de l'assurance doit être astronomique.

— Ce n'est pas ma voiture, c'est celle de Richard, lâcha Flora.

— Qui est Richard ?

— Merde ! La voiture de Richard ! » Flora bondit sur ses jambes. « Elle est tombée en panne et j'ai dû l'abandonner au beau milieu de la route. » Elle se précipita hors de la cuisine, alla dans leur chambre, enfila une culotte et une chaussette.

« Où ça ? » demanda Nan, en la suivant. Elle s'assit sur son lit.

« Je te l'ai dit. Sur la route du ferry. Tu crois qu'on peut trouver quelqu'un pour la remorquer ?

— Maintenant ? Il est presque une heure du matin. Nous nous en occuperons demain. » Nan avait cette voix, pas celle de la sœur, ni celle de la mère, mais cette voix calme, raisonnable, que Flora se surprenait parfois à avoir envie d'écouter.

Elle tira sur sa chaussette par le gros orteil. « D'accord », dit-elle, et elle remarqua alors qu'elle avait oublié de se laver les pieds, il y avait de la crasse encore incrustée entre ses doigts.

« Tu crois qu'il fait quoi Gabriel en ce moment ? hasarda Flora dans le noir de la chambre. Tu crois qu'il ressemble à quoi ? Peut-être qu'il porte la moustache ?

— Pas maintenant », répondit Nan en se retournant dans son lit.

Le silence retomba mais Flora le brisa à nouveau. « Tu te souviens de la fois où j'ai trouvé une tête de baleine en plastique grandeur nature échouée sur la plage ? »

Nan laissa échapper un petit rire. « Tu avais insisté pour qu'on la traîne jusqu'à la maison.

— Tu ne m'as aidée que sur une partie du chemin, après tu m'as laissée me débrouiller toute seule.

— Elle sentait mauvais. Elle était glissante, gluante, pleine d'eau. Elle avait sans doute passé un temps fou dans la mer. Elle était dégoûtante.

— Et pourtant je l'ai portée jusqu'au bout.

— Tu devais avoir dans les six ans, pas plus. Tu as fait tout le chemin avec, jusqu'à notre plage. En fin de compte, ce sont les rochers, au pied du sentier côtier, qui ont fini par te décourager, je crois.

— Je me rappelle avoir demandé à Papa de la suspendre au mur du salon comme un trophée. Il a répondu que nous emprunterions la brouette de Martin et que nous retournerions la chercher le lendemain.

— C'était Maman, dit Nan.

— Non, c'était Papa, je m'en souviens très bien.

— Papa n'était même pas là.

— Si, il était là. »

Nan soupira. « Non, Flora, il n'était pas là.

— Et il était où alors ? »

Quelques secondes s'écoulèrent puis Nan dit : « Il était juste parti.

— Bref, peu importe, le lendemain la tête de baleine avait disparu », reprit Flora avec amertume.

Elle persistait, il lui fallait quelqu'un à qui reprocher cette perte.

Plus un mot, ni de l'une ni de l'autre, lorsque la respiration de Nan ralentit et devint plus profonde, Flora murmura : « Ça t'arrive d'avoir l'impression de voir Maman dans la rue ? »

Nan ne répondit pas.

12

Pavillon de nage, 8 juin 1992, 7 h 05 du matin

Cher Gil,

Ce matin, un peu avant six heures, j'ai renoncé à essayer de dormir et je suis allée nager. J'étais au milieu du sentier côtier, enveloppée dans une couverture avec aux pieds une paire de tongs trouvées dans l'entrée, et j'ai soudain entendu quelqu'un qui courait derrière moi. Je me suis retournée, c'était Flora, pieds nus, dans une serviette-éponge, qui venait me chercher.

« Maman ! Attends ! a-t-elle appelé. Je viens nager avec toi. » Flora est comme un chat, elle décide toute seule et on est censé la suivre. Si je lui avais demandé de m'accompagner, elle aurait sans doute refusé. De temps en temps, elle me permet quelques caresses, quelques cajoleries, mais si je m'aventure sans y avoir été autorisée, je m'expose à ses coups de griffes et elle finit par partir en courant.

Il n'y avait personne sur notre plage : il était encore trop tôt pour les coureurs ou les promeneurs de chiens, même les plus motivés. La marée descendante semblait aspirer le sable dans son mouvement, les vagues roulaient sur les cailloux et la mer était couleur de jean mouillé. Au-dessus, le ciel était comme barbouillé de jaune pâle. Nous avons abandonné la couverture et la serviette sur les rochers et sommes restées debout un moment au bord de l'eau. Flora a glissé sa main dans la mienne.

« Qu'est-ce qu'on risque, après tout ? » ai-je dit, elle a serré la main autour de mes doigts, et mon cœur était si débordant d'amour à ce moment-là. Elle a compté jusqu'à trois et nous avons couru dans la mer, en sautant à grandes enjambées par-dessus les vagues, en riant et en criant au contact du froid. Et lorsque Flora a eu de l'eau jusqu'en haut des cuisses, nous avons plongé la tête la première. Comme toujours, le froid était saisissant, à couper le souffle, à glacer tous les nerfs. En ressortant la tête de l'eau, nous étouffions et Flora a laissé dépasser son nez hors de l'eau tel un phoque fendant les vagues. C'est une bonne nageuse, aux épaules musclées, au rythme régulier. Son professeur de nage ne tarit pas d'éloges à son sujet. Flora n'est pas la même enfant dans l'eau, elle est plus calme, plus consciencieuse. Non, d'ailleurs, c'est autre chose :

elle fait corps avec l'eau, elle est littéralement dans son élément. Tu devrais la voir.

Lorsqu'elle dit : « Quand Papa était venu me voir nager au gala... » ou « Quand j'ai regardé autour de la piscine et que j'ai vu Papa... » ou « Quand j'ai gagné la compétition... », que dois-je lui répondre, Gil ? Quand rentreras-tu à la maison ? Elle a besoin de toi, nous avons besoin de toi.

1976, dans le ronronnement de ta petite Triumph roulant vers le sud-ouest, je regardai par la fenêtre la Tamise passer sous nos roues par deux fois, puis les voies à double sens bordées de maisons mitoyennes, les terrains de sport et les premiers champs laissés derrière nous. Je compris que la fête n'avait pas lieu à Londres. Je n'étais jamais sortie de la ville auparavant, sauf quand je prenais le train entre Liverpool Street et Harwich, puis le ferry jusqu'à Oslo pour aller rendre visite à mon père une fois par an, jusqu'à sa mort.

J'observais ton profil tandis que tu conduisais. À un feu rouge, tu te penchas vers moi, passas la main derrière ma nuque et m'embrassas longtemps, jusqu'à ce que les coups de klaxon nous interrompent. Quelque part aux alentours de Basingstoke, tu lâchas : « On fait un petit détour pour aller chercher Jonathan à la gare. Il n'y en a pas pour longtemps. »

Jonathan. Difficile, aujourd'hui, de me rappeler mes premières impressions. Grand, bien sûr, avec quelque chose de décalé dans ses vêtements, son accent irlandais, son visage. J'ai fini par mettre le doigt dessus il y a peu : il ressemblait à un personnage de Michel-Ange sur le plafond de la chapelle Sixtine (Ézéchiel ou Jérémie). Vus du sol, leur perspective est parfaite, mais de près, ils sont déformés, de travers. Malgré la cigarette pendue à ses lèvres en permanence, Jonathan est l'homme le plus sain que j'aie jamais vu : musclé, les joues rouges, des taches de rousseur, comme s'il passait ses journées à travailler au grand air plutôt qu'enchaîné à son bureau. Ce jour-là, tu te souviens ? il portait un pantalon de golf, des chaussettes jaune moutarde avec des souliers richelieu comme s'il se rendait à un tournoi de golf edwardien. À côté de lui sur le trottoir, il avait un caddie chargé de fûts de bière, un cageot de lait rempli de bouteilles de gnôle et, pendu à sa main levée, un squelette humain grandeur nature. Il le tenait bien haut, de sorte que, ses pieds posés à plat sur le sol, le squelette avait l'air d'être debout à côté de lui.

Nous sortîmes de la voiture.

« Bon sang, qu'est-ce que tu nous as encore dégoté, là ? » lanças-tu. Les gens qui passaient (des porteurs, des hommes d'affaires, une femme avec un enfant portant des bretelles) se retournaient sur lui.

« Annie, je te présente Gil, déclara Jonathan. Gil, Annie. » Il secoua la main du squelette dont tous les os cliquetèrent.

« Tu n'as quand même pas fait le voyage avec ça dans le train ? » Tu remuas la tête en riant.

« Tu m'as dit de venir accompagné, ricana Jonathan derrière la fumée de sa cigarette. Je vois que tu n'es pas venu seul non plus.

— Voici Ingrid. »

Jonathan s'inclina et le squelette se baissa avec lui. Tandis que vous rangiez l'alcool dans le coffre, je tenais Annie, ses genoux sur le bitume, suppliant ou priant, et surpris un regard entre vous. À l'époque je fus incapable de l'interpréter ; ce n'est qu'avec le recul que je comprends que le haussement de sourcils de Jonathan trahissait sa pensée : était-ce vraiment une bonne idée de m'amener à cette fête ? Quant à ton haussement d'épaules, encore aujourd'hui je ne sais comment le décoder : inconscience, défi ou préméditation ?

Dans la voiture, Jonathan prit place sur le siège passager tandis que je m'installais à l'arrière avec Annie.

« Elle sait se tenir, dit Jonathan. Elle a passé une bonne partie du voyage à mes côtés, jusqu'à ce que le contrôleur me demande de m'acquitter d'un billet pour elle puisqu'elle occupait un siège. Après quoi, je l'ai prise sur mes genoux, et elle était ravie, elle s'est même endormie. Elle est sans doute allée aux toilettes quand j'avais le dos tourné.

— Tu as pris le whisky ? demandas-tu.

— Bien sûr, répondit Jonathan. Tu as invité combien de personnes ?

— Pas beaucoup. Les habitués du pub, les voisins. Je me suis dit que ce serait mieux si ça restait intime.

— Oh, il se peut que j'aie lancé quelques invitations aussi de mon côté, dit Jonathan.

— Attendez, dis-je, en passant la tête entre les deux sièges avant. Des invitations ?

— Bon sang, Jonathan. Dis-moi que ce n'est pas ce tas de vieux hippies que tu ramasses toujours ?

— Tu sais qu'ils peuvent être adorables.

— La fête est chez toi ? » demandai-je.

Tu souris, me glissas un regard et me pinças la joue pour me rassurer.

Est-ce que ta mémoire te joue ce tour parfois ? Tu penses à un endroit et tu te rends compte qu'en fait tu y es déjà ? Cela m'arrive souvent maintenant, quand je me retrouve assise ici, à lire le matin très tôt. Les souvenirs refluent : l'été et ses haies hautes et sauvages, les promeneurs en short se rangeant sur les bas-côtés pour laisser passer les voitures, l'odeur sucrée des primevères, le panneau du village, « Spanish Green », la mer apparaissant derrière une porte de ferme, l'appréhension et l'excitation montant en moi. Je revois la vue à travers le pare-brise quand tu manœuvras dans l'allée. Je me souviens parfaitement d'avoir eu le souffle coupé la toute première fois que j'ai vu ce terrain (d'herbes et d'ajoncs) dévalant au loin vers le ciel immense et la mer déchaînée et brillante. Je n'avais pas imaginé qu'il pût exister en Angleterre des paysages aussi beaux que ceux que j'avais vus en Norvège. Je me rappelle m'être tournée vers la maison en sortant de la voiture (une maison basse, en bois, de plain-pied et avec un toit en tôle), il y avait la véranda à la peinture écaillée juste à côté et une table ronde au fond. Un pavillon de cricket, songeai-je. Et dans un sursaut, je me rends compte que je me tiens dans cette même véranda, assise à cette table immémoriale en train d'écrire cette lettre. Cette maison d'il y a seize ans est aujourd'hui la mienne.

Dans l'allée, les voitures et les caravanes étaient garées pare-chocs contre pare-chocs, la véranda, le couloir, le salon et la cuisine étaient bondés. Des hommes serraient la main de Jonathan, certains te donnaient une tape sur l'épaule, des filles t'embrassaient sur la joue, te prenaient dans leurs bras juste un peu trop longtemps et semblaient déçues quand tu me présentais à elles. Quelqu'un monta le volume de la musique, ouvrit les portes-fenêtres et quatre filles en combinaison moulante orange se mirent à danser. Les gens se massèrent pour les regarder, suant dans la chaleur de ce soir d'été, criant pour s'entendre par-dessus la musique et les conversations. Les bouteilles que Jonathan avait apportées furent vidées en un clin d'œil, il y avait des verres alignés sur tous les rebords des fenêtres, l'air était saturé de fumée, le pub en haut du chemin était fermé et la fête faisait le plein. Alors que ta maison débordait de danses, de cris et de gens ivres, je te perdis de vue.

Dans le salon, tu m'avais présenté Martin et George, ensuite tu étais parti me chercher un autre verre. Tu pensais peut-être que j'étais entre de bonnes mains, qu'ils me feraient la conversation.

Je me mettais sur la pointe des pieds régulièrement pour te guetter, ne les écoutant que d'une oreille. Un cercle de gens s'était formé à l'écart des danseurs et je crus t'apercevoir entraîné par la foule, avalé par le groupe. Je vis ta tête et celle d'une femme se rapprocher, j'entendis des sifflets, des applaudissements, puis le creux se referma sur toi. Je me dévissais le cou en vain.

« Ça va mal se terminer, j'en mets ma main à couper, criait George par-dessus le vacarme. Des feux de camp sur la plage, du verre brisé…

— Qui dit plus de maisons de vacances dit plus de monde. Et ça, c'est bon pour les affaires, rétorqua Martin.

— … capotes usagées… continuait George.

— Plus d'amateurs de pintes, plus de bières tirées.

— Plus de filles du village tirées, surtout.

— Et ça aussi, c'est bon pour les affaires », dit Martin.

Il claqua des doigts.

« Un polichinelle dans le tiroir, et hop, ils rentrent chez eux, à Blackpool ou n'importe quelle ville du coin.

— Pas Blackpool, ils ont leur propre plage, dit Martin.

— Ce sera comme à la grande époque des GI.

— Je ne crois pas que les nouveaux vacanciers soient du genre à laisser des capotes usagées sur la plage, dis-je, sans cesser de scruter la foule à ta recherche, ni du genre à mettre des polichinelles dans les tiroirs. »

Puis je les abandonnai à leur discussion et me frayai un chemin à travers la pièce bondée. La musique alanguie avait cédé la place à un morceau plus rythmé, les basses faisaient trembler le plancher et vibraient jusque sous ma peau. Debout derrière le cercle d'hommes qui regardaient les filles danser, j'observais le spectacle : il n'y en avait plus que trois, l'une d'entre elles avait baissé le haut de sa combinaison jusqu'à la taille, elle ne portait pas de soutien-gorge. Elle dansait en ondulant les hanches, et ses seins, petits, les tétons dressés vers le haut, étaient étonnamment fermes. Je demandai à un homme s'il t'avait vu, et sans quitter la fille des yeux, il me répondit : « C'est qui, Gil ? »

Je sortis du salon et passai la tête dans la pièce au fond du couloir (ta chambre). Sur le lit à baldaquin, un homme et une femme sautaient, ils rebondissaient joyeusement en poussant des cris comme des enfants de cinq ans. La chambre d'à côté, à deux lits une place, était occupée également. J'observai un bon moment mais aucune des cinq personnes qui se trouvaient là n'était toi. Je rejoignis alors la file des femmes patientant pour aller aux toilettes. J'attendis jusqu'à ce que quelqu'un sorte de la salle de bains, mais ce n'était toujours pas toi.

Dans la cuisine, deux araignées (l'une grosse et velue, l'autre fine et rapide) guettaient leur proie, prêtes à l'attirer dans leurs filets pour la dévorer.

« Mais qui vois-je ? » baragouina un homme tout en crachant son cigare dans l'évier. Joe

Warren était encore gros à l'époque, l'homme le plus gros que j'avais jamais vu, la ceinture de son pantalon remontait par-dessus son énorme ventre, plus gros encore que celui d'une femme enceinte.

« Vous avez vu Gil ? » demandai-je en me cognant sans faire exprès contre Denis debout derrière moi. Je me retournai.

« Gil ? dit Denis en regardant par-dessus ma tête. Tu connais un Gil, toi, Joe ? »

Joe éclata d'un rire profond et guttural. « Je ne crois pas, non », dit-il. Je me retournai vers lui. Les gens se pressaient autour de nous, certains quittaient la cuisine, d'autres venaient y chercher à boire. Une fille, qui portait une robe immense, tomba d'une chaise et s'allongea par terre, les mains croisées derrière la tête, yeux fermés. Posé sur la table, dans une nacelle, au milieu des bouteilles, un bébé dormait.

« Je me demande bien pourquoi tu cherches Gil alors que tu peux m'avoir, moi », dit Denis. Je lui jetai un regard par-dessus mon épaule. Il sortit le bout de sa langue et se lécha les moustaches ; elle était d'un rouge obscène. « Un tien vaut mieux que deux, etc. » Il tendit la main en avant et me caressa les fesses. Je m'éloignai d'un pas qui me rapprocha de Joe. Denis était dans mon dos, tout près.

« Celle-là m'a l'air un peu trop coincée, dit-il.

— Tu es la nouvelle secrétaire de Gil ? demanda Joe, en s'appuyant sur le comptoir de la cuisine, vacillant telle une quille.

— Non, dis-je. Je suis sa... » Mais je ne savais pas quoi ajouter et de toute façon le brouhaha des conversations dans cette cuisine était assourdissant.

« Ton verre est vide, dit Denis, en s'avançant encore. Trouve quelque chose à boire à la demoiselle, Joe. »

Joe observa les bouteilles et les verres sur la table de la cuisine. « Qu'est-ce que je vous sers ? demanda-t-il.

— Rien du tout, répondis-je. Je ne veux rien du tout.

— Un Cinzano Bianco ? proposa Joe en agitant une bouteille avec quelque chose au fond et en le versant dans mon verre.

— Qu'est-ce qu'il a de plus que nous, ce vieux Don Juan de Gil ? dit Denis. À part sa belle gueule, bien sûr, et son corps. »

Quand Joe riait, son ventre riait avec lui.

« Je crois que c'est le genre à aimer la dictée, celle-là, dit Denis.

— Je peux lui faire la dictée si elle veut, répliqua Joe.

— Cul sec ! »

Denis vida son verre tout en se pressant encore davantage contre moi. Je me retournai, baissai la main et tins les couilles de Denis bien serrées dans ma main. Il cessa de rire.

« Ingrid ? » Une voix irlandaise, juste derrière moi. Jonathan. « Tu as vu Gil ? » Je lâchai Denis et me redressai. Les araignées se retirèrent. « Il a dû sortir. Viens. » Jonathan me prit par le bras et me guida hors de la cuisine. Dehors, au bout de la véranda, il y avait un petit groupe, assis en rond, et une odeur de marijuana. Certaines voitures avaient quitté l'allée, mais en m'asseyant à côté de Jonathan sur les marches en bois, je distinguais encore les gens qui dansaient et riaient à l'intérieur. À l'est, le ciel étalait un bleu profond au-dessus du bras de mer noir. Jonathan sortit un paquet de cigarettes de sa poche, j'acceptai celle qu'il m'offrit. Il tripota sa boîte d'allumettes et me tendit la flamme sans croiser mon regard.

J'aspirai timidement et recrachai la fumée en disant : « Où est-ce qu'il est passé, alors ? » et Jonathan me lança un regard où la braise rougeoyait au fond des pupilles.

« Je ne te connais pas depuis longtemps, commença-t-il, mais je vois bien que tu es une chouette fille. Et je ne suis pas sûr que tu sois taillée pour ça.

— Taillée pour quoi ?

— Pour Gil. » Il parlait en fixant l'obscurité, droit devant lui. « Ce n'est pas un homme facile.

— J'ai l'air de chercher un homme facile ?

— En plus… » Sa voix s'évanouit.

« Il a vingt ans de plus que moi et c'est mon professeur d'université, achevai-je à sa place.

— Non, ce que j'allais dire, c'est que lui ne recherche que deux sortes de femmes et je ne crois pas que tu appartiennes à l'une ou l'autre de ces catégories.

— Et quelles sont ces catégories ? »

Jonathan prit une bouffée, recracha la fumée par les narines. « La première catégorie, ce sont les femmes avec qui il couche durant une semaine ou deux jusqu'à ce qu'une autre passe par là et l'en détourne ; le genre de femme qui ne fait pas toute une histoire le jour où il cesse de l'appeler.

— Et la seconde catégorie ? » Je pris une autre courte bouffée.

« Celle qu'on épouse », dit Jonathan. Je m'étouffai en recrachant la fumée et il éclata de rire. « Tu vois, je t'avais dit que tu n'entrais dans aucune des deux catégories. »

Mais ce qui m'étouffait, ce n'était pas ce qu'il venait de dire, c'était que je venais de me souvenir de ta lettre. « Il pourrait bien être un parfait mari.

— Ça m'étonnerait. »

J'attendais qu'il développe.

« Nous avons des points de vue différents sur le mariage, Gil et moi. Nous avons tous les deux été élevés dans la religion catholique, tu étais au courant ? Cela dit, il ne lui en reste rien du tout – il a tout envoyé promener il y a des années.

— Et toi, tu y crois toujours ?

— Oh, moi, je fais mon tri. Et je couche avec qui je veux, mais avec une personne à la fois. » Il rit. « Et ça vaut pour les gens mariés aussi.

— Gil n'est pas de cet avis ?

— Peut-être que c'est à lui que tu devrais poser cette question.

— Tu ne me brosses pas un tableau très avantageux. Je croyais que vous étiez amis, dis-je.

— Nous le sommes. Il est drôle et charmant, il est beau et c'est un écrivain sacrément doué. » Jonathan posa la main sur le cœur. « Mais je crois qu'il vaut mieux que tu saches dans quoi tu t'engages.

— Et tu avertis toutes ses victimes potentielles comme ça ?

— Non, tu es la première.

— Oh. »

Heureusement qu'il faisait noir et qu'il ne pouvait pas voir à quel point j'étais consternée. J'écrasai ma cigarette sous mon talon sur la marche près de moi.

Les mises en garde de Jonathan ne m'avaient pas alarmée, au contraire, j'étais ravie. J'étais convaincue d'avoir créé une troisième catégorie. Gil Coleman allait tomber amoureux de moi, mais moi, je ne tomberais pas amoureuse de lui ; je le prendrais comme amant le temps de l'été, à l'automne je retournerais à l'université, et à la fin de ma dernière année je partirais et je ferais tout ce que nous avions prévu de faire avec Louise.

« On voit la plage du fond du jardin ? » demandai-je après un assez long silence. Je me levai, fis quelques pas hors du chemin, parmi les herbes hautes. Il y avait une lumière vacillante en bas, une lampe ou bien une bougie, qui brillait derrière une fenêtre. « Qu'est-ce que c'est ? » dis-je. Jonathan était debout à côté de moi.

« L'atelier d'écriture de Gil.

— Il est en train d'écrire ? Maintenant ? Je croyais que tu avais dit qu'il avait dû sortir. » Je fis un pas en avant. Jonathan soupira. « Eh bien, oui, il écrit, sans doute. »

Je n'arrivais pas à distinguer ses traits, à déchiffrer son expression.

« Enfin c'est n'importe quoi. Il donne une fête chez lui. » Je désignai la maison d'un grand geste. « Il m'a invitée à cette fête. Et il écrit ?

— Ça lui arrive, de temps en temps. Mieux vaut ne pas le déranger maintenant. » Jonathan me prit la main et me fit remonter les marches. « Allez, viens, on va se servir un autre verre et danser, tu sais danser, non ? »

Je regardai, par-dessus mon épaule, le carré lumineux qui se découpait au fond du jardin.

Ce matin, tandis que j'écris cette lettre, le jardin semble vide sans le cliquetis de ta machine à écrire.

Nous t'aimons.

Ingrid

[Dans *La Cocktail-Party*, de T. S. Eliot, 1950]

13

Le lendemain matin, quand Flora se réveilla, Nan était déjà dans la cuisine en train de préparer le petit-déjeuner.

« Ravie de constater que tu as réussi à enfiler des vêtements », l'accueillit Nan. Flora avait remis la robe en mousseline rose d'Ingrid. Nan posa une assiette sur la table. « J'ai appelé l'hôpital. Je me disais qu'on pourrait essayer d'aller voir si cette voiture veut bien redémarrer et ensuite tu pourrais me suivre jusque là-bas.

— Tu peux me passer la confiture ? demanda Flora.

— J'en ai déjà mis sur ta tartine.

— Ne t'inquiète pas », dit Flora. Elle prit le pot et un couteau et les apporta à table.

— Flora, il y a quelque chose dont je… » Nan s'assit en face d'elle.

« Quoi ? »

Flora releva les yeux. Nan s'arrêta sur la tartine. « J'aime bien quand il y a de la confiture partout sur la tartine.

— Oui », dit Nan.

Flora remarqua les ombres violettes sous les yeux de sa sœur. Elle mordit dans sa tartine, puis, au bout d'un moment, Nan se leva et commença à ranger la cuisine, avalant son petit-déjeuner tout en essuyant le plan de travail.

« Depuis quand l'invasion de livres échappe à tout contrôle ? demanda Flora.

— Tu sais bien qu'il n'a jamais cessé d'en acheter.

— Certes, mais ça n'a jamais été à ce point. On peut à peine mettre un pied devant l'autre dans le couloir. »

Nan soupira. « C'était encore pire il y a quelques semaines. Je suis venue à l'improviste un matin, Papa avait passé la nuit à ôter presque tous les livres des étagères – il y en avait des monceaux dans le salon et la chambre, on aurait dit qu'il y avait eu une explosion. Il a dit qu'il cherchait quelque chose.

— Quoi ?

— Dieu seul le sait. Il m'a donné une réponse évasive. Il a parlé de “lettres”, c'est tout. Manifestement il était resté debout toute la nuit, à feuilleter chaque livre. Il avait le bout des doigts tout rouge.

— Quelles lettres ? bâilla Flora.

— Je n'en ai aucune idée. Tous ces livres sont pleins de lettres et de trucs inutiles.

— Tu aurais dû m'appeler, je serais venue.

— Ça s'est bien terminé. Je l'ai accompagné jusqu'à son lit, et quand il a été endormi, j'ai remis la plupart des livres en place. Mais j'ai aussi réussi à remplir quelques grands sacs de courses et à les rapporter au magasin de Hadleigh sans qu'il s'en rende compte. Viv était ravie de les avoir.

— Viv ? demanda Flora.

— Elle a racheté la librairie il y a deux mois. Elle essaie de la relancer.

— Tu m'étonnes qu'elle était contente de les avoir, dit Flora sarcastiquement. C'est chez elle que Papa les avait achetés.

— C'est une charmante librairie maintenant. Viv choisit les livres qu'elle vend avec beaucoup d'attention.

— Je me souviens de l'odeur qu'il y avait là-bas. Vieux bois brun, fumée, on aurait dit l'odeur du feu de bois dans une maison de campagne. La dernière fois que j'y suis allée, c'était avec Papa, il y a des années. Je devais avoir onze ou douze ans. »

Gil lui avait dit qu'elle pouvait choisir n'importe quel livre dans la boutique – celui qu'elle voulait. Flora avait choisi *L'Amant de lady Chatterley* sans vraiment savoir de quoi il s'agissait tout en sentant confusément que c'était un choix dangereux. Gil avait levé un sourcil mais il avait laissé Flora le déposer à la caisse pour payer.

« Est-ce que ton père sait que tu achètes ça ? » Le précédent propriétaire l'avait regardé de derrière ses lunettes.

« Bien sûr, Harrold », avait dit Gil, en sortant la tête du rayon Histoire régionale. « Ce que lit ma fille ne vous regarde pas. » Il lui avait tendu l'argent. Une fois dehors, Gil lui avait pris le livre des mains et l'avait glissé dans la poche de sa veste. « Tu ne liras pas ça avant quelques années. » Il avait ri. « Allez, viens, je vais t'acheter une glace. »

Nan lui répondit depuis la cuisine : « Oh, tu devrais y retourner. Viv est si accueillante et si heureuse de guider les gens dans sa boutique, de leur recommander des livres.

— Eh bien, tu as l'air d'être très proche d'elle. »

Flora lécha la confiture sur le couteau. Elle leva les yeux vers Nan. Qui avait rougi d'un coup. « Vraiment ? » demanda Flora en souriant, la tête penchée sur le côté.

Nan rinça l'éponge sous le robinet et l'essora. « C'est juste… C'est juste une femme très gentille.

— C'est merveilleux », dit Flora. Elle se leva, serra sa sœur contre elle, tandis que cette dernière restait les bras ballants, l'éponge encore à la main. « Je suis tellement heureuse pour toi.

— Je crois que tu ferais mieux d'enlever cette robe », dit Nan.

Une fois encore, Flora prit place au volant de la Morris Minor. Nan se pencha par la fenêtre ouverte côté passager. Il n'y avait plus la moindre trace de la tempête de la veille, plus aucun poisson sur la route. Au-dessus de la lande, le ciel était d'un bleu parfait, sans nuage. Le ferry crachait les voitures les unes derrière les autres, en un flot ininterrompu, et les abords de la route étaient bondés. Un bouchon s'était formé devant la Morris Minor, des automobilistes impatients faisaient la queue pour prendre le ferry. Flora pensait à son père qui les attendait à l'hôpital, elle n'avait qu'une envie elle aussi, réussir à partir. « Si on y allait avec ta voiture, plutôt ?

— On ne peut pas laisser cette voiture ici. Elle bloque la route. Essaie de mettre le contact encore une fois.

— Ça ne démarrera jamais, dit Flora, qui avait envie de pleurer.

— Tu n'es pas censée tirer sur le starter en même temps, quelque chose dans ce goût-là ? »

Un des automobilistes dans la queue donna un coup de klaxon.

« Il est cassé. » Et pour le prouver, Flora tourna la clé une dernière fois. L'épouvantable bruit de tôle résonna alors.

« Je vais appeler le garage, tu n'auras qu'à attendre pendant qu'il la répare. Moi je vais chercher Papa.

— Mais je veux venir.

— Tu n'aurais pas dû prendre de voiture. Si tu étais venue ce matin en train comme je te l'avais conseillé, on n'en serait pas là. »

Nan sortit son téléphone de son sac à main, regarda l'heure, leva les yeux au ciel et appela le garage.

Dans la cabine de la dépanneuse, Flora scrutait le rétroviseur et le toit de la Morris Minor tandis qu'ils s'éloignaient du ferry et de l'hôpital et se rapprochaient de Hadleigh. La file de voitures qui arrivaient dans la direction opposée s'arrêta pour les laisser passer et elle aperçut un poisson, tout seul sur la route, sous les roues des voitures, ses écailles scintillant au soleil.

« C'est la courroie du ventilateur, annonça l'homme en sortant le haut de son corps de sous le capot.

— C'est une pièce importante ? » demanda Flora.

Il rit. « Elle ne risque pas de rouler sans. Allez faire un tour, prenez un thé et revenez dans trois heures. Elle devrait être réparée d'ici là. »

Sur le chemin entre le garage et la mer, Flora traversa le parking public. À peu près à la moitié, elle repéra la voiture de son père, un ticket de stationnement sur le pare-brise. Lorsqu'elle regarda à l'intérieur, elle vit, partout sur les sièges et les planchers, de grands sacs de courses remplis de livres d'occasion.

Elle emprunta une ruelle qui descendait vers la mer et marcha le long de la digue. À l'extrémité de la ville, elle se pencha contre la balustrade en s'efforçant de ne pas penser au corps de son père passant par-dessus bord, de ne pas penser qu'il aurait aussi bien pu ne pas réchapper d'une telle chute. Elle s'accroupit sous la barre du bas et resta un moment assise sur le rebord en béton, les jambes pendant au-dessus des rochers, puis elle sauta. Sa mère était peut-être là, qui sait, c'était peut-être elle qui avait appelé l'ambulance. Flora sauta d'un rocher à l'autre entre la mer et la digue, en descendant vers les gros rochers – cherchant quelque chose, sans savoir quoi. Elle trouva une chaussure toute ramollie – gluante, la boucle figée par l'eau salée –, cinq canettes de bière rouillées et un petit soldat en plastique coincé dans une crevasse, peut-être sa mère l'avait-elle laissé là. Le petit soldat était debout, jambes écartées, un bras en l'air comme s'il faisait signe à une armée invisible d'avancer. Sa couleur verte avait été rongée par le sel : en le mettant devant le soleil il paraissait presque translucide.

Flora remonta sur la promenade et s'installa sur un banc face à la mer. La vue lui était si familière qu'elle ne la remarquait pour ainsi dire plus. En contrebas, les gens étaient assis sur des chaises longues et trois enfants costauds couraient en maillot de bain. Elle approcha le petit soldat de son visage et ferma un œil de sorte qu'il grossit pour devenir énorme et flou, oscillant sur la ligne d'horizon, et elle imagina sa mère assise sur ce même banc, à cet endroit précis, en se demandant ce qu'elle avait pu penser.

Après la disparition d'Ingrid, voisins et amis avaient fouillé les environs, arpenté Barrow Down, sillonné la lande avec des bâtons et des chiens, dragué le lac. Jonathan et, plus tard, la vieille copine de fac de sa mère, Louise, vinrent à Spanish Green, il n'y avait pas grand-chose à faire cependant et ils passèrent tout leur temps enfermés au pub à tenter d'éviter les journalistes qui s'attroupaient autour du village comme un essaim de guêpes. Ils prirent deux chambres au-dessus du bar et ne mirent jamais les pieds à la maison. Un soir, Flora alla au pub avec son père – qui lui acheta un Coca et un sachet de chips en lui disant qu'elle pouvait rester tant qu'elle se tenait bien tranquille assise dans un coin sans faire de bruit –, Jonathan se souvint tout à coup d'une conversation qu'il avait eue avec Ingrid à propos de l'Irlande, et Gil cria, cassa un tabouret de bar avant de se faire mettre à la porte. Peu de temps après, Louise démissionna de son poste au Parlement.

Gil refusait de perdre espoir. Il alla en Irlande mais revint seul. Il fit imprimer des affiches et publier des avis de recherche dans les journaux locaux. Flora et Nan passaient leurs week-ends dans la voiture, à dormir, manger et regarder la campagne et les villes défiler par la fenêtre à toute allure, à l'affût de la moindre silhouette qui évoquerait leur mère.

Flora demanda l'heure à quelqu'un et fut déçue qu'une heure seulement se soit écoulée, elle traversa la route et alla en ville. Elle prit une table près de la fenêtre au Café de la Mer et lut le menu en entier. Elle commanda ce qu'il y avait de moins cher, des toasts et une tasse de thé. Le serveur avait les cheveux plaqués sur le crâne par des tonnes de gel, on aurait dit qu'il luttait contre un vent arrière, Flora aurait voulu l'inviter à s'asseoir pour pouvoir le dessiner, mais le café était plein, il était très occupé. Lorsqu'il apporta sa commande, elle l'interrogea : « Est-ce qu'une femme est venue hier ? Seule, a priori.

— Une femme ? répliqua le serveur, en levant les sourcils. On n'en voit pas souvent dans le coin. » Il sourit, il avait des dents de bébé, petites et carrées, et devant, les dents du bonheur. « À quoi elle ressemble ?

— Je ne sais pas trop, rougit Flora. Les cheveux raides, j'imagine. Clairs. La peau pâle.

— Quel âge ?

— Quarante-huit… non, quarante-sept.

— Un peu vieille pour moi. » Il lui fit un clin d'œil. Flora fronça les sourcils, alors il demanda : « Vous auriez une photo ? » Il déposa son assiette de toasts devant elle.

« Non. »

L'homme posa sa tasse de thé sur la table. « Pas facile le boulot de détective privé, j'ai l'impression ? » Nouveau clin d'œil.

« Je suis très demandée », répondit Flora. Puis elle prit son couteau et attaqua le beurre en se félicitant qu'on n'ait pas beurré sa tartine pour elle, soudain elle était affamée.

« Malheureusement c'était mon jour de congé hier, je n'étais même pas là. » Il avait manifestement envie de parler mais on l'appela en cuisine.

Une fois son assiette terminée, Flora sortit le soldat translucide de sa poche. Le petit homme se tenait bien droit dans ses grosses bottes, avec ses lunettes accrochées au col. Elle songea à l'enfant qui l'avait perdu sur la plage. Au temps qu'il lui avait fallu pour se rendre compte qu'il lui manquait un soldat, s'en était-il voulu quand il avait compris qu'il avait dû être enseveli sous le sable, emporté par la mer ou coincé dans une crevasse entre deux rochers ? Est-ce qu'il y pensait chaque fois qu'il retournait sur cette plage ? Flora posa le soldat en équilibre sur la croûte de pain qu'elle avait laissée, sortit son crayon et son carnet de croquis de sa sacoche et scruta le tout petit homme au bras levé. Mais lorsque le serveur demanda si elle désirait autre chose, Flora remarqua qu'elle avait dessiné sa mère debout devant le Pavillon de nage. Dans son esprit, le toit de tôle scintillait dans les rayons du soleil et la longue robe flottait autour des chevilles de sa mère.

« Il a plu des poissons hier soir, dit Flora au serveur quand il revint avec l'addition. Sur la route du ferry. »

Il regarda son dessin et le soldat perché sur le croûton par-dessus son épaule. « J'adore les filles qui ont de l'imagination. Ça change », dit-il avec un sourire de bébé. Flora déposa quelques billets sur la table et remballa son crayon et son carnet. En levant les yeux, elle aperçut une femme qui passait devant le café, c'était une vision fugitive, mais qui lui laissa, imprimée dans la rétine, l'image de cheveux couleur de blé mûr. Flora lâcha un cri, sauta de sa chaise, bousculant l'homme assis derrière elle. Elle attrapa sa sacoche au vol et saisit le petit soldat en plastique au dernier moment, avant de pousser la porte.

« J'ai un autre jour de congé demain », lança le serveur dans son dos, mais elle était déjà partie.

Tout comme la femme.

Flora courut sur le trottoir, puis descendit sur la chaussée pour éviter les passants trop lents, elle dépassa la bibliothèque, le supermarché, le boucher et son pas de porte à céder, l'agence immobilière, deux coiffeurs, une autre agence immobilière, et arrivée à l'angle, au milieu de la route qui longeait la digue, elle s'arrêta, se pencha en avant et tenta de reprendre son souffle. Le trottoir était vide, alors elle fit demi-tour et entra dans tous les magasins devant lesquels elle était passée. Dans chacun, il y avait quelques clients – aucun qui ressemblât à la femme. Dans le petit supermarché, Flora parcourut tous les rayons jusqu'aux caisses. La femme n'était pas là non plus.

Devant la bibliothèque, elle hésita. La dernière fois qu'elle y avait mis les pieds, elle avait huit ans, c'était une sortie scolaire. Elle glissa la main dans sa poche et frotta le soldat en plastique entre ses doigts, passa la bandoulière de sa sacoche au-dessus de sa tête et franchit les portes vitrées.

À l'intérieur l'odeur la ramena des années en arrière, à l'époque où sa famille était au complet : des tissus jaune safran, le bois orangé chaleureux des années soixante-dix. Un homme était assis à un bureau face à un mur en brique apparente. Il leva les yeux vers Flora et lui adressa un sourire engageant, comme s'il savait qu'elle n'avait pas mis les pieds dans une bibliothèque depuis treize ans. Elle avait été une lectrice compulsive jusqu'à la disparition de sa mère. Dans la nuit du 2 au 3 juillet 1992, elle avait cessé de lire. Elle s'efforça de modifier son expression et de prendre l'air d'une habituée en avançant d'un pas assuré vers les étagères. Elle se dirigea vers un des rayons et prit un livre au hasard sur la rangée en face d'elle. Elle ouvrit *Le cœur est un chasseur solitaire* et tourna les pages jusqu'à ce qu'elle fût sûre que le bibliothécaire était retourné à son ouvrage. Ensuite, une fois le livre remis à sa place, Flora explora la pièce, en quête de la femme aux cheveux longs. Après avoir fouillé chaque rangée, dévisagé chaque personne, jusqu'au rayon jeunesse, elle monta à la mezzanine où il y avait aussi des magazines, des journaux et des tables de travail dont la plupart étaient vides.

La femme était assise à la table la plus éloignée des escaliers, elle tournait le dos à Flora, ses cheveux descendaient jusqu'au dossier de sa chaise. Elle feuilletait un très grand livre, et avant de tourner chaque page, elle s'humectait le doigt pour adhérer au coin suivant. Flora songea que ce genre de chose devait être interdit dans une bibliothèque. Fixant ces longs cheveux, Flora se souvint comment, enfant, elle suppliait sa mère de pouvoir jouer avec ses cheveux, les brosser, les tresser, et, quand elle finissait par le faire, comment Ingrid se plaignait qu'elle était trop brusque, malhabile ou qu'elle faisait exprès de lui tirer les cheveux. Et parfois, c'était vrai, sa mère avait raison.

Elle s'approcha de la femme, il n'y avait plus qu'un petit mètre entre elle et la chaise, elle se pencha en avant. Elle ferma les yeux et inspira par le nez. Les cheveux de la femme sentaient le citron, une blondeur aveuglante.

Lorsque Flora rouvrit les yeux, elle croisa le regard de l'homme assis de l'autre côté de la table, devant un journal, et prit conscience des personnes qui l'observaient aux autres tables. Flora se redressa, et tandis qu'elle se relevait, la femme leva la tête elle aussi, sans doute attirée par l'expression de l'homme en face d'elle. Elle pivota lentement sur sa chaise, comme si elle redoutait la personne debout derrière elle. Flora retint sa respiration, les secondes s'étiraient en minutes interminables.

14

Pavillon de nage, 9 juin 1992, 5 h 15 du matin

Cher Gil,

Hier soir, le téléphone a sonné et Flora a répondu avant que j'aie le temps d'arriver. Elle était dans le salon, elle écoutait tes disques.

« Allô ? » a-t-elle dit.

« C'est qui ? » ai-je demandé en entrant dans la pièce.

« Allô ? » a répété Flora, plus fort. Je me suis approchée, assez près pour me rendre compte que la personne à l'autre bout du fil était parfaitement audible. « Je ne vous entends pas », a braillé Flora.

« Flora, qui est-ce ? » ai-je répété, en essayant de lui prendre le combiné des mains.

« Non, continua Flora. Je suis désolée, qui que vous soyez, personne dans cette maison n'a envie d'écouter ce que vous avez à dire. »

Et elle a raccroché.

« Flora, tu ne dois pas faire ça. Qui était-ce ?

— Louise », a-t-elle dit.

J'ai eu peur qu'elle ait compris, entendu quelque chose que j'aurais dû taire, mais à bien y réfléchir, je suis sûre de n'avoir jamais dit quoi que ce soit de révélateur ; elle a juste pressenti quelque chose qu'elle ne saisit pas tout à fait. Je n'ai pas pu m'en empêcher : j'ai ri. Flora a ri avec moi, debout sur l'accoudoir du canapé, sautant sur les coussins. « Non, on ne vous entend pas ! » a-t-elle crié. Puis elle a augmenté le volume : c'était Cat Stevens, « Rubylove ». On s'est mises à danser, à twister sur ces rythmes de guitares grecques, à se faire virevolter l'une l'autre dans la pièce. Nan est arrivée – impossible d'ignorer le bruit que nous faisions – mais au lieu d'éteindre la musique comme je m'y attendais, elle s'est mise à danser avec nous. D'un pas maladroit au début, en claquant des doigts, et puis Flora l'a entraînée avec elle, et elles ont fini par sauter sur le canapé ensemble. Je me suis arrêtée, je les ai regardées, elles riaient, inventaient des mots là où elles ne comprenaient pas les paroles, et je me suis sentie bizarrement étrangère à la scène, comme si je regardais un film et que c'était les enfants de quelqu'un d'autre que je voyais.

Le lendemain de ta fête, je fus réveillée par des rires de femmes et la porte d'entrée qui claquait. Une voiture fit marche arrière dans l'allée, demi-tour sur la route et démarra en trombe. La maison était silencieuse. J'étais allongée sur le canapé, tout habillée, un manteau oublié déployé sur moi en guise de couverture. Un grand soleil se déversait par les portes vitrées béantes, rebondissant contre les bouteilles vides et les verres sales, difractant la lumière. Il flottait une odeur de pub : alcool éventé et tabac froid. D'après ma montre, il était un peu plus de deux heures. Dans un coin de la pièce, un crissement et un cliquètement tournaient en boucle, c'était le diamant du tourne-disque parvenu au bout d'un album, depuis des heures peut-être. Quand je me suis assise, j'ai aperçu Annie, le squelette, installée dans un fauteuil, avec sa tête absurde penchée dans un angle inhumain et ses bras ballants le long des accoudoirs comme si elle s'était effondrée là, trop saoule pour faire un geste de plus. Et je vis ce que la foule de la veille avait dissimulé à ma vue : tes livres. Les murs étaient couverts d'étagères et les étagères couvertes de livres, entassés dans tous les sens possibles et imaginables. Je survolai quelques titres, romans, essais et dictionnaires tous confondus. Il n'y avait ni hiérarchie ni aucun indice sur tes goûts : *Anna Karénine* était coincée sous *Les Secrets du placard à confitures* et *Le Meilleur Ami de la ruralité : dictionnaire pratique de la vie et du travail à la campagne* ; *Les Œufs verts au jambon*, du Dr Seuss, était pris en sandwich entre *Portnoy et son complexe*, de Roth, et *La Muse disparue et autres essais*, de Philip Guedalla.

J'errai dans l'entrée. « Gil ? Jonathan ? » appelai-je. Pas de réponse. Je frappai à la porte de ta chambre et, au bout d'un moment, l'ouvris.

L'endroit était imprégné de ton odeur : musquée et virile. (Les chambres à coucher sentent toujours l'odeur de leurs propriétaires.) Le couple rebondissant qui était là la nuit dernière s'était envolé. Je n'avais pas bien vu le lit la veille, mais à présent je constatais comme il était énorme. Quatre piliers en chêne sculpté se dressaient vers le ciel, ils semblaient supporter une invisible canopée. J'effleurai celui qui était le plus proche de moi – volutes, feuilles et vignes entrelacées. Une couverture avait été étalée sur ton lit, ou alors personne n'y avait dormi. Elle était en soie lavée, brodée à la main dans un style japonisant : des plantes graciles, des fleurs, des oiseaux exotiques sur un fond bleu ciel. De nombreuses coutures étaient effilochées, l'ensemble avait l'air d'avoir atterri dans la mauvaise maison, aurait été bien plus à sa place dans une chambre beaucoup plus grande, plus majestueuse. J'effleurai également la couverture, me demandant qui (sûrement une femme) avait eu la patience et le temps de broder chacune de ces minuscules coutures. J'ouvris les portes de ton placard et inhalai ton odeur. Dans les tiroirs de la commode je contemplai tes cravates enroulées avec soin. Je soulevai les couvercles de petits coffrets contenant tes boutons de manchettes et une montre à l'arrêt. Tes affaires. J'observai les aquarelles dans leurs cadres dorés sur les murs en lambris – des bateaux de pêche sortant d'un port sur une mer déchaînée ; une fille en robe blanche avec un collier veiné de bleu turquoise au cou et un chien sur les genoux. Je m'arrêtai aussi sur les livres, posés sur des étagères ou entassés en piles instables sur les tables de chevet. Des verres de vin à moitié pleins et une bouteille de whisky trônaient en équilibre précaire au sommet. Je m'assis sur le bord du lit et contemplai quatre rayons de soleil projetés sur la commode en face de moi en écoutant les bruits de ta maison : l'eau qui gargouillait dans les canalisations, les planchers qui gémissaient et grinçaient, réchauffés par le soleil au zénith.

Les vestiges de la fête continuaient de s'étaler dans la seconde chambre, puis dans la cuisine : chaque surface de chaque meuble disparaissait sous les verres sales, les cendriers débordants et les gobelets fichus. Je bus trois verres d'eau l'un après l'autre tout en regardant la vue par la fenêtre de ta cuisine qui donnait sur un fil à linge suspendu entre un coin de la maison et un poteau métallique. Une dizaine de pinces à linge étaient perchées dessus comme des oiseaux sur un fil électrique, à l'une était accrochée une chaussette. Ça c'est une maison sans femme, pensai-je. J'allai aux toilettes, je m'arrangeai un peu dans le miroir au-dessus de la baignoire et me brossai les dents avec une brosse trouvée dans l'armoire à pharmacie, en espérant qu'elle n'avait pas été utilisée auparavant pour nettoyer autre chose que des dents. Après quoi, je sortis par la porte de devant et allai m'asseoir dans l'herbe à l'endroit où je m'étais tenue avec Jonathan la veille. Tout était calme. Dans l'allée, il ne restait plus que ta voiture.

Il y avait un petit chemin dans l'herbe que je n'avais pas remarqué la veille dans le noir, un chemin accidenté qui allait de la maison à ton atelier d'écriture au bout du jardin. De là où je suis assise à présent, si je tourne la tête, j'aperçois la pièce et son toit en tôle baigné de soleil. J'avais songé alors, et c'est toujours le cas aujourd'hui, que cette petite pièce semblait se balancer en équilibre sur deux jambes métalliques au bout du jardin et vers le vide au-delà, là d'où partent les lacets qui serpentent jusqu'au rivage, à la clôture en bas sur la plage, comme si à tout moment elle pouvait se détacher de ses murs et de son toit et plonger dans l'eau tout en bas. La porte à deux vantaux de ton atelier fait face à la maison, et ce matin-là, en m'approchant furtivement, j'avais l'impression de violer un territoire. Sur la première marche, devant le seuil, je frappai à la porte. Pas de réponse. Je frappai à nouveau et collai mon oreille au bois pour écouter. Puis je tournai la poignée. La porte était fermée à clé. Je montai une marche et, la main en visière pour protéger mes yeux de la lumière du jour, je regardai à l'intérieur. Rien n'a changé depuis : le lit double aménagé au fond de la pièce, avec ses tiroirs en dessous, le poêle à bois juste assez grand pour poser une bouilloire, et un bureau escamotable face à une fenêtre surplombant la mer. Tu n'étais pas là.

Je tentai de me pencher pour lire le titre sur le tas de papiers à côté de la machine à écrire quand je t'entendis m'appeler. Je me retournai vivement et te vis debout devant ta maison avec deux grands sacs de courses dans les mains. Tu attendis que je vienne à toi.

« Je ne laisse jamais personne entrer là-bas », dis-tu en souriant, même si je savais que c'était un avertissement. Il y eut un moment de gêne jusqu'à ce que tu lèves un des sacs en l'air et le secoues.

« Ça te dirait de prendre un petit-déjeuner ? Ou bien disons un déjeuner ? »

Tu jetas du bacon et des œufs dans une poêle à frire pendant que je commençais à ranger, à nettoyer et préparais du café, des tartines grillées, et nous prîmes notre repas dans la véranda baignée de soleil. Après quoi, tu mis une serviette de plage, des pommes et du fromage dans un sac et tu me guidas le long du sentier côtier, jusqu'à la mer.

La plage était bondée, c'était un dimanche après-midi de début juillet, canicule et marée haute : des serviettes humides gorgées d'eau de mer séchaient sur des paravents rayés, des chaises pliantes déployaient leurs parasols intégrés, des petits garçons se cachaient dans des trous creusés dans le sable, de minuscules crabes cuisaient dans des seaux et des sandwichs rosissaient au soleil dans du papier gras. Tu roulas le bas de ton pantalon jusqu'à tes genoux et nous avançâmes dans l'eau en nous embrassant au milieu des matelas gonflables et des parties de beach-ball, et je frissonnai à l'idée que des gens qui te connaissaient étaient peut-être en train de nous regarder. Nous marchâmes jusqu'au Bout du Monde, le long des cabanons de plage où les petites familles rassembleraient bientôt leurs affaires pour remonter dans leurs voitures bouillantes et patienter dans la queue pour le ferry. Nous passâmes devant le parking, le camion de glaces, le long de l'arrondi parfait de la baie, et au panneau qui annonçait la plage nudiste, tu levas les yeux et je ris en m'y engageant. Nous quittâmes nos vêtements, aucun de nous ne montra la moindre timidité, nous étions juste curieux. Pas un instant je ne pensai à ton âge : ton corps était bronzé cet été-là, et encore ferme. Tu me pris la main et, à tâtons, grimaçant, nous entrâmes dans l'eau. Les promeneurs se retournaient sur nous. Il y a quelque chose chez nous qui a toujours fait se retourner les gens sur notre passage : nos corps sont parfaitement assortis, harmonieux. Je me souviens d'avoir pensé que l'air puis l'eau qui enveloppaient mon corps étaient comme un amant ; un nouvel amant, inconnu et froid.

Nous ne restâmes pas longtemps dans l'eau. Nous nous allongeâmes sur la grande serviette de plage, mangeâmes les pommes, et comme tu avais oublié de prendre un couteau nous attaquâmes le fromage dans son emballage directement avec les dents. Tu me racontas que parfois, quand tu étais enfant, des étés entiers passaient sans que tu mettes un pied dans l'eau et tu ne t'en rendais compte qu'à la fin de l'été, moi je te racontais les étés près des lacs gelés sur l'île de Norvège où vivait mon père.

Je m'attendais à ce que tu m'embrasses encore ou que tu me proposes d'emporter la serviette quelque part dans les dunes une fois tout le monde parti, mais tu posas la main sur ma peau et dis : « Si on s'habillait et qu'on rentrait ? » Nous enfilâmes nos vêtements par-dessus nos bras et nos jambes pleins de sable et rentrâmes à la maison par les dunes et la route.

Tard ce soir-là, tandis que nous étions installés dans la véranda, tu dis : « Je ne crois pas que nous aurons jamais besoin de crier pour nous entendre par-dessus le bruit de la pluie sur le toit en tôle. Je crois qu'il ne pleuvra plus jamais. » Tu t'agenouillas devant moi, pris mon visage dans tes mains et m'embrassas encore. Puis tu te levas et m'emmenas dans ta chambre.

À toi, pour toujours,

Ingrid.

[Glissée dans *Je suis le fromage*, de Robert Cormier, 1977]

15

La femme de la bibliothèque avait l'âge de Flora, peut-être plus jeune, et de face ses cheveux pendaient si raide de part et d'autre de sa raie qu'ils avaient l'air d'avoir été artificiellement lissés. Elle plissa les yeux : « Je peux vous aider ? »

Flora bredouilla un pardon et recula, trébuchant sur la personne qui se trouvait derrière elle.

« Flora ? » La personne en question la saisit par le coude pour l'empêcher de tomber, elle se tourna et il lui fallut un moment pour le reconnaître hors contexte, habillé et à la verticale : Richard. Elle s'écarta de lui et se précipita dans les escaliers, le rouge aux joues. Il la rattrapa sur le trottoir.

« C'était qui ? Qu'est-ce que tu fabriques ? » demanda-t-il.

— Rien. Ce n'était rien. »

Elle avança, dépassa le café, remonta la grande rue, Richard trottinait derrière elle pour la suivre. « Et de toute façon, c'est moi qui devrais t'interroger, qu'est-ce que tu fous ici ?

— Je suis venu te chercher. Tu ne répondais pas au téléphone.

— Il est cassé.

— J'ai dû prendre un train, puis un bus – sans savoir où descendre. J'étais entré dans la bibliothèque pour demander mon chemin.

— Tu me traquais, donc ?

— Je m'inquiétais pour toi.

— Pas besoin. Je vais très bien.

— Flora, dit-il en lui touchant le bras. Ralentis. C'était qui, cette femme ? »

Flora s'arrêta, leva les bras au ciel et les laissa retomber le long de son corps. Il fallut un moment à sa voix pour émerger de sa gorge nouée, elle déglutit. « J'ai cru que c'était ma mère, OK ? Mais ce n'était pas elle. T'es content, maintenant ?

— Je suis désolé, dit Richard.

— De m'avoir suivie ou bien que ce n'ait pas été ma mère ?

— Les deux.

— Eh bien, pas la peine d'être désolé. Comme tu le vois, je vais très bien. »

Flora avait conscience d'être en train de crier et que les gens qui passaient à côté d'eux les dévisageaient. « Tu peux rentrer chez toi maintenant. » Elle ouvrit sa sacoche et piocha la clé de sa voiture dedans, puis elle se souvint que la Morris Minor était chez le garagiste. « J'ai eu un accident hier soir. Avec ta voiture. »

Richard écarquilla les yeux. « Tu es blessée ? Tout va bien ? » Il lâcha le petit sac à dos qu'il avait avec lui pour la prendre dans ses bras et elle se laissa faire.

« Moi je vais bien. Mais ta voiture… »

Ses bras retombèrent.

« C'est la courroie de ventilation. Je l'ai emmenée au garage. Ils sont en train de la réparer. Elle sera prête dans deux heures normalement.

— Tant que toi, tu vas bien. Allez, je t'offre une tasse de thé.

— Je crois que je préférerais quelque chose de sacrément plus fort », dit-elle.

Installés dans la véranda face au coucher de soleil, Richard et Flora buvaient le whisky de Gil. Richard, envoyé par Flora, avait réussi à dénicher la bouteille sous l'évier, derrière une boîte à outils. Elle lui avait aussi demandé d'aller chercher le couvre-lit pour qu'ils puissent s'enrouler dedans. La marée était haute et les eaux profondes venaient heurter les falaises, rugissant dans les failles entre les rochers, comme un tonnerre lointain.

« C'était un pavillon de nage avant ? demanda Richard.

— Une sorte de vestiaire. Quand Papa a vendu la grande maison, en haut de la route, c'est tout ce qu'il nous est resté. Je crois qu'il y avait des dettes et des droits de succession à la mort de mon grand-père. Papa n'en parle pas », expliqua Flora.

Des phares balayèrent les abords de l'allée, illuminant les buissons d'ajonc, comme des brillants jaunes dans le noir. La voiture de Nan se gara.

« Où étais-tu passée ? interrogea Nan à peine eut-elle franchi la porte et aperçu Flora en haut des marches.

— Où toi, tu étais passée, tu veux dire ? Tu étais censée rentrer à la maison il y a des heures. Comment va Papa ? demanda Flora en s'approchant de la voiture.

— Il dort. Laisse-le. »

Nan barra le passage à Flora. « J'ai appelé à la maison et sur ton portable tout l'après-midi. On a été obligés d'attendre bêtement que le médecin repasse parce qu'il voulait le voir une dernière fois. Pourquoi tu ne décroches pas ?

— J'ai cru voir Maman à Hadleigh. Mais ce n'était pas elle.

— Oh Flora », déplora Nan en soupirant.

Elle s'avança, comme pour prendre sa sœur dans ses bras.

Flora pivota et annonça : « Je te présente Richard. » Elle se tourna vers la véranda, Richard émergea de l'obscurité et vint à la rencontre de Nan pour lui serrer la main.

« Enchantée », dit Nan, incapable de se défaire de ses bonnes manières, quelles que soient les circonstances.

« Je suis désolé pour votre père. Si je peux faire quoi que ce soit…

– Eh bien, dit Nan en passant la main dans ses cheveux, peut-être pouvez-vous m'aider à l'accompagner à l'intérieur ? Je crois qu'il va avoir besoin qu'on le porte.

– Qu'on le porte ? demanda Flora. Il ne peut pas marcher ?

– Je te l'ai dit, reprit Nan, il est fatigué. Tu n'as qu'à rentrer et allumer les lumières pour qu'on voie où on met les pieds.

– Il y a une coupure de courant. »

En retrait derrière eux, Flora les éclairait à la bougie tandis que Nan réveillait leur père et lui présentait Richard. En fin de compte, Gil s'extirpa du siège tout seul, balayant d'un geste les mains qui se tendaient pour l'aider, laissant juste Richard lui tenir le bras pour contourner la voiture.

« Oh, Papa », soupira Flora, en portant la main à sa bouche. À la lueur de la bougie, elle distinguait des cicatrices en forme de papillon sur la joue gauche de Gil ; au-dessus, l'œil était noir, tuméfié et fermé. Une écorchure courait sur tout son front. Il avait l'air plus petit, plus mince que la dernière fois qu'elle l'avait vu.

« Flo, murmura-t-il dans un demi-sommeil, tu as le livre ? » Il chercha sa main du bras droit et Flora vit que le gauche était maintenu dans une écharpe.

« Il n'arrête pas de demander à tout le monde le livre qu'il avait quand il est tombé, expliqua Nan. On ne l'a pas, Papa. »

Flora serra la main de son père, sa peau était fine comme du papier de verre, les os à l'intérieur semblaient fragiles. Elle l'embrassa sur sa joue intacte, respira l'odeur aigre du sommeil qui recouvrait son odeur familière sans la camoufler tout à fait : poivre, poussière et cuir brun loutre.

Nan aida Gil à se mettre au lit tandis que Flora tenait toujours la bougie. La lumière creusait l'orbite de son bon œil, dessinait des cratères sur ses joues et projetait des ombres déformées sur le mur. Sous son manteau, Gil avait son pyjama, Nan avait dû le lui apporter à l'hôpital. Il grimaça lorsque son bras bandé bougea et s'effondra dans son lit avec un soupir.

« Je t'aime, Papa », murmura Flora à son oreille, alors qu'il dormait déjà.

Dans la cuisine à peine éclairée, assises autour de la table avec Richard, elles se demandaient qui irait chercher la voiture de Gil à Hadleigh, en buvant du thé. Flora prenait le sien noir, elle se méfiait du lait qui avait traîné dans le frigo. Elle avait vu le regard de Richard se poser sur les livres qui envahissaient le couloir, le salon et la cuisine, mais il s'était abstenu de tout commentaire. Au lieu de quoi, il regarda Nan droit dans les yeux et dit : « Est-ce que votre père a reparlé du fait qu'il avait vu votre mère ? Qu'est-ce qu'il a dit ? »

Ç'avait beau être exactement la question qu'elle avait envie de poser, Flora était choquée par l'audace de Richard.

Les doigts de Nan se crispèrent sur sa tasse de thé. « Il s'est trompé, répliqua-t-elle avec raideur.

— Vous voulez dire qu'il a changé d'avis sur ce qu'il avait vu ?

— Richard, dit Flora sur le ton de l'avertissement.

— Je veux dire que ce qu'il a vu est impossible.

— Mais, commença Richard, puis Flora posa la main sur la sienne et la serra. Il va se remettre ? »

Nan émit un son vague, lèvres serrées. Flora surprit un regard de sa sœur puis elle détourna les yeux.

« Tu t'inquiètes à propos de son poignet, c'est ça ? dit Flora.

— Il a une infection urinaire. C'est sans doute une des explications à sa confusion, mais…

— Quoi ?

— Les choses sont devenues – elle choisissait chaque mot avec grand soin – potentiellement plus compliquées.

— Qu'est-ce que tu veux dire ? demanda Flora.

— Il sera bien à la maison, Flora. On fera tout ce qu'on pourra pour qu'il se sente bien.

— Tu crois que son poignet est cassé, c'est ça ? » Flora reposa sa tasse sur la table et son thé déborda. « On devrait le ramener à l'hôpital. Pour qu'il repasse une radio. »

Nan et Richard échangèrent un regard, les lueurs des bougies dansaient sur leurs visages de telle manière que Flora n'arrivait pas à déchiffrer leurs expressions.

« Non, dit Nan doucement, il vaut mieux qu'il reste à la maison avec nous. S'il est là, je pourrai garder un œil sur lui. »

Ils restèrent un moment sans rien dire à boire leur thé, jusqu'à ce que Richard rompe le silence : « Il est tard. Je ferais mieux d'y aller. » Il se leva.

« Ce soir ? » Nan reposa sa tasse. « Je pensais que vous resteriez.

— Tu voudrais que je reste, Flora ?

— Richard doit travailler demain, dit Flora.

— Je peux partir le matin.

— Mais ça te ferait te lever aux aurores.

— Non, c'est dimanche. La librairie n'ouvre qu'à onze heures, répondit Richard.

— Il est beaucoup trop tard pour prendre la route maintenant. Vous n'avez qu'à dormir dans l'atelier, dit Nan.

— S'il reste, l'un des canapés fera l'affaire. Il n'y a que papa qui dort dans l'atelier », rétorqua Flora.

Le regard de Richard passa d'une sœur à l'autre.

« Les canapés sont couverts de livres. Et puis ça voudrait dire qu'il faut le déplier.

— Il suffit de jeter un drap sur les coussins, ça ne prendra qu'une minute, répondit Flora.

— Papa ne dort pas dans son atelier, que je sac he, dit Nan en se levant. Venez. Je vous accompagne. »

Flora plissa les yeux vers Richard, mais il ne remarqua rien. Il suivit Nan hors de la cuisine.

Flora songea à aller dormir dans la pièce du fond du jardin avec Richard, mais quelque chose la dérangeait à l'idée de se trouver là-bas avec lui, dans cet espace réservé à son père, son intimité. Ainsi, lorsqu'elle ouvrit l'œil dans la lumière du jour naissant le lendemain, ce fut le lit de Nan qu'elle vit en premier, les couvertures rabattues, les draps froissés en dessous. Des voix lui parvenaient du bout du couloir – celle de son père et celle de sa sœur. Flora sauta de son lit et enfila une des chemises de nuit de Nan.

« Passe-moi le téléphone », disait Nan de sa voix de sage-femme.

Toutes les lumières ou presque de la maison étaient allumées. Le courant avait dû être rétabli au milieu de la nuit, les lampes du salon luisaient d'un jaune orangé. Gil était assis sur l'accoudoir d'un des canapés, en pyjama, le combiné du téléphone coincé entre l'épaule et l'oreille. Il leva l'index de sa main droite vers Nan, comme s'il lui faisait signe de se taire le temps qu'il finisse sa conversation.

Gil hocha la tête. « Oui, oui, bien sûr. »

« Papa. Passe-moi le téléphone, dit Nan.

— C'est qui ? demanda Flora en bâillant. Il est quelle heure ?

— Cinq heures et demie, répondit Nan sèchement. Va te recoucher.

— Mais à qui parle-t-il ?

— Chut, dit Gil à Flora avant de reporter son attention sur le téléphone. OK. Je te la passe. Ça m'a fait plaisir de te parler enfin. » Il se tut, écouta. « Moi aussi, » dit-il, et Flora eut l'impression d'interrompre une conversation privée. Gil plaqua le combiné contre son haut de pyjama.

« C'est pour toi, dit-il à Flora.

— Papa », lâcha Nan, exaspérée.

Flora fronça les sourcils en regardant Nan, haussa les épaules et avança pour prendre le téléphone. Elle était anxieuse à l'idée de porter le combiné à son oreille, comme si quelque chose pouvait s'échapper des trous.

« C'est ta mère, annonça Gil. Elle a écrit, elle a dit qu'elle appellerait.

— Oh Papa », lâcha Nan.

Toute trace d'exaspération avait disparu de sa voix, qui n'était plus que pitié.

Mais le visage de Gil arborait un air de défi, « attends, tu vas voir », semblait-il dire, l'estomac de Flora était sens dessus dessous. Elle hésita, regarda Nan, puis son père, et porta le combiné à son oreille. Elle entendit un bourdonnement, plusieurs bruits d'interférences téléphoniques. « Il n'y a personne au bout du fil.

— Allez, retourne au lit », dit Nan à Gil.

Elle guida leur père, qui se laissa faire de bonne grâce cette fois-ci, glissant par-dessus son épaule un « Elle a dû raccrocher » à Flora.

Flora déplaça quelques livres et s'assit sur le canapé. Elle composa le 3131 et écouta l'annonce enregistrée : « Vous avez reçu un appel à cinq heures vingt-six. Le correspondant ne souhaite pas communiquer son numéro. » Elle reposa le combiné sur sa base et serra les jambes contre sa poitrine, malgré la chaleur de la nuit autour d'elle. Les piles de livres qui la cernaient s'effondrèrent, la recouvrant complètement.

Le seul souvenir qu'elle avait d'une conversation téléphonique avec sa mère datait du collège. Quelques jours avant la disparition d'Ingrid, elle s'était retrouvée dans le bureau de la principale. Celle-ci – mise en plis et tailleur en tweed – avait tout d'abord expliqué la situation à Ingrid : Flora avait été ramassée au bord de la route départementale, le pouce tendu, à l'heure où elle aurait dû être à l'école, et par chance Mme May, professeur d'arts plastiques et d'économie domestique, était passée par là, sans quoi, qui sait ce qui aurait pu se produire. Puis la principale avait passé le téléphone à Flora, et la voix d'Ingrid avait grésillé dans son oreille, saturée de colère contenue.

« Qu'est-ce qui te passe par la tête ? »

Flora avait haussé les épaules, bien qu'Ingrid ne pût la voir.

« N'importe qui aurait pu te ramasser, continua sa mère, tu aurais pu être enlevée, disparaître ou pire. »

Flora déplia ses membres sur le bord du canapé, se fit un cale-tête avec quatre livres. Elle fixa les livres de poche pressés les uns contre les autres sous la table basse : *La Poursuite de l'amour*,

Valerientjee aan zee, *Une pièce au soleil*, *La Cocktail-Party*, jusqu'à ce que les titres se brouillent sous ses yeux et qu'elle entende Nan revenir.

« Tu crois que c'était Maman au téléphone ?

— Bien sûr que non. Il imagine des choses. Il n'y avait personne au bout du fil, tu l'as dit toi-même, non ? » Nan soupira, passa la main dans ses cheveux et Flora aperçut quelques cheveux gris sur ses tempes. Quel âge avait Nan déjà, son anniversaire remontait à quelques jours à peine. Vingt-six ? Vingt-sept ? Trop jeune pour avoir des cheveux gris. Nan éteignit les lampes du salon. « Tu devrais aller te recoucher toi aussi. Un peu de repos nous ferait du bien à tous », dit-elle.

Quand Nan eut quitté la pièce, Flora ne résista pas à la tentation de reprendre le combiné et d'écouter à nouveau. La tonalité lui renvoya son murmure. Elle posa le téléphone et se rejoua la conversation qu'elle avait eue plus tôt avec Nan et Richard en se demandant si quelque chose lui avait échappé.

16

Pavillon de nage, 9 juin 1992, 15 h 30

Cher Gil,

Hier matin, au petit-déjeuner, Flora nous a avouées à Nan et moi qu'elle n'était pas allée à l'école vendredi dernier.

« La piscine de l'école était fermée alors je ne voyais pas l'intérêt, a-t-elle expliqué.

— Apprendre des trucs ? suggéra Nan en secouant la tête.

— Il faut que je m'entraîne. Je suis allée à la mer et j'ai nagé là.

— Flora, ai-je dit en contractant les muscles de mon ventre et de ma gorge. Tu dois aller à l'école. Et tu ne dois en aucun cas nager en pleine mer toute seule. C'est trop dangereux. »

Flora a ramassé sa petite cuillère, l'a plongée délicatement dans son bol de céréales pour la remplir de lait chocolaté et en a aspiré le contenu comme si c'était de la soupe.

« Toi, tu le fais bien », a-t-elle répondu.

Après la fête, il n'y eut plus que toi et moi pendant presque un mois, nous passions des heures au lit, fenêtres ouvertes, le bruit de la mer envahissant la chambre, à dormir, à nous nourrir de tartines, à faire l'amour au milieu des miettes. Tu aimais me regarder après l'amour ; tu t'allongeais au bout du lit et tu ne me quittais pas des yeux jusqu'à ce que je m'endorme. Il faisait trop chaud, même pour un simple drap, mais je n'éprouvais aucune timidité. Tu disais que tout était beau. Parfois, quand je me réveillais, tu avais dessiné des parties de mon corps dans les marges de tes livres. (Marginalia juvéniles.) Tout *était* beau.

Ou bien nous étions étendus face à face, sans le moindre espace entre nous, nos peaux collées par la sueur. Promets-moi que tu ne mourras pas avant moi, disais-tu, le visage enfoui dans mes cheveux. Je ne pourrais pas vivre sans toi.

— Ne t'en fais pas, répondaient mes lèvres tout contre ton oreille. Si je meurs, je reviendrai te hanter. Je t'appellerai au petit jour ; je te sortirai du lit et au bout du fil je te murmurerai que je t'aime. » Tu riais.

Quand nous nous levions, les plis des draps étaient imprimés sur nos corps, les miettes collées à nos peaux. Nous prenions un bain, je m'allongeais sur ton torse et tu chuchotais : « Dis-moi ce que tu veux que je fasse. Tout ce que tu voudras. » Je ne savais pas ce que tu entendais par là la première fois. Après, nous allions nous étendre dans l'herbe, entourés de livres et d'insectes bourdonnants, ainsi que tu l'avais imaginé. C'était encore un pré à l'époque, l'ancien pâturage où paissaient les chevaux depuis longtemps disparus de ta mère ; des buissons d'ajonc rabougris, des massifs d'herbes folles, de sorbes, d'aubépine et de noisetiers poussaient sur le bord sud du sentier côtier, à l'autre extrémité, côté mer, il y avait un lit d'orties.

Nous prenions des livres de poche et nous faisions la lecture : un chapitre de Barbara Comyns, un paragraphe ou deux de *Tandis que j'agonise*, une ligne de *L'Amant de lady Chatterley*.

« Ce que l'œil ne voit pas et que l'esprit ignore n'existe pas », lisais-je à voix haute.

Tu posas la main sur ma cuisse pour m'arrêter. « Ce n'est pas vrai. Tu existais pour moi avant même que j'aie posé l'œil sur toi. Je savais que je te trouverais, il suffisait d'attendre, dis-tu.

— Je ne crois pas que c'est ce que Lawrence veut dire, si ? » Je baissais le livre et t'observais par-dessous mes lunettes de soleil.

« Peu importe, c'est ce que moi je veux dire. »

Nous avions décroché le téléphone, éteint la radio et les journaux s'entassaient dans le couloir. Si des visiteurs se présentaient sans s'être annoncés, tu les effrayais en criant de derrière le portail fermé que nous étions en quarantaine à cause de la petite vérole. Une fois, même, souviens-toi, tu m'as fait sortir de la maison, couverte de taches de rouge à lèvres.

Nous écoutions tes disques en buvant du vin rouge et dansant dans le salon jusqu'au milieu de la nuit. Nous emportions des pique-niques sur la plage, et quand le soir tombait, nous faisions l'amour dans le sable sur les dunes et tu répétais encore : « Dis-moi ce que tu veux que je fasse », et cette fois je savais ce que tu voulais dire mais je n'avais rien à te répondre car j'avais déjà tout ce que je désirais. Tant que nous étions à l'intérieur, nous avons passé l'essentiel du temps nus ; te souviens-tu du facteur effaré à la porte d'entrée, debout, attendant que je signe la lettre qu'il apportait ? De retour au lit, je te racontais comme son regard, partant de mon visage, s'était peu à peu aventuré plus bas, et tandis que ses yeux descendaient de plus en plus bas, ses sourcils montaient de plus en plus haut. Est-ce que cela m'avait plu, demandas-tu.

L'enveloppe était restée là où tu l'avais abandonnée, cachetée au sol, comme une autre preuve tangible du temps qui s'écoulait, avec les cercles laissés par nos tasses de café. (Plus tard, j'en trouverais des morceaux brûlés dans les orties et je n'en compris le sens qu'après des années.) Je me disais que Jonathan s'était fourvoyé en me mettant en garde contre toi, et que j'avais eu raison. Que pour nous deux les choses seraient différentes.

Durant quatre semaines, tu ne pris jamais un stylo, ne passas pas une minute dans ton atelier. Le chemin qui serpentait à travers ce que nous appelions avec optimisme la pelouse commençait à disparaître, envahi par la végétation, alors même que l'herbe jaunissait sous le soleil. J'écrivais, moi, à Louise restée à Londres pour lui dire que je passais l'été dans le Sud avec un ami, de ne pas s'inquiéter, et puis j'écrivais à ma tante pour lui dire comme il faisait chaud à Londres et que je travaillais d'arrache-pied. Pendant ce temps, dans mon esprit, le mois d'octobre et le début du semestre avaient disparu.

Un jour, allongés dans le jardin tous les deux, ma tête sous ton épaule, nous fûmes surpris par une voix à l'accent irlandais.

« Je croyais que tu étais mort », dit la voix.

Jonathan.

Tu te levas, laissant retomber ma tête sur le sol avec un bruit sourd, et je me rappelle avoir éprouvé une pointe de colère que ton ami soit venu interrompre cette journée. Tu lui ouvris la porte, et quand je me levai, vous étiez tous les deux dans les bras l'un de l'autre.

« Ingrid, je ne savais pas que tu étais là, dit Jonathan.

— Ingrid m'a enseigné le mode de vie scandinave, dis-tu en te tournant vers moi. Tu savais qu'elle était à moitié norvégienne ? J'ai eu droit à un véritable buffet de délices, on appelle ça un *smorgasbord.* » Il donna une claque dans l'épaule de Jonathan. « Tu veux un verre ? » proposa-t-il en l'entraînant à l'intérieur.

« Pas *smorgasbord*, le mot juste, c'est *koldtbord* », dis-je à moi-même.

Jonathan et toi êtes restés debout tard cette première soirée, à boire des verres dans la véranda. Incapable de suivre votre cadence avec le whisky, j'allai me coucher. Le lendemain matin, en passant devant la chambre d'amis, je vis les tiroirs de la commode ouverts et la valise de Jonathan vide, béante sur un des deux lits, je compris alors que c'en était fini de notre tête-à-tête.

Je tentais de battre froid Jonathan, m'abstenais de lui adresser la parole à moins qu'il ne me pose des questions directes, quittais la pièce chaque fois qu'il y entrait, vous laissais partir à la plage tous les deux, prétextant que le soleil était trop fort pour moi. Je songeais à faire mes bagages et rentrer à Londres.

Au bout d'une semaine, un matin, alors que tu étais sorti du lit, j'ouvris les rideaux et vis que dehors il n'y avait plus rien non plus, la brume montée de la mer dans la nuit dissimulait le monde à mes yeux. J'ouvris une des fenêtres dans la chambre et entendis le bruit de ta machine à écrire, étouffé, lointain, et je me demandai tout à coup si je ne m'étais pas trompé d'ennemi – ce n'était ni les autres femmes, ni Jonathan, mais l'écriture. Peut-être, me dis-je tout à coup, n'avais-tu fait qu'attendre, pendant ce mois que nous avions passé ensemble, que quelqu'un vienne et me divertisse pour avoir enfin les mains libres et retourner à ton atelier, aux gens dans ta tête.

Je rassemblai mes affaires dans une petite valise bleue trouvée sous le lit, je n'avais pas grand-chose – quelques vêtements que tu m'avais achetés à Hadleigh, un chapeau et une brosse à dents. Dehors, la brume jetait un voile opaque sur le monde, pareille à la lumière sur un polaroid surexposé. Je marchais sans rien voir le long de l'allée et trébuchais là où je supposais que se trouvait le trottoir. Le silence était comme une épaisse couverture et, quand je passai devant le pub, même le brouhaha de vaisselle entrechoquée et de cris échangés par le personnel en cuisine du pub semblait étouffé. Le temps que j'arrive jusqu'à l'arrêt de bus, des gouttes perlaient sur mes vêtements et mes cheveux.

Les phares apparurent en premier, puis le bus émergea du brouillard et s'arrêta juste devant moi. La porte s'ouvrit et Mme Allen, la femme de ménage du pub, descendit. Elle me dévisagea, frissonnante dans ma robe d'été et mes sandales.

« Dans une heure ou deux, cette brume marine se sera évaporée. » Elle me tapota le bras. « Attends un peu et tu verras, le soleil va revenir. Te carapate pas comme ça. »

« Vous montez, jeune fille ? » Le chauffeur prenait une pause devant son bus. « Ça caille un peu avec la porte ouverte. »

Et tandis que je ramassais ma valise et m'apprêtais à monter à bord, j'entendis des pas courir vers nous sur la route. Jonathan sortit du brouillard. « Elle ne part pas, dit-il en nage.

— C'est Gil qui t'a demandé de venir ?

— Tu me prends pour qui ? Il est devant sa machine à écrire. C'est moi qui veux que tu restes. » Jonathan me prit la valise des mains. « Viens, s'il te plaît. »

Je regardai le chauffeur, indécise.

« C'est pas tous les jours qu'on vous court après comme ça », dit-il en remontant dans son bus et en refermant la porte derrière lui.

Alors que Jonathan et moi parcourions la route en sens inverse, Mme Allen s'avéra avoir eu raison, le soleil brillait au-dessus de nos têtes et le temps que nous atteignions l'allée, la brume marine s'était levée, j'avais l'impression de rentrer à la maison.

Après cela, Jonathan et moi passâmes tout notre temps ensemble, nous allions nager, marcher dans la lande jusqu'au lac. Du courrier arrivait pour lui de temps en temps, avec des commandes de textes, et lorsqu'il les acceptait, une semaine plus tard il y avait des coups de fil réclamant les articles dus. Nous sortions le matin avant l'heure des vacanciers, ou même à l'aurore, avec pour seuls compagnons les chauves-souris. De temps à autre, nous réussissions à te convaincre de venir nager ou pique-niquer avec nous, et bien sûr tu finissais toujours par sortir de ta cachette le soir à l'heure du dîner pour goûter ce que j'avais cuisiné et le whisky que Jonathan pourvoyait en échange du gîte et du couvert. C'est Jonathan, tandis que nous progressions d'un pas lourd à travers la lande, autour de l'Enclume du Diable, qui m'expliqua que tu avais grandi dans la grande maison en bas de la route avec ton père malade et manipulateur et ta sublime mère catholique. Tu avais assisté au désastre de leur mariage jusqu'au jour où tu avais été en âge de t'échapper à Londres, en te promettant de ne jamais faire les mêmes erreurs. C'est Jonathan qui me raconta la vraie version de l'histoire que tu nous avais racontée pendant notre premier cours d'écriture à l'université : que ton père ne t'avait pas dit que ta mère était malade, qu'il s'était contenté de t'envoyer un télégramme t'annonçant sa mort quand il avait été trop tard. « Ta mère est morte. Enterrement vendredi. » Quelque chose dans ce genre. Après quoi il t'avait laissé voir son corps si déformé par la mort que tu avais désormais du mal à te souvenir d'elle vivante. Il me raconta aussi que ta mère t'avait laissé un peu d'argent dans un fonds de placement, mais qu'à la mort de ton père, d'une maladie pulmonaire, les dettes qu'il avait laissées derrière lui étaient si importantes que la maison avait dû être vendue. J'imagine le Pavillon de nage tracté sur des rondins à travers les routes de Spanish Green, les hommes le hissant sur d'énormes tuteurs, et les chevaux de trait le tirant jusqu'à ce lieu surplombant la mer où il se trouve encore aujourd'hui.

Un jour, Jonathan fit un aller-retour à Londres et revint avec une poignée de gens ramassés pendant son voyage : des auto-stoppeurs à guitare, des Hollandaises aux pieds sales. Des vagabonds, des parasites, les appelais-tu, mais je savais qu'au fond tu t'en fichais. Ils campaient dans l'herbe, sans s'embarrasser de tentes, et je m'habituais à croiser des étrangers dans la cuisine le matin, étalant de la confiture sur leurs biscottes, assis autour de la table comme s'ils étaient chez eux. J'aimais que la maison soit pleine de gens et de musique. Il y eut une fête impromptue, qui commença au pub, fit halte au Pavillon de nage et se termina à l'aube autour de feux de camp dans les dunes. Il y avait là une ou deux filles avec qui j'aurais pu devenir amie, mais chaque fois au bout de deux jours elles étaient parties. Même quand tous ces gens dormaient dans ton jardin, utilisaient tes toilettes, mangeaient dans ta cuisine, tu continuais de t'enfermer dans ton atelier. Tu sortais de temps en temps pour boire et manger, et passer la nuit avec moi dans le lit à baldaquin.

Puis, début septembre, la brume revint des profondeurs marines, et je compris que j'étais enceinte.

À toi,

Ingrid.

[Dans *Les Rêves modestes d'un scorpion*, de Spike Milligan, 1972]

17

Quand Flora se leva, elle fut surprise de trouver son père habillé, assis à la table de la cuisine, devant une tasse de café et une assiette éclaboussée d'œufs. Deux tranches de bacon étaient abandonnées sur le côté, intactes. Dans la lumière matinale, son œil gauche avait l'air monstrueux, tuméfié et violacé comme une aubergine pourrie. Une autre nuance de bleu s'étalait de sa lèvre inférieure à son menton, piqueté d'une barbe de trois jours grisonnante. Il avait toujours le bras gauche en écharpe. Elle fut plus surprise encore lorsqu'elle vit Richard assis sur la chaise d'en face.

« Bonjour », dit Flora, en se baissant pour déposer un baiser sur le front de son père. Gil lui tapota la joue d'un geste absent. Une fois assise, Nan posa une assiette devant elle – un œuf au plat, bien cuit mais avec le jaune encore mou, deux tranches de bacon croustillant, du pain grillé, le tout précautionneusement disposé. Elle tenta d'attirer l'attention de Richard pour lui jeter un regard désapprobateur mais il était tout entier concentré sur Gil.

« Et ça, par exemple », disait son père. Gil inclina sa chaise pour attraper un petit livre en haut d'une pile à côté de la cuisinière.

« Attention, Papa. » Nan lui passa le livre, interrompant un instant sa traque sans merci de la saleté qui s'était installée sur chaque surface libre.

Gil ajusta la distance entre le livre et ses yeux, louchant pour tenter d'y voir clair. « Dieu sait où j'ai fichu mes lunettes. Impossible de les trouver à la librairie non plus. » Sa main s'immobilisa. « Au fait, dit-il à Nan, est-ce qu'on a fini par retrouver ce livre, celui que j'avais quand je suis... » Il marqua une pause. « Tombé ?

— Personne ne m'a rien dit à ce sujet. Et je ne me souviens pas de l'avoir vu à l'hôpital, répondit Nan.

— Tu crois que tu pourrais les appeler pour moi ?

— Pour leur parler d'un livre égaré ? C'est si important ?

— Peut-être que c'est Viv qui l'a », dit Flora, ce qui lui valut un regard de Nan.

Flora haussa les sourcils, sourit et adressa un hochement de tête à sa sœur.

« J'appellerai l'hôpital », dit Nan.

Gil repositionna le livre sous ses yeux. « *Vestiges d'églises à jubé à travers le Dorset*, d'E. Z. Harris », lut-il.

Richard tapota les papiers sur la table, décalant les livres pour faire de la place. Une paire de lunettes à monture noire apparut sous une assiette. Il les prit, déplia les branches et Gil pencha la tête de façon que Richard puisse lui glisser les lunettes sur le nez. Le geste semblait empreint de familiarité, comme s'ils se connaissaient depuis des années. Avec son couteau, Flora s'efforçait de séparer le jaune du blanc de son œuf sans percer le jaune ni toucher le bacon. Gil laissa tomber le livre à une page marquée d'une coupure de journal. Flora avala un morceau de blanc d'œuf sur du pain.

« C'est l'écriture d'une femme, remarqua Gil, tournant les pages.

— Comment le savez vous ? dcmanda Richard, en l'observant à l'envers.

— Encre violette, pour commencer.

— Dépensant sa retraite en brandy et gants de satin ? dit Richard.

— Donnant le bon exemple aux enfants[1]. »

Gil et Richard rirent de bon cœur tous les deux. « Il n'y a que les femmes pour souligner des phrases et écrire dans les marges des livres, continua Gil. Les hommes gribouillent et dessinent des obscénités. » Gil passa le livre à Richard, qui

1. Gil et Richard font référence à un poème de la littérature populaire britannique de Jenny Joseph, dont le titre est « Warning », et qui détaille les projets pour ses vieux jours d'une femme. Elle prévoit notamment de porter du violet, de dépenser sa retraite dans du brandy et des gants en satin, au lieu de donner le bon exemple aux enfants comme elle y est obligée aujourd'hui.

étudia l'écriture dans tous les sens pour la déchiffrer. À présent qu'il avait un public attentif, Gil se pencha en arrière pour prendre un autre livre.

Nan remplit les tasses de café.

« Merci, dit Richard, tandis que Flora remarquait que sa sœur portait un tablier qui avait appartenu à leur mère autrefois, et qu'elle avait mis du rouge à lèvres.

— Oh oui, merci », dit Flora à Nan. Gil leva sa tasse et but, sans quitter le livre des yeux.

« Je n'arrive pas à lire, dit Richard. C'est quoi ce mot ? » Il loucha.

« Regardez-moi ça, c'est merveilleux », dit Gil en serrant le livre contre son torse, puis de façon à l'ouvrir d'une seule main, et Flora lut sur la couverture : *Queer Fish*, d'E. G. Boulenger.

« Une édition originale ? » interrogea Richard. Flora et Nan échangèrent un regard et sourirent.

« Richard, commença Gil, comme s'il s'adressait à un enfant de cinq ans. Oubliez toutes ces foutaises d'éditions originales, d'exemplaires dédicacés, cela n'a aucun sens. Tout ce qui compte dans le roman, c'est le lecteur. Sans lecteur, le livre n'a aucun intérêt, par conséquent le lecteur est au moins aussi important que l'auteur, si ce n'est plus. Mais souvent, la seule façon de savoir ce qu'un lecteur a pensé, ce qu'il a traversé pendant la lecture, est d'observer ce qu'il a laissé derrière lui. Tous ces mots – Gil embrassa d'un large geste la table, la pièce, la maison tout entière – parlent des lecteurs. L'individu unique – homme, femme, enfant – qui a laissé quelque chose de lui en passant. » Aidé de

Richard, il ouvrit le livre et découvrit une serviette en papier coincée entre les pages. Elle était pliée en carré – jaunie et froissée par les années. Flora regarda par-dessus son bras. La serviette était ornée d'un emblème avec un M au milieu, et dessous, dans une typographie très ouvragée, on pouvait lire *Hôtel Mirabelle, Salzbourg*. Encore en dessous, quelque chose avait été écrit à la main.

« Suzannah, chambre 127 », lut Flora à voix haute. Du bout de son couteau, elle étala le jaune d'œuf sur sa tartine ramollie et l'engloutit avec les deux tranches de bacon en s'aidant de ses doigts. Nan secoua la tête.

« Toute une histoire est contenue dans ces trois mots, déclara Gil, caressant du pouce les mots comme s'il pouvait en extraire un parfum, un vestige de Suzannah. Est-ce elle qui a écrit son propre nom et le numéro de sa chambre, ou bien est-ce un homme qui les a entendus et recopiés ?

— Peut-être qu'il est allé la voir dans la chambre 127 et qu'il s'est offert ses services ? suggéra Nan.

— Ou bien ce n'était pas un homme mais une femme qui est allée la voir, ajouta Flora en levant les sourcils à l'intention de sa sœur.

— Je préférerais connaître la vérité quand même. Je préfère savoir ce qui s'est réellement passé, dit Nan.

— Ne pas savoir, c'est tellement mieux, n'est-ce pas Papa ? » dit Flora. Gil leva les yeux et la regarda. « Je ne voudrais pas découvrir que c'est la femme de chambre qui a écrit ça et que Suzannah était juste l'occupante de la chambre 127 qui avait demandé qu'on lui apporte des serviettes en papier. Ou bien que Suzannah avait appelé le service d'étage pour se faire porter le petit-déjeuner mais que le serveur ne trouvait plus le carnet de commandes. »

Gil mettait du temps à répondre, il scrutait les tranches de bacon qu'il n'avait pas touchées.

« Papa ? dit Flora.

— Peut-être. Mais je commence à penser que c'est parfois mieux de savoir, d'une manière ou d'une autre. Il m'a fallu un moment pour le comprendre, mais je crois que ce n'est pas forcément bon d'avoir une imagination plus vivante et plus grande que la vie elle-même, répondit Gil.

— Tu as toujours dit que nous devions avoir de l'espoir et de l'imagination. Tu ne peux pas changer d'avis d'un coup comme ça. » Flora semblait scandalisée.

« Je suis d'accord avec Nan. Autant composer avec la réalité, même si elle est prosaïque », dit Richard.

Gil referma le livre, le reposa sur la table, et Nan se retourna vers l'évier. Richard, sans se laisser démonter par l'atmosphère, ramassa *Queer Fish*, le feuilleta et s'arrêta à une page. « Et ce gribouillage, là ? Stylo à bille noir, note obscène pas très claire. Un homme, vous diriez ? »

Gil reprit le livre et examina le dessin qui représentait un nuage et des poissons qui en tombaient. Il fronça les sourcils et dit : « Vous comprenez vite. Oui, c'est un homme, indiscutablement. »

Flora croisa les bras, sans un mot.

18

Pavillon de nage, 10 juin 1992, 4 h 30 du matin

Cher Gil,

Annie est morte hier. Je n'ai pas réussi à savoir qui était responsable, Nan ou Flora, mais il y a eu un bruit terrible dans leur chambre (des gémissements, des cris), et quand je me suis précipitée à l'intérieur, le squelette était à terre, la plupart de ses os en morceaux, son crâne disséminé comme les éclats d'une soucoupe en porcelaine, ses dents éparpillées au sol. Nan a dit qu'elle avait suspendu Annie derrière la porte et que Flora, sachant parfaitement que le squelette se trouvait là, avait ouvert la porte violemment, l'envoyant valser contre l'armoire, et qu'ensuite elle avait piétiné les os. Cela m'a paru trop cruel, même venant de Flora, mais elle portait ton pardessus avec de grosses bottes, trop grandes de sept pointures pour elle. Quelles que soient les circonstances exactes, Flora était là, elle donnait des coups de pied, criait, tandis que Nan se tordait les mains en demandant si on ne pouvait pas simplement recoller les morceaux d'Annie. Je savais bien qu'un peu de colle n'y suffirait pas. Flora a cessé son tapage et déclaré : « Papa saura la réparer. »

Elle est partie en courant vers ton atelier, nous l'avons regardée, debout sur la marche du haut, taper avec ses poings sur la porte à deux vantaux.

« Papa ! Papa ! Annie est bousillée ! » (*Bousillée* – d'où sortait-elle ce mot ?)

Elle savait bien que tu n'étais pas à l'intérieur, que tu n'étais plus là depuis des mois (je viens de recompter, tu es parti depuis huit mois, les trois quarts d'une année), mais peut-être Flora avait-elle envie d'imaginer ta porte s'ouvrant, tes bras la soulevant, l'emportant avec toi jusque dans la maison pour tout arranger. Nan essayait de croiser mon regard, d'échanger quelque chose avec moi. Je me suis retournée, mais juste avant j'ai vu ses sourcils haussés, cette expression d'adulte sur son visage, qui comprenait parfaitement où se trouvait son père – tant de choses devinées sans les savoir vraiment, trop pour une fille de quinze ans. Bien sûr que tu n'es pas là pour réparer Annie, tu n'es plus là pour réparer quoi que ce soit.

« Papa est à Londres, il a des trucs à faire pour ses livres », a lancé Nan à sa sœur, alors Flora a cessé de taper et balancé un grand coup de pied dans la porte à la place. Plus tard, quand je l'ai embrasssée pour lui souhaiter bonne nuit, elle m'a demandé si tu serais rentré pour son gala de danse et je n'ai pas su quoi répondre. Que dois-je lui dire, Gil ? Et à Nan, qu'est-ce que je lui dis la prochaine fois qu'elle hausse les sourcils avec cette expression si adulte ? Que je suis fatiguée de te pardonner ? Que je ne suis pas sûre de vouloir que tu reviennes cette fois ?

Annie, donc. L'idée de la ramasser et de jeter ses morceaux à la poubelle m'était insupportable (l'imaginer joue contre cheville, hanche contre crâne), alors hier soir, tard, nous avons fait un tas avec tous ses os (Flora a rampé sous les lits pour ne pas oublier la moindre poussière d'os – plusieurs dents manquent, j'en suis sûre) et nous l'avons installé dans le landau Silver Cross[1] que j'ai retrouvé au sous-sol. Nous avons cahoté ainsi le long du sentier côtier jusqu'à la mer. Chaque fois que les roues heurtaient les cailloux, les restes d'Annie sautaient et brinquebalaient dans tous les sens.

Nous avons porté le vieux landau au-dessus du sable, jusqu'à l'autre bout de la plage, là où la bande de sable rétrécit sous la falaise. Le soleil se couchait derrière le village pendant que les filles m'aidaient à creuser un trou, toutes les trois nous avons ôté des pierres de sous le sable pendant une demi-heure, puis nous avons déposé Annie dans sa dernière demeure et porté un toast en son honneur avec de la limonade. Après quoi, nous avons

1. Marque de landau à l'ancienne, avec de grandes roues à rayons et une capote en tissu noir.

étalé la couverture de pique-nique au-dessus de sa tombe et mangé nos sandwichs à la confiture.

« Je crois qu'on devrait réciter une prière, a dit Nan.

— Ne sois pas bête. Tu ne crois même pas en Dieu, aucune de nous trois d'ailleurs, a rétorqué Flora.

— Quand même, c'est bien de dire une prière et peut-être qu'on se sentira mieux après », a répondu Nan, avec patience.

Elle a incliné la tête. « Chère Annie. Tu nous manqueras. Que tes os soient lavés par l'eau salée, que ton esprit retourne au sable et que l'amour que nous te portions demeure avec nous pour l'éternité. » (Nan peut avoir un certain sens poétique quand elle s'en donne la peine.)

« Amen, a ajouté Flora.

— Amen », ai-je répété.

Plus tard, une fois les enfants au lit, je suis retournée à la plage. Allongée sur la tombe d'Annie, sous la voûte étoilée du ciel, je songeais à l'endroit où tu pouvais bien dormir, à tout ce qui avait mal tourné, et je me demandais si nous serions capables un jour de tout arranger.

C'est à Jonathan que j'ai annoncé ma grossesse en premier. Pas à toi, ni à Louise, et même à moi, en fait, je ne l'ai pas avouée pendant un moment – l'idée qu'un corps étranger avait pris racine en moi me faisait peur. Je voulais que Jonathan le fasse disparaître. Je voulais que ce ne fût jamais arrivé. Mais peut-être que Jonathan non plus ne voulait pas affronter certaines choses car il a dit que je devais t'en parler.

« C'est une décision que vous devriez prendre tous les deux », a-t-il dit.

J'ai essayé de te dire que je ne le désirais pas, que je n'étais pas prête, que je ne le serais peut-être jamais, mais toi, tu as posé ton doigt sur mes lèvres et tu as dit : « Épouse-moi », et tous mes grands projets, toute cette histoire de créer ma propre catégorie et de t'abandonner à la fin de l'été, disparus telle une volute de brouillard marin sous ton implacable soleil. Tu passas la main sur mon ventre. « En voilà un, plus que cinq », déclaras-tu, avant de m'emmener en Amérique célébrer l'événement.

Tu te souviens du vide-grenier auquel nous nous sommes arrêtés, sur la route entre Sebastopol et Guerneville, après avoir quitté San Francisco vers le nord ? Et ces trois frères, qui vendaient le contenu de la maison de leur grand-mère : ils avaient tout étalé par terre sur le bord de la route et les touristes qui passaient par là farfouillaient dans leurs affaires ? Des monceaux de couverts ternis, de livres, de draps élimés entassés sur des guéridons, un canapé et deux fauteuils en cuir posés à même le sol de la cour.

« Viens, on les achète, lanças-tu en rebondissant sur les coussins.

— Gil, lève-toi, dis-je en te tirant par la main. Ne sois pas bête. C'est hideux et comment on les rapporterait à la maison de toute façon ? » Tu attrapas ma manche pour me faire tomber sur tes genoux. Le bras passé autour de ma taille, tu m'embrassas et nous basculâmes sur le côté, de telle manière que tu te retrouvas allongé sur moi face à la maison d'où n'importe qui pouvait nous voir.

« Dis-moi ce que tu veux que je fasse. Nous pouvons faire tout ce que nous voulons – absolument tout, murmuras-tu à mon oreille.

— Gil ! Quelqu'un va venir. On va nous voir », te réprimandai-je. Et, dans une tentative désespérée de te repousser : « Le bébé !

— Qui va venir ? Les trois frères Grimm ? »

Tu avais la main sous ma jupe et la bouche collée à mon cou.

« Gil ! » luttai-je, tout en riant moi aussi et en tournant la tête dans tous les sens pour dégager tes lèvres de mon oreille. Je crois que tu en étais à défaire ta braguette quand tout à coup une ombre tomba sur mon visage.

« C'est quoi ce bordel ? » lâcha l'homme au-dessus de nous. De là où j'étais, j'avais vue sur le dessous d'une bedaine débordant de la ceinture de son jean.

Sans te relever, tu tendis la main vers un carton de livres posé à côté du canapé et attrapas le premier qui vint. « Combien pour celui-ci ? » demandas-tu avec ton sourire ravageur. Je te repoussai de toutes mes forces, les mains sur ton torse, pour me dégager de ton poids et réajuster ma jupe sous mes genoux, assise bien droite, toute rouge, comme une adolescente prise en faute par l'un de ses parents rentré plus tôt que prévu à la maison. Tu t'assis également, en feuilletant le livre, tu t'arrêtas à une page et lut. Les marges étaient pleines de notes et de dessins. « En fait, combien pour tout le carton ? » demandas-tu.

Plus tard, je devais découvrir le prix de ces vacances. Tout, y compris ce carton de livres, avait été payé avec de l'argent que nous n'avions pas.

À toi,

Ingrid

[Dans *Créations domestiques au crochet : couvre-lits, sets de table, écharpes, coussins de chaises*, de Bernard Ullmann, 1933]

19

Après le petit-déjeuner, Flora se brossa les dents et s'habilla. Lorsqu'elle revint à la cuisine, Gil déclara qu'il allait retourner se coucher un moment.

« Mais tu viens de te lever, protesta Flora. Je pensais qu'on irait faire un tour à la plage. Ou bien qu'on irait se promener, faire découvrir la lande et l'Enclume du Diable à Richard, puisque manifestement il a décidé qu'il n'avait pas besoin d'aller travailler aujourd'hui. Ça te plairait de voir l'Enclume du Diable, n'est-ce pas Richard ?

— Plus tard, peut-être », répondit-il en aidant Gil à se lever et à sortir de la cuisine. Flora les suivit mais Nan l'attrapa par le bras et la ramena en arrière.

« Papa a demandé à Richard de rester un peu plus longtemps, dit Nan.

— Quoi ?

— Il a demandé à Richard s'il pouvait prendre quelques jours de congé.

— Pourquoi ? interrogea Flora.

— Il travaille bien à plein temps, n'est-ce pas ?

— Mais, pourquoi Papa voudrait-il que Richard reste ? »

Elle jeta un œil vers le couloir et siffla : « C'est juste un mec avec qui je couche. »

Nan leva les yeux au ciel. « Eh bien, moi je l'aime bien et Papa aussi. Il dit qu'avec Richard il peut parler.

— Mais vous le connaissez à peine tous les deux. Et de toute façon, qu'est-ce qui l'empêche de nous parler, à nous ? »

Nan haussa les épaules et alla dans le couloir. Flora la suivit.

Gil était étendu sur les oreillers dans la grande chambre. Richard lui avait ôté ses chaussures, Nan s'affairait autour du vieil homme, s'assurait qu'il avait un verre d'eau bien rempli à portée de main. Il avait l'air minuscule dans le lit, comme si le matelas grossissait autour de lui pour l'engloutir d'ici quelques jours ou semaines à la manière dont la nature reprend ses droits sur les rails des lignes désaffectées, les engloutissant sous les racines des arbres. Nan ouvrit une fenêtre et l'odeur de la mer s'engouffra dans la chambre tel un troupeau de nuages bleu ciel.

« Quel lit magnifique, déclara Richard.

— Il appartenait à mes grands-parents, expliqua Nan, en aplatissant le couvre-lit. À l'époque où ils habitaient dans la grande maison au bout de la route. Je suis née dans ce lit, et Papa aussi, n'est-ce pas, Papa ?

— Ce putain de lit est ridicule, dit Gil en enfonçant la tête dans les oreillers et en fermant les yeux.

— Ce qui est sûr, c'est qu'il n'est pas à la bonne hauteur pour les soins.

— Tu n'es pas à l'hôpital, ici, Nan, la rabroua Flora. Elle fit le tour du lit et s'allongea du côté de sa mère, près de Gil.

— Vous voulez que je vous fasse la lecture ? » proposa Richard. Il installa une chaise au chevet de Gil. Tous ces milliers de livres dans cette maison, et soudain Flora songea que jamais son père ne lui en avait lu la moindre ligne. C'était toujours sa mère.

Flora ouvrit les yeux sur une pile de livres posée sur la table de chevet et une tasse de thé refroidi en équilibre au sommet de la pile. Elle les referma en entendant Richard et son père discuter dans son dos.

« Parfois, à l'aube, je suivais Ingrid », disait Gil. Le ton de sa voix surprit Flora. Elle pencha la tête sur le côté pour la dégager de son oreiller et mieux les entendre, dans le mouvement elle respira l'odeur de renfermé de ses cheveux sales. « Elle avait un mauvais sommeil, poursuivit Gil. Et moi, je passais la plupart de mes nuits dans mon atelier au fond du jardin.

— C'était à ce moment-là que vous écriviez ? demanda Richard.

— Que j'écrivais ?

— La nuit ?

— Non, je n'écrivais pas la nuit, j'aurais dû pourtant. C'était Ingrid qui écrivait la nuit, enfin, le matin, très tôt, elle passait des heures, assise dans la véranda, à écrire. »

— J'ignorais qu'Ingrid était écrivain. A-t-elle été publiée ?

— Non, trancha Gil. Elle écrivait des lettres.

— À sa famille ? »

Trop de questions, pensa Flora, et son père dut partager ses réflexions car il ne répondit pas. À la place, il raconta : « Elle allait nager aussi, bien que son médecin ait recommandé qu'elle s'abstienne.

— Qu'elle s'abstienne de nager ? interrogea Richard. J'aurais plutôt dit que c'était bon pour la santé.

— Une fois, je l'ai suivie jusqu'à la Petite Mer. C'est une pièce d'eau, derrière les dunes, un lieu ravissant, préservé. Je me suis assis dans le refuge ornithologique et je l'ai épiée, tandis qu'elle ôtait ses vêtements. Elle était si frêle, si pâle, presque transparente. Elle est entrée dans l'eau, s'est retournée ; son regard m'a transpercé, mais impossible qu'elle m'ait vu, j'étais bien caché. Elle s'est laissée glisser en arrière et le lac sembla l'embrasser, la bercer ; elle ne remuait ni les bras ni les jambes pour flotter, elle s'abandonnait simplement aux eaux sombres, les cheveux en corolle autour de la tête. Le soleil se levait, je la contemplais – une Ophélie dénudée.

— Comme une créature naturellement formée pour cet élément[1], cita Richard.

1. Citation de *Hamlet* de Shakespeare, acte IV, scène 7, où la reine explique à Laërte comment Ophélie s'est noyée.

— Mais cela n'a pu durer longtemps : ses vêtements, alourdis par ce qu'ils avaient bu, ont entraîné la pauvre malheureuse de son chant mélodieux à une mort fangeuse », finit de citer Gil, retombant un moment dans le silence, et dans ses souvenirs peut-être. « J'aurais dû me montrer pourtant, j'aurais dû déchirer ce voile, tel un vieux fou au pas lourd, et lui dire que je l'aimais. C'est trop tard maintenant.

— Peut-être qu'elle le savait, à sa manière. »

La voix de Richard était douce. Flora retint sa respiration, tendue vers eux pour ne rien en perdre.

« Elle n'en avait pas la moindre putain d'idée.

— Peut-être que vous aurez une autre chance, peut-être que vous pourrez le lui dire bientôt. »

Gil renifla. « Nan vous a servi son couplet de conneries catholiques, c'est ça ? J'ai de sérieux doutes sur le fait qu'Ingrid se trouve à l'endroit même vers lequel je me dirige. » Flora sentit le corps de son père se déplacer dans le lit. « Flora, tu es réveillée ? »

Elle s'étira et ouvrit les yeux comme si elle venait de se réveiller. Et elle savait bien que c'était parce que Gil pensait qu'elle les écoutait qu'il avait tout à coup lâché d'un ton abrupt : « Ne commencez pas à me bassiner avec ces saletés de bondieuseries, Richard. » Et le jeune homme, frappé, se retrancha au fond de sa chaise.

20

Pavillon de nage, 11 juin 1992, 16 h 25

Cher Gil,

Hier après-midi, à peine rentrées, les filles ont commencé à se disputer. Quand je suis arrivée dans leur chambre, Nan avait une expression horrifiée et Flora était recroquevillée sur son lit, serrant ton vieux coffret à boutons de manchettes contre son cœur.

« Oh mon Dieu ! Elle a tué quelqu'un ! Elle a tué quelqu'un pour de vrai, et elle a gardé ses dents, a crié Nan.

– C'était de mon côté de la commode, a dit Flora, en sanglotant. Tu n'avais pas le droit de regarder. C'est à moi.

– Tu es folle, Flora. Il y a quelque chose qui ne tourne pas rond dans cette maison, a ajouté Nan en se tapant le doigt contre la tempe.

— Elles sont à Annie. Tu sais très bien qu'elles sont à Annie ! »

Nan a bondi sur elle par surprise et lui a arraché le coffret des mains pour l'agiter en l'air comme une crécelle. Flora a sauté vers le bras de sa sœur, tiré sur la manche de sa chemise d'uniforme scolaire en lui hurlant de lui rendre le coffret.

« Stop ! ai-je crié. Toutes les deux, stop ! »

La chemise s'est déchirée. Nan s'est mise à gémir, a balancé le coffret sur son lit et s'est précipitée dehors en claquant la porte derrière elle. Flora a ramassé le coffret et s'est enfermée dans la salle de bains. Je me suis assise sur le lit de Nan, découragée et inutile, le regard perdu au loin, vers le ciel où les nuages s'amoncelaient, dépenaillés, et venaient s'échouer, réduits en lambeaux comme par une lame aussitôt qu'ils atteignaient la ligne d'horizon.

Plus tard, alors que Nan était partie faire ses devoirs chez une amie, Flora et moi nous sommes installées sur son lit. Elle a posé la tête sur ma poitrine, je lui ai caressé les cheveux, respirant à pleins poumons l'odeur sucrée de ma petite fille. Sans lever le visage vers moi, elle a dit : « Pourquoi les chiens… » Elle s'est écartée de moi pour me regarder. « Pourquoi on ne les appelle pas tous des chiennes au lieu de les appeler des chiens ? Pourquoi dire les renards plutôt que les renardes alors qu'il y a autant de mâles que de femelles ? »

J'allais formuler une réponse, mais elle ne m'en a pas laissé le temps.

« Et pourquoi les mères doivent-elles toujours rester à la maison pour s'occuper des enfants ? Pourquoi ce ne serait pas le boulot des pères ? Ils savent *mieux* faire pourtant, non ? »

Louise a cessé de t'appeler par ton prénom lorsqu'elle a appris ma grossesse, à la place elle disait « cet homme ». Nous étions de retour à Londres, toi et moi ; je vivais avec Louise dans l'appartement tandis que tu avais réintégré ton ancien logement universitaire.

« Il a intérêt à être présent quand tu t'en débarrasseras, voilà la première chose qu'elle avait dite.

— Je n'ai pas l'intention de m'en débarrasser. » J'étais assise sur le canapé, mon sac à main sur les genoux. « Gil et moi sommes fiancés, nous allons nous marier. Mardi. J'espérais que tu voudrais bien être mon témoin.

— Quoi ? » Louise fit claquer la casserole de haricots qu'elle avait à la main sur la cuisinière. « Tu es devenue folle ? Te marier ? Pour l'amour du ciel, mais pourquoi ? Et tous nos projets, qu'est-ce que tu en fais ?

— Je l'aime. »

Elle émit un soupir de dédain. « Je croyais que nous avions prévu de découvrir le monde. Je croyais que nous ne devions pas finir comme nos mères. » Son ton était aussi condescendant que je l'avais imaginé.

« Ce n'est que partie remise.

— Et moi alors ? demanda Louise.

— Tu peux partir quand même. Il paraît qu'on fait beaucoup plus de rencontres quand on voyage seule. Tu m'enverras des cartes postales – pour que je sache tout ce que je rate. » J'essayai de lâcher un rire mais il sortit étranglé.

« Tu as changé. Ce doit être les hormones de la grossesse qui te rendent idiote. Bon sang, Ingrid, débarrasse-toi de ce bébé. Il n'y a aucune honte à avoir. C'est cet homme qui devrait avoir honte.

— Je n'ai pas honte, j'ai hâte. » Je disais cela sans conviction, je n'arrivais même pas à me convaincre moi-même.

« Tu n'as aucune idée de ce qui va se passer, n'est-ce pas ? »

Elle s'assit à côté de moi et me prit la main, tentant une autre approche. « Tu es trop jeune, Ingrid. Pense à ta tante, qu'est-ce qu'elle va dire ? Tu lui en as parlé ?

— Pas encore », dis-je en retirant ma main de la sienne.

Elle me regarda de bas en haut. « Pour le moment, ça ne se voit pas – quoique, les seins peut-être un peu. Tu en es à combien ? » Sa main était posée sur mon genou. « Si tu veux, je peux t'accompagner à la clinique. »

— Je le garde. C'est ce que j'ai décidé, avec Gil.

— Ce que cet homme a décidé, oui. »

Je ne commentai pas.

« Pense à tout ce à quoi tu renonces.

— De quoi tu parles ? Je ne renonce à rien. Je compte bien finir mes études. »

Cela ne m'avait pas effleuré que je puisse en être empêchée. J'avais soigneusement évité de penser à la naissance, à ce que serait ma vie ensuite. J'étais allée voir un médecin généraliste à Hadleigh, puis j'avais eu une consultation à l'hôpital durant laquelle on m'avait pesée, pris les mensurations, et examinée sans même que le docteur se donne la peine de se présenter. Il m'avait annoncé une date de terme, mais elle semblait si lointaine, c'était comme de se mettre à penser à Noël en avril, je n'arrivais même pas à en saisir la réalité. On m'avait distribué des dépliants qui parlaient de préparation à la naissance, de sevrage, mais les dessins sur les pages, ces adultes qui souriaient avec leurs bébés dans les bras, tout cela m'était tellement étranger que je les avais jetés à la poubelle.

« Quelle est la date de terme ? Avril, mai, l'année prochaine ? Le semestre ne sera pas terminé, et toi tu seras énorme. Tu as pensé à ce que les gens vont dire ?

— Depuis quand tu t'intéresses à ce que les gens disent, toi ?

— Et tu vivras de quoi ?

— Gil a un petit héritage de sa mère qu'il a placé quelque part, et un peu d'argent que lui ont rapporté ses romans…

— Donc tu comptes vivre de l'argent que va te donner un homme ?

— … et puis il y a son salaire d'enseignant.

— D'enseignant ! » Ce n'étaient pas des mots, c'était un crachat. « Quand ils apprendront ce qu'il a fait, il n'enseignera plus bien longtemps.

— Ça ne les dérangera pas. Ce n'est pas comme si c'était la première fois. » Je m'écartai d'elle et me levai.

« C'est de l'abus de pouvoir. Tu es son étudiante. C'est écœurant, dit-elle.

— Je l'aime, répétai-je, en colère cette fois.

— Et lui, tu crois qu'il t'aime ? Tu crois que tu es la première ?

— Nous allons nous marier. Je sais qu'il en a envie – qu'il veut fonder une famille. »

Je me rassis, durant quelques minutes il n'y eut plus un mot. Au bout d'un moment, je dis : « Je crois que tes haricots sont en train de brûler. »

Le jour de notre mariage, je portais la robe en crochet jaune. Ce même 5 octobre 1976, Louise, elle, arriva au bureau des registres de Caxton dans une longue robe blanche, au col montant et aux manches en dentelle. « Je l'ai eue d'occasion, déclara-t-elle. Comment tu la trouves ? » Elle tourna sur elle-même sur le trottoir. Elle portait cette robe pour t'énerver, elle ne savait pas à quel point elle me blessait moi.

À l'intérieur, tandis que nous patientions dans le couloir, Jonathan s'efforçait de détendre l'atmosphère. « Diana Dors et Orson Welles se sont mariés ici. » Louise et toi regardiez chacun d'un côté, j'étais assise sur la seule chaise. « Pas l'un avec l'autre, bien entendu.

— C'est aussi là que les suffragettes ont tenu leurs premières réunions publiques », dit Louise sans s'adresser à l'un d'entre nous en particulier.

L'officier d'état civil arriva, elle était en train de se curer les dents, elle s'essuya la bouche d'un revers de la main. Et ce fut Louise, dans sa fausse robe de mariée, et toi qu'elle accueillit et invita à la suivre pour les marier.

En fin de compte, bien sûr, Louise avait raison, lorsque l'université découvrit le pot aux roses, cela fit toute une histoire. Je n'ai jamais su qui les en avait informés – Mme Carter, peut-être, qui avait surpris notre premier baiser ; ou peut-être Louise, trop en colère d'être ainsi abandonnée pour penser aux conséquences. Qui que ce soit, le 29 avril 1977, alors que le bébé était sur le point d'arriver, tu fus convoqué pour un entretien avec le doyen le lendemain.

« Tout ira bien, il va juste me taper sur les doigts : "Que cela ne se reproduise pas, Coleman", me donner une petite bourrade en me lançant un clin d'œil, et ce sera réglé. Vraiment, tu n'as aucune raison de t'inquiéter », dis-tu.

Aucun d'entre nous ne portait son alliance sur le campus, et je continuais d'assister à tes cours en tant que simple étudiante face à son professeur. Au début de l'automne, quand mon état n'était pas encore visible, Guy m'avait invité dans sa résidence universitaire pour ce qu'il appelait « un remaniement de chambre » et je lui avais annoncé, non sans me délecter de son expression effondrée, que je voyais quelqu'un d'autre.

« Qui est-ce ? » demanda-t-il, et comme je refusais de lui répondre, il me pressa de questions.

« C'est quelqu'un que je connais, donc ? Est-ce qu'il est marié ? »

Je savais qu'il y avait des rumeurs. Parfois, les bruits se répandaient façon téléphone arabe : tu avais une liaison avec la femme du Vice-Chancelier, ou bien avec son assistant, tu étais homosexuel, on t'avait surpris dans ton bureau le pantalon aux chevilles. Jusqu'à Noël, cette dernière rumeur était plutôt crédible, sauf que nous n'avions jamais été pris en flagrant délit. Le nombre de cours particuliers que je suivis durant ce premier trimestre ne cessa d'augmenter jusqu'à ce que je sois carrément convoquée quotidiennement, sans que jamais nous évoquions mon travail. À la place, tu me demandais inlassablement ce que je désirais que tu fasses, jusqu'à ce qu'il finisse par me venir une idée.

« Je veux que nous fassions l'amour dans ton atelier », annonçai-je alors que j'étais parfaitement satisfaite avec ton bureau, le lit du Pavillon de nage ou les dunes. « Je veux m'étendre sur cette couverture en velours. La nuit, la fenêtre ouverte. » Je commençais à y prendre plaisir. « Avec le bruit des vagues léchant le sable. Je veux que tu t'agenouilles entre mes jambes et que tu m'écartes les cuisses. »

« Seul le professeur Coleman est autorisé à pénétrer dans l'enceinte, mademoiselle », dit le portier en livrée en me bloquant l'entrée du bâtiment administratif de toute sa corpulence. C'était davantage un videur qu'un portier, et je songeai que, bien que je ne pusse sans doute jamais l'égaler en poids, nos tours de taille risquaient fort de finir par se rejoindre.

« Madame », rectifiai-je.

Alors seulement, il me regarda dans les yeux.

Toi, Gil, tu posas la main sur ma nuque. « Ça va aller. Qu'est-ce que je risque, après tout ? » dis-tu avec un sourire courageux.

Je savais qu'en me retournant je verrais debout derrière moi cette expression soucieuse sur le visage de Louise, avec les sourcils qui se rejoignent sous un front plissé. Ce matin-là, durant une « conversation », elle avait dégainé cette même expression en décrétant : « Tu as besoin de quelqu'un toi aussi. Il ne s'agit pas que de Gil. » Je lui avais dit que j'étais parfaitement capable de prendre soin de moi, mais elle avait insisté.

Tu disparus derrière les portes vitrées de l'université et je restai là à attendre avec Louise, appuyées contre le mur, comme deux adolescentes séchant l'école. Face à nous se dressait la célèbre sculpture métallique de l'université : un enchevêtrement de bras et de tuyaux, surmonté, au bout d'un mât, d'un grand plateau circulaire.

« C'est censé représenter quoi, tu crois ? demanda Louise.

— Le squelette d'un éléphant arthritique, répondis-je.

— Une ligne droite tracée par une pieuvre gauchère.

— Une cage à grimper pour enfants rectangulaires. »

Le portier se tenait à la porte telle une sentinelle, comme si nous risquions de forcer l'entrée du bâtiment. (Une jeune fille enceinte et sa copine maigrichonne enfonçant la porte pour exiger que le professeur Coleman puisse garder son poste.) Au bout d'un moment, il rentra et ressortit avec une chaise. Malgré les tiraillements que je ressentais dans le bas-ventre, j'étais déterminée à la refuser. Mais l'homme la posa à côté de la porte et s'assit dessus, se balançant en arrière, comme s'il attendait le début du spectacle. Il étendit ses jambes et se roula une cigarette, l'alluma en la protégeant de sa main bien qu'il n'y eût pas un souffle de vent, et fuma en maintenant le bout embrasé à l'intérieur de sa main.

Tu sortis du bâtiment avec un sourire bravache accroché au visage.

« Alors, demandai-je puisque personne ne disait rien, qu'est-ce qui s'est passé ? »

Louise fut plus rapide à déchiffrer ton expression. « Est-ce que tu as réfléchi à l'adoption, Ingrid ? lança-t-elle dans un rire.

— La ferme. Je ne suis même pas sûr de savoir ce que tu fais ici, dis-tu.

— Je suis là pour veiller aux intérêts d'Ingrid. » Elle croisa les bras.

« Arrêtez de vous chamailler, et dis-moi ce qui s'est passé.

— Écoute. »

Tu me pris par le coude, comme pour m'éloigner de tout cela. « On emmerde Louise, on emmerde le doyen. D'ailleurs, on les emmerde tous. » Tu passas le bras autour de moi. « Mon prochain livre sera un succès. J'en suis certain. »

Je fis un pas en arrière. « Mais tu t'es excusé, n'est-ce pas ?

— C'est un petit peu tard pour les excuses.

— Ils ne peuvent pas te renvoyer. Tu es titulaire, non ?

— Ils ne l'ont pas renvoyé, lâcha Louise, toujours appuyée contre le mur. Je crois qu'il a présenté sa démission.

— Pas exactement, as-tu dit.

— Pourquoi ? » Les muscles de mon estomac se contractèrent, se figèrent sans douleur. Contractions de Braxton Hicks, m'expliquas-tu plus tard. « Pourquoi as-tu fait une chose pareille ?

— On ne m'a pas vraiment laissé le choix. Le doyen m'a servi un long discours sur la nécessité d'éviter un scandale dans les journaux et la visite imminente du comité de financement de l'université, blablabla…

— Il a sans doute des retards de paiement à cause de sa collection d'art contemporain, ironisa Louise.

— Mais tu vas trouver un autre travail, non ? » J'avais la main posée sur le ventre, il était dur comme du bois. « Dans une autre université ?

— Je n'allais pas lui faire le plaisir de quémander une lettre de recommandation. Il peut se foutre son poste et n'importe quel autre job au cul. »

En me voyant approcher, le portier sauta sur ses pieds et jeta sa cigarette pour m'ouvrir la porte. Il opina du chef en me dégageant le passage, sans doute le respect dû à une femme enceinte et en colère.

Je passai devant le bureau de la secrétaire du doyen sans m'y arrêter. Malgré ma corpulence, j'étais trop rapide pour elle, et avant même qu'elle ait eu le temps de se lever, j'avais pénétré dans le bureau du doyen.

Il était plus âgé que je ne croyais. Je l'avais déjà aperçu, bien sûr, de loin, assise au fond du grand amphithéâtre, tandis qu'il nous gratifiait de son discours d'encouragement au début de chaque année, nous demandant de faire honneur à l'université, à nos parents ou, plus important encore, à nous-mêmes.

« Mademoiselle Torgensen, dit-il, comme s'il avait lui-même sollicité cette entrevue. Je vous en prie, asseyez-vous. » Il m'invita à m'asseoir sur la chaise en face de son bureau. Je n'aurais peut-être pas dû être si surprise qu'il connaisse déjà mon nom.

« Je préfère rester debout, merci, dis-je, alors que mes genoux tremblaient.

— Puis-je me permettre de vous féliciter pour l'heureux événement à venir ? » D'un mouvement de tête, il désigna mon ventre. « Pour quand est prévue l'arrivée de ce petit chérubin ?

— Dans deux semaines. »

Je notai avec satisfaction l'expression de surprise qui passa fugitivement sur son visage, le temps qu'il se ressaisisse. « Dieu du ciel. » Il fit le tour de son bureau pour me présenter la chaise.

« Vraiment, je vous en conjure, asseyez-vous, je ne voudrais pas que le travail commence dans mon bureau. »

Je demeurai debout et il finit par abandonner la chaise et retourner à la sienne.

« Avez-vous déjà réfléchi à un prénom ? » Le doyen était tout sourires.

Te souviens-tu, Gil, de nos week-ends à la mer, j'étais si enceinte que je n'arrivais même plus à bouger ? Tu me calais dans la voiture le vendredi après-midi à Londres et nous roulions vers le sud, ta main posée sur mon ventre tout du long, ne la retirant que pour changer de vitesse. Arrivée au Pavillon de nage, je me déshabillais et m'effondrais sur le lit. La peau de mon ventre était tendue à l'extrême, et tu le comparais à un ballon de plage blanc coincé entre les branches d'un peuplier. Mon nombril ressortait et une ligne noire (la *linea nigra*, m'appris-tu) se devinait sous la peau, une ombre rousse, comme un point de départ pour éplucher mon ventre et sous la peau découvrir six bébés alignés les uns à côté des autres. Les aréoles de mes seins avaient viré au rose saumon et s'étaient élargies à mesure qu'ils enflaient. Tu prétendais que ces nouvelles constellations disséminées sur ma poitrine s'appelaient des Montgomery, et je n'osais pas te demander d'où te venait toute cette science prénatale. Tu t'accroupissais entre mes genoux, posais tes lèvres sur mon estomac distendu et murmurais pour notre enfant à naître des histoires d'hippocampes, d'os de seiches et de pêcheurs aux filets emmêlés. Tu ouvrais mes jambes, m'examinais et t'exclamais sur l'étroitesse de mes hanches juvéniles en te demandant comment notre bébé réussirait à se frayer un chemin par ce passage si étroit pour venir au monde. Lorsque j'essayais de t'attirer à moi et en moi, tu protestais que ce ne serait pas très correct si près de devenir mère. Tu voulais encore regarder mais tu ne voulais plus toucher. À la place, tu t'allongeais à côté de moi, récitant des prénoms jusqu'à ce que l'un d'entre eux semble convenir : Fiodor, Saul, Wallace. Ne connais-tu donc aucune autre écrivaine que Shirley Jackson ?

« Nous n'avons pas décidé », déclarai-je au doyen. Je savais ce qu'il était en train de faire. « Je suis venue pour vous parler du poste du professeur Coleman, continuai-je.

— Je crains de ne pas être en mesure de discuter avec vous des informations personnelles concernant un employé de cette université. C'est d'ordre privé.

— Nous sommes mariés.

— C'est ce qu'il m'a dit, effectivement. » Le doyen lissa le sous-main posé devant lui. « Les informations concernant son travail demeurent néanmoins confidentielles.

— Mais nous avons besoin de ce travail.

— Peut-être aurait-il dû y songer plus tôt. » Le regard du doyen se porta sur mon ventre. « D'ailleurs, mademoiselle Torgensen, vous avez bien fait de venir me voir maintenant.

— Vous allez donc reconsidérer votre décision ? »

Le doyen pencha la tête de côté et fronça les sourcils. « Non, non, c'est de votre situation à vous que je souhaiterais que nous discutions. Je prévoyais de vous proposer un rendez-vous la semaine prochaine, mais puisque vous êtes là... Êtes-vous certaine de ne pas vouloir vous asseoir ? »

Mon ventre se raidit à nouveau tandis que je refusais d'un signe de tête.

« C'est une question de principes, voyez-vous. Je suis sûr que vous comprenez que l'université a une réputation à tenir. Vous pensiez peut-être que nous fermerions les yeux sur les relations particulières entre un professeur et son élève mais vous vous êtes trompée, j'en ai peur. C'est une question de confiance, les attentes ont changé... » poursuivit le doyen sur un ton monocorde. Je chancelai légèrement et n'entendis distinctement ce qu'il disait que lorsqu'il en arriva à « j'en ai déjà touché un mot au directeur du département de littérature et il vous accorde volontiers quelques semaines de repos, hors de l'université, pour vous remettre, ou faire tout ce dont vous pourriez avoir besoin dans votre état.

— Mais mes examens finaux commencent la semaine prochaine, protestai-je.

— Ne vous inquiétez pas pour ça. Non, non. Je suggère que vous rentriez chez vous plutôt, pour vous occuper de votre mari et de votre bébé. C'est là qu'est votre place à présent.

— Ma place est ici. Je veux… j'ai besoin d'avoir mon diplôme. »

Le doyen recula sa chaise de dessous son bureau et sourit. « Peut-être, encore une fois, auriez-vous dû y songer plus tôt. » Il se leva, le bras tendu, comme pour m'indiquer la sortie. « À présent, si vous n'y voyez pas d'inconvénient, j'ai un autre rendez-vous. »

Je me retournai et quittai la pièce, passai devant sa secrétaire à grands pas et claquai la porte derrière moi.

Mes études prirent fin à ce moment-là, dans le bureau du doyen, alors qu'il ne restait plus qu'une semaine avant la date à laquelle elles auraient dû s'achever normalement.

À toi,

Ingrid

[Dans *Conseils à l'attention des jeunes épouses : de la gestion de sa propre santé, et du traitement des doléances liées à la grossesse, à l'accouchement et à l'allaitement*, de Pye Henry Chavasse, édition de 1913]

21

Dans l'après-midi, après être allés chercher la voiture de Gil, Flora emmena Richard à la plage. Il y avait une brise en provenance de la mer, chargée de l'odeur piquante de l'herbe vert kaki et de la terre retournée par la pluie. Une nuée de mouettes tournoya en surplomb des courants ascendants, virant, tournant, guettant un signe. Flora avait trouvé deux vieux maillots de bain dans le séchoir mais Richard avait refusé de les prendre. Il était assis sur sa serviette de plage, écumant le sable dans ses mains. Elle passa sa chemise par-dessus sa tête, elle avait un bikini dessous. Aussitôt, ses bras et ses jambes se couvrirent de chair de poule.

« Tu viens ? dit-elle.

— Avec un squelette tracé à l'encre sur ma peau ? Tes voisins vont adorer. »

Les dessins, elle les avait complètement oubliés. Flora avança vers la mer, le temps qu'elle se retourne, elle avait de l'eau jusqu'aux cuisses. Richard était au bord, le jean roulé au-dessus des chevilles, les pieds dans l'eau.

« Elle est glacée, lança-t-il.

— Fais pas ta chochotte. »

Elle prit une grande inspiration et plongea d'un coup. Comme toujours, le froid la saisit, mais au bout de deux ou trois mouvements, le monde autour avait comme disparu et elle était devenue non plus un être humain avalant l'air, mais une créature sous-marine toute d'os et de muscles, tout en propulsion. Flora ouvrit les yeux. L'eau avait la couleur du thé à la menthe, et parfois, si elle tendait l'oreille, la voix de sa mère montait d'entre le bruissement des herbes et les éboulements de sable, *tends les jambes, garde ta main en mouvement, nage à contre-courant pour que le retour soit plus facile, même si tu es fatiguée*. Elle piqua vers le fond, là où les vagues venaient labourer le sol, consciente de chaque centimètre de ses bras et ses jambes, de la bulle d'air qui remontait en elle. Elle alla toucher le fond et refit surface avec une poignée de sable : pour porter bonheur. Lorsqu'elle tourna la tête vers le rivage, Richard n'avait pas bougé, il scrutait la surface de l'eau à sa recherche. Flora fit volte-face et partit en crawl vers le large, ses bras fendaient les flots, ses hanches, ses épaules et sa tête pivotaient en cadence chaque fois qu'elle sortait la bouche de l'eau pour respirer. Elle jeta un regard à la bouée au loin, vision familière, vers laquelle elle se dirigea d'emblée. Le courant la secoua mais elle trouva le bon rythme, respirant dans les creux, progressant dans les vagues. Elle gardait la tête baissée de façon que ses fesses et ses jambes affleurent, que son corps se glisse dans le mouvement de la mer. Lorsqu'elle atteignit la bouée du bout des doigts, elle ramena ses jambes sous elle, tourna sur elle-même et se repoussa dans l'autre sens de la pointe des pieds, le fracas sous-marin résonna à ses oreilles dans la manœuvre, puis elle repartit vers la plage.

Quand elle eut pied, Flora se leva et avança dans l'eau. Richard s'était rassis sur sa serviette.

« Impressionnant, dit-il.

— C'est Maman qui m'a appris à nager. » Elle se laissa tomber à côté de lui, la poitrine soulevée par l'effort. « C'était plus ou moins la seule chose que nous arrivions à faire ensemble sans nous disputer. » Elle tordit ses cheveux et s'enroula dans sa serviette.

« Était-elle bonne nageuse elle aussi ?

— Très bonne. Elle allait beaucoup plus loin que la bouée, qui d'ailleurs est beaucoup plus loin qu'elle ne paraît.

— J'en suis sûr.

— Je sais que tout le monde pense qu'elle s'est noyée. La police, les journalistes, tout le monde part du principe que c'est ce qui s'est passé. Une fois, je suis tombée sur une vieille coupure de journal. Le gros titre était quelque chose du genre : « La femme d'un romancier classé X se noie à Dorset Beach. » Ils ne s'étaient même pas donné la peine de la nommer, elle était juste *la femme*.

— Mais elle n'était pas écrivain. Ça ne se serait sans doute même pas retrouvé dans le journal si elle n'avait pas été la femme de Gil. »

Flora savait qu'elle traînait derrière elle son histoire – ou plutôt l'histoire de sa famille – comme une deuxième ombre, et que partout où elle passait cette ombre rappelait à ceux qui connaissaient son histoire de la raconter à ceux qui l'ignoraient encore. Une fois, à l'âge de onze ans, alors qu'elle choisissait une glace au magasin du village, Flora avait surpris une conversation entre deux touristes, la femme disait à son mari : « Ce n'est pas sur une de ces plages que cette Suédoise s'est noyée ? Elle avait mis des pierres dans ses poches, non ? Ou bien je confonds ? Tu sais, c'est cet auteur célèbre, ou bien sa femme ? » Flora avait relevé la tête du congélateur sur lequel elle était penchée et rencontré le regard de Mme Bankes, la responsable du magasin, qui fronçait les sourcils en secouant la tête. Le mari avait payé son journal et pressé sa femme pour sortir.

Flora avait eu envie de leur crier : « Norvégienne ! », mais au lieu de cela elle s'était léché le bout des doigts et les avait collés au fond du compartiment glacé.

« Est-ce que tu as l'intention de demander à ton père qui il pense avoir vu à Hadleigh ? demanda Richard.

— Non.

— Vraiment ? Tu n'es pas curieuse ?

— On ne parle pas de ces trucs-là. Ce n'est pas notre genre. » Elle frotta le haut de ses bras avec la serviette.

« Ton père croit avoir vu sa défunte femme, ta mère, et tu ne vas rien lui demander ? » Richard était incrédule.

« Je te l'ai dit. Elle n'est pas morte. »

Flora avait élevé la voix. Une nouvelle fois, Ingrid tourna le dos au portail du Pavillon de nage, la serviette au-dessus de son bras, sa robe découvrant la pâleur de la peau sur son cou et ses épaules. Flora sondait ce souvenir telle une langue s'engouffrant dans le creux sanguinolent d'une dent tout juste arrachée. La chair avait beau cicatriser et les dents autour se rejoindre pour boucher le trou, elle conservait le souvenir de la dent manquante.

« D'accord, d'accord. » Richard leva les bras en l'air, les paumes tournées vers elle, comme si elle l'avait attaqué.

« Si ça t'intéresse tellement, demande à papa toi-même. Vous avez l'air d'être très copains tous les deux, même si tu ne le connais que depuis deux minutes. » Flora passa sa chemise au-dessus de sa tête, ses bras humides collaient au tissu des manches. « Richard, rafraîchis-moi la mémoire, pourquoi est-ce que tu es encore là ? »

— Parce que Gil m'a demandé de rester. Et je crois que je peux l'aider.

— À quoi exactement ? »

Richard avait l'air déconcerté. « À faire face à tout ça.

— Et de quoi s'agit-il au juste, hein ? »

Flora frottait la peau granuleuse de ses jambes avec la serviette en regardant la mer. Les vagues grossissaient, moussaient, claquaient sur le rivage et reculaient à toute allure. Une mère cria à son enfant de sortir de l'eau.

« Flora, je sais que c'est difficile pour toi – ton père… » Il s'interrompit. « Et tous ces souvenirs de ta mère qui doivent remonter à la surface – je sais que tu viens de traverser un moment très pénible, mais pourquoi t'obstines-tu à me repousser ? » Il posa une main sur l'un de ses genoux glacés. « Pourquoi tu fais ça ? Vraiment, tout ce que je veux, c'est vous aider – tous.

— Parce qu'on se connaît à peine », dit-elle en le chassant. Une famille installée à côté d'eux – la mère, le père et les deux petites filles – mangeait des sandwichs en les dévisageant. « Quoi ? » cria Flora. Les deux parents se détournèrent, faisant mine de s'occuper de grappes de raisins pleines de sable. Lorsqu'elle regarda Richard, il avait remis ses chaussures et s'était levé.

« Je rentre. » Il attendit, puis déclara : « Je crois que ça ne va pas marcher. »

Elle percevait ses Converse noires à lacets blancs à la périphérie de son champ de vision.

« À plus tard, alors », dit-il.

Elle se mordit la joue. Les chaussures furent encore là quelques secondes, mais son silence les fit disparaître pour de bon.

22

Pavillon de nage, 12 juin 1992, 4 h 30 du matin

Cher Gil,

Après nos deux conversations avec le doyen, tu insistas pour que nous rentrions au Pavillon de nage. Tu t'assuras que j'allais bien, déposas un baiser sur la peau tendue de mon ventre et regagnas ton atelier pour écrire. Je n'en prenais pas ombrage : je voulais que tu finisses ton roman, nous avions besoin d'argent. Debout devant la fenêtre, je regardais la lumière osciller dans ton refuge et je songeais que tu avais besoin de repos – à quoi bon être réveillés tous les deux ? Une crampe me parcourut le bas du dos, comme une douleur de règles, rien que je ne puisse endurer. Elle passa. Puis revint vingt minutes plus tard, alors que je me servais un verre d'eau dans la cuisine ; je me penchai au-dessus de l'évier et gémis, les dents serrées. Elle diminua, je me préparai du thé et m'assis à la table de la cuisine, dans le noir, en songeant combien cet être humain qui grandissait en moi était une chose insensée, plus encore maintenant qu'il allait sortir de moi, parfaitement formé. La douleur suivante se déclencha au moment où je me levai, de sorte qu'il fallut que je m'agrippe à la chaise derrière moi pour ne pas tomber à genoux. « Gil ! criai-je entre mes dents serrées. Gil ! »

J'allai aux toilettes puis retournai à la chambre, roulée en boule sur le côté, sous les couvertures, dépliant les jambes en lançant des coups de pied dans le vide quand les douleurs reprenaient, redoublées. Je ne voulais pas bouger : si je restais allongée là suffisamment longtemps, peut-être les douleurs finiraient-elles par s'en aller. C'était trop tôt pour avoir un bébé – je n'étais pas prête, je ne le serais jamais. Mais les vagues de douleur m'arquaient le corps, m'arrachaient des cris et des mouvements de lutte. Quelques minutes avant six heures, le ciel s'éclaircissait doucement, j'étais à quatre pattes dans la salle de bains, quand je perdis les eaux. Je rampai le long du couloir, j'avais trop peur de me mettre debout : si je me levais, le bébé risquait de dégringoler entre mes jambes. À genoux, j'ouvris la porte d'entrée, et me laissai dégringoler les trois marches sur les fesses. C'est là que tu me trouvas.

« Pourquoi tu n'as pas crié ? demandas-tu. Pourquoi tu n'es pas venue me chercher ? » Tu m'aidas à me relever, me raccompagnas dans la chambre, passas une chemise de nuit au-dessus de ma tête. « Tu as appelé quelqu'un ? Tu as perdu les eaux ? Ingrid, nous allons avoir un bébé. Maintenant.

— Je ne veux pas, dis-je avant d'être assaillie par une nouvelle contraction. J'ai changé d'avis. Je devais partir en voyage avec Louise. Je devais passer mon diplôme.

— Tu vas être une mère géniale. Ce sera merveilleux, je le sais. »

Tu tentas de décoller mes doigts crochetés autour de ton avant-bras, blanchi sous la pression.

« Ne t'en va pas, je t'en prie, ne t'en va pas. » De nouveau, j'étais happée, secouée, écorchée de haut en bas.

« Une minute, Ingrid, as-tu sans doute dit. Ça ne prendra qu'une minute. »

Puis il y eut un hurlement, la douleur, et lorsque je retombai sur la terre ferme, il n'y eut plus que de l'épuisement.

Tu me tendis une tasse, dégageas mes cheveux de mon visage tandis qu'assise au bord du lit je vomissais. Tes mains rougies sentaient le savon. Je me demandai tout à coup si tu avais été chirurgien dans une autre vie.

« Est-ce que tu peux te lever ? demandas-tu après m'avoir essuyé la bouche. Il faut qu'on y aille maintenant. » Tu me soutenais par le coude, m'aidant à me relever, mais une nouvelle vague m'emporta, un tsunami de douleur qui m'avala et me ballotta dans tous les sens. J'ai dû grimper sur le lit, m'enfoncer le visage dans un tas de couvertures et d'oreillers posés au bout du matelas. Je me souviens de t'avoir entendu prononcer mon nom : « Ingrid », puis d'avoir émis un râle, profond et guttural, déchaîné.

J'étouffai un « Putain » dans un oreiller puis retombai sur le dos, poussant et haletant, tandis que tu regardais entre mes jambes en souriant.

« Je le vois, Ingrid. Il a les cheveux noirs.

— Elle, lançai-je entre deux gémissements.

— L'un ou l'autre. Peu importe. Il est là.

— Je ne sais pas comment faire. Je ne peux pas faire ça ! »

Je percevais mes cris de panique, et tout à coup, dans une dernière décharge de douleur au fer rouge, la tête sortit.

« Attends, dis-tu. Respire, elle se retourne, elle arrive. » Et dans un dernier effort, elle sortit complètement. Tu la pris, la posas à plat ventre sur ton genou et claquas ses toutes petites fesses bleues jusqu'à ce qu'elle se mette à pleurer et à rosir. Elle avait tes couleurs – tes cheveux noirs, ta peau plus mate que la mienne. À un moment, alors que j'étais en bas en train de me reposer, tu allas chercher des serviettes propres dans le séchoir et un bol d'eau chaude. Tu l'enveloppas dans ces linges de manière à ce que seul son visage dépasse. « Nous avons une fille », annonças-tu en m'embrassant, en me mettant le bébé dans les bras et en ôtant des mèches humides de mon visage. Notre fille était aussi dodue et plissée qu'un shar-pei. Ses yeux vitreux nous fixaient d'un regard perçant. « La première », dis-tu. Je ris, j'étais hystérique.

La sage-femme arriva une heure plus tard, cognant un réservoir à roulettes plein de gaz et d'oxygène sur les marches de la véranda. J'avais déjà évacué le placenta, le cordon était coupé, et tu tenais Nanette.

« Dieu du ciel, regardez-moi ce lit », dit la sage-femme, puis : « Apparemment vous n'aviez pas besoin de moi. » Elle s'assit sur le bord du matelas et me prit le poignet. Elle était grande et mince, la ceinture bleue de son uniforme soulignait sa taille.

« Une bourgeoise », commentas-tu plus tard.

Une calotte blanche était fichée à l'arrière de sa tête, derrière une raie au milieu. « Je vais devoir procéder à un rapide examen, dit-elle en soulevant le drap qui recouvrait mes jambes. Monsieur Coleman, je vous saurais gré de bien vouloir quitter la pièce. »

Je vis que tu allais protester. « Je voudrais bien une tasse de thé, Gil, dis-je. S'il te plaît ?

— Et laissez le bébé avec nous », ajouta-t-elle.

La sage-femme secoua la tête en m'examinant. « Je demande toujours à mes patientes de se raser avant l'accouchement. Ainsi tout est beaucoup plus clair. Avez-vous perdu beaucoup de sang ? demanda-t-elle.

— Je ne sais pas.

— Dans le doute, avalez un maximum de sardines et de Guinness. Bien, ça va aller. Serrez les jambes. Voyons voir ce bébé maintenant. Vous n'êtes pas obligée d'allaiter, vous savez. »

Elle me prit Nanette des bras, la découvrit. « Beaucoup de femmes donnent le biberon de nos jours. Il y a tout ce qu'il faut dans le lait reconstitué, voire plus. » Elle inspecta le cordon ombilical et sembla satisfaite. Puis elle pesa Nan sur une balance portative, l'emmaillota et me la rendit.

Je n'éprouvais rien. Je guettais l'élan d'amour censé me submerger, en me demandant ce que ma mère avait ressenti en me voyant pour la première fois. Quelques jours plus tard, j'oubliais encore régulièrement qu'il y avait un bébé dans la pièce d'à côté, ne m'en souvenant que lorsque ma robe se retrouvait soudain trempée de lait. Je téléphonai à ma tante. Elle fut ravie d'apprendre qu'elle avait une petite-nièce, elle dit qu'elle viendrait nous rendre visite dès qu'elle en serait capable, et quand je lui posai la question, elle me dit que ma mère m'avait aimée à la seconde où elle avait posé les yeux sur moi. À cet instant, je fus convaincue, même si je n'en dis rien, que quelque chose n'allait pas bien chez moi. Ma tante ne put jamais faire le voyage depuis la Norvège, elle mourut une semaine plus tard.

Je me suis réveillée il y a un petit moment et j'ai trouvé Flora assise à côté de moi dans sa chemise de nuit. Le soleil s'était levé, j'avais la joue froissée d'avoir dormi sur la table alors que je voulais juste fermer les yeux quelques instants ; apparemment mon petit somme s'était transformé en une sieste de deux heures.

« Qu'est-ce que tu fais ? a demandé Flora.

— J'écris, ai-je répondu.

— Mais tu n'es pas écrivain. C'est papa qui est écrivain. »

Je marquai un silence, chargé de tout ce que j'aurais eu envie de lui répondre. « Oui, Papa est écrivain. Moi, je n'écris que des lettres, dis-je.

— En dormant ?

— J'écrivais avant de m'endormir.

— À qui tu écris ?

— À Papa.

— Qu'est-ce que tu lui racontes ?

— Toutes sortes de choses.

— Est-ce que tu lui racontes des choses sur moi ?

— Je ne suis pas encore arrivée au moment de ta naissance.

— Est-ce que Papa te répond ?

— Non.

— Pourquoi ?

— Parce qu'il n'a pas encore lu mes lettres.

— Pourquoi ?

— Je les laisse ici, il les trouvera quand il rentrera à la maison. »

Flora soupira, exaspérée, l'idée même d'écrire des lettres lui semblait une chose ridicule et épuisante.

« Pourquoi tu ne lui parles pas plutôt ? »

Pourquoi je ne te parle pas ? Parce que tu n'es pas là, parce que même si tu étais là, tu n'écouterais pas.

À toi,

Ingrid

[Dans *Egon Schiele*, d'Alessandra Comini, 1976]

23

Quand Flora remonta de la plage, elle trouva Nan à genoux dans la cuisine, récurant le sol, essorant une serpillière au-dessus d'un seau. Elle avait soulevé les chaises et les avait perchées sur la table au milieu des livres, Richard, lui, farfouillait sous l'évier.

« Qu'est-ce qui s'est passé ? » demanda Flora en s'arrêtant dans l'encadrement de la porte.

Nan leva la tête, repoussa ses cheveux en arrière d'un geste du poignet. « La machine à laver a fui, apparemment il y a quelque chose qui est bouché à l'intérieur.

— J'ai trouvé le coupable », déclara Richard.

Il posa le petit soldat sur le comptoir à côté de la tête de Nan.

« Comment ce truc est-il arrivé dans le tuyau d'évacuation ? s'exclama Nan en se dévissant le cou pour le voir.

— C'est à moi. »

Flora fit un pas dans la pièce et attrapa le petit soldat. Ils la dévisagèrent. « Je l'ai trouvé sur la plage, à Hadleigh », dit-elle, puis elle recula, traversa le couloir en sens inverse et alla s'enfermer dans la salle de bains. Imprimée dans sa rétine, l'image d'Ingrid, tournant le dos au Pavillon de nage, une serviette au-dessus de l'épaule et un livre à la main, passait en boucle.

Par l'entrebâillement de la porte, la voix de Nan parvint jusqu'à Flora, se brisant sur un « Bon sang, c'est pas vrai !

— Allez. Debout. Allez », dit Richard.

Le bruit d'une chaise qu'on reposait par terre, Nan qui reniflait.

« Je n'en peux plus. C'est au-dessus de mes forces, dit Nan.

— Vous n'êtes pas obligée. »

Flora dut se pencher en avant pour entendre ce que disait Richard.

« Et si je ne le fais pas, alors qui ? interrogea Nan.

— Les gens se débrouilleront. Vous n'êtes ni la femme de Gil, ni la mère de Flora. Ce n'est pas à vous de faire tout cela, Nan.

— Si je n'étais pas là, tout s'écroulerait.

— Eh bien laissez-les s'écrouler, tant pis. Il est temps de commencer à vivre votre vie », dit Richard d'une voix calme et douce.

Nan sanglota, c'était un son étrange, que Flora n'avait pas le souvenir d'avoir jamais entendu, même si ce son était étouffé, comme si Nan se tenait la tête entre les mains. Tout à coup, quelqu'un poussa la porte de la salle de bains, obligeant Flora à s'agripper au lavabo pour ne pas tomber à la renverse. Richard la fixa intensément, puis il arracha un morceau de papier toilette et sortit de la pièce en refermant la porte derrière lui.

Flora arracha un morceau de papier toilette à son tour, le passa sous l'eau et frotta les traînées de mascara sous ses yeux. Elle ôta son maillot de bain mouillé, enfila la robe rose d'Ingrid qu'elle avait laissée sur la patère derrière la porte et alla dans la cuisine.

« Je me suis dit qu'on pourrait dîner dans la chambre », proposa Nan comme si de rien n'était. Elle jeta un œil à la robe de Flora, puis se détourna sans faire de commentaire. « Pour que Papa n'ait pas à sortir de son lit. »

Gil s'était redressé dans son lit, il était en pyjama, un oreiller sur les genoux, prêt à accueillir son plateau. La peau de son visage, du côté où il était tombé, avait désormais l'aspect d'une prune à maturité – tendue à l'extrême, prête à craquer au moindre impact. De l'autre côté, elle était cireuse, jaune. Nan avait préparé une quiche lorraine.

« C'est la robe que j'avais achetée à ta mère, dit Gil en tendant la main pour la toucher, tandis que Flora s'asseyait sur le lit du côté de sa mère. Il y a des années de cela.

— Je n'arrête pas de lui répéter de l'enlever », dit Nan.

Gil frotta le tissu entre ses doigts.

« Je l'ai déjà portée, Papa. Des tonnes de fois. »

Il la dévisagea. « C'est vrai ? Je n'ai jamais remarqué. »

Nan leur servit à manger. Elle ôta les concombres et les tomates de la salade pour Flora et découpa la nourriture de Gil pour qu'il puisse manger en utilisant juste sa fourchette.

« Martin a dit qu'il appellerait. Pour prendre de tes nouvelles, dit Nan.

— Je serais surpris qu'il trouve le temps, entre le golf et cette saleté de chien.

— Martin a un chien ? se redressa Flora. Quel genre ?

— Le genre petit roquet, répondit Gil.

— Il y a un tiroir plein de nourriture pour chien dans la cuisine, dit Nan.

— Je pensais en prendre un moi aussi, expliqua Gil. Un énorme chien. Que j'appellerais Barbara – ou bien, non, Shirley.

— Et pourquoi pas Charlotte ? proposa Richard.

— Ou Simone ? renchérit Flora.

— Carson ? » dit Gil.

Nan leva les yeux au ciel.

« Harper ? poursuivit Flora.

— Oh oui, Harper, c'est parfait, Harper, dit Gil en riant.

— Mais tu n'aimes pas les chiens, fit remarquer Nan, en observant Flora en train de découper la garniture de sa quiche lorraine pour la séparer de la pâte.

— Tu envisages sérieusement de prendre un chien ? » demanda Flora.

Gil se pencha pour lui tapoter la main, en continuant de rire. « Désolé, Flo. »

Elle détacha la garniture d'œufs et repoussa la pâte sur le bord de son assiette. Elle n'avait pas besoin de lever les yeux pour sentir le regard désapprobateur de Nan.

« Alors comme ça, vous travaillez dans une librairie, dit Gil à Richard. Des livres d'occasion ?

— Neufs, je le crains. C'est temporaire, en attendant de trouver une meilleure place.

— Quel genre de boulot temporaire dure deux ans ? dit Flora.

— Je suis surpris, reprit Gil. Ma cadette, courtisée par un libraire. Ce n'est pas fréquent de la voir avec un livre à la main, à moins qu'il y ait des images à l'intérieur. Pourtant, à une époque, Flo était une grande lectrice.

— Je ne suis pas courtisée ! » coupa Flora, avant de marmonner : « Alors que Nan...

— Cela dit, je ne sais pas exactement ce que je voudrais faire d'autre, poursuivit Richard. Enseigner, peut-être. Mais je pourrais commencer par voyager d'abord. »

Flora piqua un morceau de concombre.

« Très bonne idée, dit Gil. Ne vous laissez pas détourner par des histoires d'amour ou des enfants.

— Papa ! » cria Flora.

Richard semblait nerveux et troublé, mais Gil continua : « Donnez-vous du temps pour trouver votre voie. Il n'y a aucune raison de s'installer quand on est jeune. Quel âge avez-vous ? Vingt-deux, vingt-trois ?

— Vingt-neuf.

— Ah », fit Gil.

Flora découpa le concombre d'un geste net.

« J'ai appelé l'hôpital pour leur poser la question pour ton livre. J'ai parlé à quelqu'un aux urgences, on m'a passé le service où tu as séjourné, ensuite j'ai eu quelqu'un qui s'occupe des ambulances, qui m'a suggéré d'appeler le bureau des objets trouvés. Alors j'ai rappelé, mais la dame à l'accueil m'a répondu qu'il n'y avait pas de bureau des objets trouvés. J'ai bien peur que le livre soit perdu, dit Nan.

— Il est peut-être resté sur la plage », dit Flora.

Elle regarda Gil, dont les yeux étaient en train de se remplir de larmes. Il cligna des yeux, ravalant ses larmes.

« Je vérifierai auprès de Viv, ajouta Nan. Peut-être que quelqu'un l'a rapporté à la librairie. Mais tu en as déjà des tas ici, n'est-ce pas ? » Sa voix avait ce ton chantant d'encouragement maternel.

« Si je ne disparais pas vite, cette maison tiendra bientôt plus sur du papier que sur du bois.

— Papa, ne dis pas ça, réprouva Flora.

— Quoi ?

— Que tu vas disparaître. »

Elle déposa sa fourchette et son couteau sur la pâte à tarte dans son assiette – un truc de petite fille qu'elle avait gardé, pour cacher ce qu'elle ne voulait pas manger.

« En fait, dit Gil, son regard passant de Nan à Flora, il y a une chose dont j'ai parlé à Richard. »

Richard remua sur son siège, les yeux baissés vers le sol.

« Je lui ai demandé de brûler mes livres. »

Nan tourna la tête d'un coup sec, une bouchée de quiche coincée dans sa joue.

« Après ma mort, précisa Gil. Peu importe quand ce sera. » Il sourit à Flora.

Nan déglutit. « Quels livres ? Qu'est-ce que tu veux dire exactement ?

— Tous les livres qui sont dans la maison.

— Et tu as dit oui ? » interrogea Flora d'un ton accusateur.

Richard ne répondit pas.

« Les filles, ces livres ne vous intéressent pas. J'ai perdu le contrôle de cette collection. Et je sais que c'est une chose que votre mère aurait voulu, dit Gil.

— Maman ! Et comment tu sais, toi, ce que Maman aurait voulu ? »

Flora s'agenouilla sur le lit, renversant son assiette et la croûte de sa quiche avec.

« Mais je croyais que tu l'aimais, cette collection, protesta Nan.

— Pourquoi ne la revends-tu pas à Viv ? »

Flora se décala sur le lit, sans se rendre compte qu'elle avait l'un de ses genoux dans son assiette. « Ou alors tu n'as qu'à la lui donner ? Viv la prendrait volontiers, n'est-ce pas, Nan ? »

Gil posa la main sur le bras de Flora et elle se rassit.

« Tu es sûr ? demanda Nan.

— Sûr et certain. »

Et Gil reposa sa fourchette sur son assiette intacte.

24

Pavillon de nage, 13 juin 1992, 3 h 32 du matin

Cher Gil,

Jonathan m'avait prévenue, il m'avait dit de ne pas aller dans ton atelier d'écriture si je ne voulais pas trouver des choses qui risquaient de me déplaire. Quand j'avais levé les sourcils, il avait ajouté : « Tu sais, des morceaux de papier chiffonnés couverts de grossièretés, des pages roulées en boule pleines de ratures, des brouillons. Il paraît que les brouillons sont des choses affreuses. » Nous avions ri. Nous nous promenions à travers la lande ce premier été, les ajoncs prenaient une teinte jaune pâle, l'odeur de noix de coco s'évanouissait dans l'air qui venait de la mer. Jonathan m'avait expliqué que tu avais besoin de garder ton atelier séparé du reste de la maison et des visiteurs. C'était un lieu de réflexion et d'écriture.

Une fois, au tout début de ma première grossesse, je me suis réveillée dans le lit au milieu de la nuit et tu n'étais plus à côté de moi. Je suis allée dehors et j'ai collé mon visage à la porte vitrée de ton atelier, tu étais endormi, la tête affalée sur ta machine à écrire. J'ai tapé sur la vitre mais tu n'as pas bougé. Je n'étais pas sûre que tu sois endormi. Le lendemain matin, tu étais de nouveau à mes côtés, tu m'as attirée vers toi et m'as fait promettre de ne plus jamais venir te chercher là-bas si je ne te trouvais pas à côté de moi. J'ai ri et tu as dit : « Je suis très sérieux, Ingrid. Tout le monde a besoin d'un endroit où s'échapper, même si ce lieu n'est qu'imaginaire.

— Je te le promets, si en échange tu me fais la même promesse », rétorquai-je.

Nous étions allongés face à face, seul ton bébé en moi nous séparait comme une virgule entre nous. Tu as maladroitement dégagé ta main droite de sous ton corps et nous nous sommes serré la main. Tu te souviens ?

Et puis il y a eu cette fois, des années plus tard, au milieu de la dispute où la théière a fini en mille morceaux, où tu as dit que si je n'avais pas le droit d'entrer dans ton atelier c'était parce que je n'étais qu'une sale petite fouineuse, toujours à poser des questions à la con : « Ça avance ? Tu as écrit combien de mots aujourd'hui ? Tu as pensé à un titre ? » Et tu m'as accusée de lire ce que tu écrivais en ton absence, d'être tout le temps en train de fureter, de t'espionner, avec mes cheveux mouillés qui laissaient des gouttes partout sur le papier encore enroulé dans ta machine. C'était intrusif et paralysant, as-tu dit, et désormais si tu restais dans ton putain d'atelier ce n'était pas pour pouvoir écrire mais pour protéger ta putain d'intégrité intellectuelle.

Mais la raison pour laquelle je n'avais pas le droit d'entrer n'avait rien à voir avec tout cela, n'est-ce pas, Gil ?

4 août 1977 : c'était la première fois depuis la naissance de Nan que j'allais plus loin que le magasin du village de Spanish Green. J'avais réussi à rassembler l'argent pour le bus et le train en mettant de côté quelques centimes par-ci par-là sur les sommes que tu me donnais pour prendre soin de la maison, je les cachais dans une boîte de crème anglaise en poudre vide. J'avais installé Nan dans le landau Silver Cross et j'étais plus fière encore de la voiture pour enfant que de l'enfant elle-même. Je l'avais acheté, et fait livrer, avec le peu d'argent hérité de ma tante. On aurait cru un navire noir rutilant monté sur de hautes roues blanches. La capote émettait un bruit satisfaisant quand je la plaçais, un claquement ferme saluait le verrouillage du bras mécanique sur le capot et les amortisseurs rebondissaient légèrement quand j'avançais. Je mis du rouge à lèvres et du mascara pour la première fois depuis cinq mois, je redressai le dos et levai la tête. J'enfilai mes sandales compensées, un pantalon pattes d'eph qui frôlait le sol avec une taille élastique confortable, et une blouse années quarante dotée d'un nœud lâche

au cou que j'avais trouvée dans une friperie au village. J'étais fin prête pour Londres. Je poussai le landau le long de la route jusqu'à l'arrêt de bus, laissai Mme Allen faire des risettes au bébé, me complimenter sur ma tenue chic et me demander où est-ce que j'allais comme ça.

« Je vais voir ma meilleure amie, Louise », répondis-je.

Le chauffeur de bus m'aida à monter le landau dans le bus, les autres passagers nous regardèrent en souriant sans se plaindre que nous obstruions le couloir. À la gare, j'attendis le train de 9 h 37 sur le quai, et je réalisai tout à coup que le landau ne passerait pas les portes du train. J'imaginai un instant abandonner le landau, Nan à l'intérieur, sur le quai et monter dans le train sans elle, mais au lieu de cela, Nan et moi, ainsi que le landau, passâmes les deux heures suivantes à valdinguer dans le wagon à vélos, étuis à guitares et autres bagages volumineux. Quand le train s'ébranla, Nan commença à pleurer. Je remuai le landau, d'avant en arrière, la berçai, la pris dans mes bras. Les pleurs redoublèrent, ses yeux plissés par les cris, le visage cramoisi, la bouche grande ouverte. D'habitude, c'était un bébé facile, heureux. Je fis les cent pas et vis Winchester et Basingstoke défiler par la fenêtre du wagon branlant et crasseux, la changeant d'épaule, lui tapotant le dos, lui caressant les cheveux. Jamais les cris ne cessèrent. À Woking, je la changeai, à Clapham Junction, devant tout un groupe de scouts à vélo, je défis ma blouse et sortis un de mes énormes seins pour la nourrir. J'avais l'impression de le voir pour la première fois – une énorme mamelle blanche, plus grosse que la tête de Nan. Elle s'en fichait, continuait de crier, tout son petit corps arqué, la tête lancée en arrière. Je me mis à pleurer avec elle tandis que le groupe de garçons me dévisageait, je tentai de m'essuyer les yeux, j'avais les doigts noirs, couverts de mascara. Lorsque le train arriva enfin en gare de Waterloo, nous sanglotions toutes les deux.

Louise m'attendait sur le quai. Elle sortait de chez le coiffeur, elle portait une veste camel, gilet boutonné, talons hauts. Elle avait les sourcils épilés et de tout petits seins.

« Mon Dieu, Ingrid, dit-elle en me regardant de bas en haut et en secouant les cheveux. Qu'est-ce qui s'est passé, bon sang ?

— J'ai eu un bébé, voilà ce qui s'est passé ! lui hurlai-je à la figure, en cognant le landau, faisant redoubler les braillements de Nan.

— Je vois ça », dit-elle en jetant un œil à l'intérieur, avant de lâcher « Allez, viens » d'un ton sec. Je la suivis, avec un regard triste posé sur ses fesses parfaites dans sa jupe bien ajustée.

Après mon départ, Louise avait décidé de garder l'appartement. Durant tout le trajet en métro, à travers l'étroite porte d'entrée, en montant les escaliers jusqu'au deuxième étage, Nan ne cessa jamais de pleurer. L'odeur, la lumière, les meubles, tout était à l'identique et je fus submergée par une vague de nostalgie pour cette autre vie que j'aurais pu avoir. Je m'efforçai de n'en rien montrer. Un jeté à motifs trônait sur le canapé, un nouveau tapis recouvrait le lino abîmé, et un vase plein de fleurs était posé au centre de la table. Elle alluma une cigarette.

« Que dirais-tu d'aller déjeuner dehors ? lança-t-elle par-dessus les miaulements de Nan. J'ai réservé une table chez Alain. »

Je sortis la main de la poche de ma blouse et la fixai.

« Ne t'en fais pas, c'est pour moi, dit-elle avec un sourire.

— Avec le bébé, tu crois ?

— J'ai trouvé un travail, je suis assistante parlementaire à la Chambre des communes. J'ai commencé le mois dernier. C'est génial. »

Elle sortit un rouge à lèvres de son sac à main et se maquilla en se regardant dans le miroir au-dessus du radiateur.

« Mais je croyais que tu voulais voyager. » Je sortis mon sein de mon soutien-gorge et posai la bouche gémissante de Nan sur mon téton dégoulinant, troquant enfin ses cris contre un bruit de succion humide.

« L'opportunité s'est présentée, c'était trop beau pour refuser. » La voix de Louise était déformée par ses lèvres arrondies pour appliquer le rouge. Ma poitrine se serra en repensant à la façon dont elle m'avait rabrouée et rejetée quand j'avais décidé de ne pas me conformer à nos projets. « Je suis sûre que tu n'as pas mis les pieds dans un restaurant depuis des semaines. Cela te fera du bien », dit-elle. Son reflet dans le miroir me tendit le rouge à lèvres. Je fis non de la tête.

« Pas sûre. Tout dépend si Nan s'endort. »

Louise fit claquer ses lèvres. « Si elle ne s'endort pas, on peut la laisser dans la chambre et refermer la porte, aucun voisin ne viendra se plaindre ici. » Elle s'assit sur la petite table carrée sur laquelle nous avions coutume de manger nos ragoûts de pommes de terre et haricots, et tapa la cendre de sa cigarette au-dessus d'un cendrier.

« Je ne peux pas la laisser ici toute seule. »

Elle marqua une pause et dit : « Non, bien sûr, je suis sotte. On va l'emmener avec nous. Viens. »

Avec Nan, endormie cette fois, nous recommençâmes la manœuvre à l'envers, les escaliers, la porte, le chemin jusque Chez Alain, le landau rebondissant sur les marches.

« Madame, commença le maître d'hôtel français, avant même que nous ayons mis un pied à l'intérieur, les enfants ne sont pas autorisés à l'intérieur du restaurant.

— Mais j'ai réservé une table, protesta Louise.

— Je suis désolé. » Il n'en avait pas l'air. « Cela nuirait à la tranquillité de nos clients.

— C'est ridicule. J'ai fait une réservation et maintenant je voudrais déjeuner. »

Nan pleurnichait. Je remuai le landau. Elle se mit à pleurer. Je sentis la piqûre légère du réflexe d'écoulement, puis le lait qui déborda de mes seins. L'homme haussa les épaules, tournant déjà les talons.

Louise et moi nous assîmes sur un banc dans les jardins de Saint-George, là où quatorze mois à peine plus tôt je lisais tes livres. (Comment les choses pouvaient-elles avoir à ce point changé ?) Elle rompit la tourte au jambon que nous avions achetée chez Levitt. Je me décalai sur le côté, gênée d'avoir à nourrir Nan en public, penchée en avant, m'efforçant de sortir mon sein tout en passant la tête de Nan sous ma blouse.

« Pour l'amour du ciel, Ingrid, lança Louise, la bouche pleine de tourte. Sors ce sein. Qu'est-ce que ça peut faire qu'on te voie ? Tu n'étais pas si pudibonde avant. »

Les larmes me piquaient les yeux. J'eus besoin de mes deux mains pour installer Nan. « Alors, et ce nouveau travail ? » demandai-je.

Elle me raconta qu'elle avait aperçu Barbara Castle[1] de dos, alors que le Premier ministre marchait dans un couloir de la Chambre des communes, et qu'elle était en train de rassembler son courage pour aller se présenter à elle, après l'été, quand le Parlement se réunirait de nouveau. Louise était exaltée, pleine de vie, pleine de Londres. Elle tint la part de tourte pour que je puisse manger tout en gardant Nan au sein. Je me penchai pour prendre une bouchée, le gras de la pâte me dégoulina sur les lèvres. Louise rattrapa un morceau et me le fourra dans la bouche avec un doigt, nous échangeâmes un sourire et, désolée, je sentis de nouveau les larmes me monter aux yeux.

1. Députée puis présidente du Parti travailliste, elle fit adopter l'Equal Pay Act en 1970 qui instaura l'égalité des salaires entre hommes et femmes au Royaume-Uni.

« La maternité n'est pas exactement ce à quoi tu t'attendais, n'est-ce pas ? dit-elle, en terminant la tourte et se léchant les doigts.

— Ça me plaît beaucoup. C'est merveilleux. »

Je m'essuyai la bouche sur l'épaule. Pas question de lui donner l'occasion de me servir un « Je te l'avais dit », comme elle en rêvait.

« Et ton mari ? Lui aussi, il est merveilleux, je suppose ?

— Oui, bien sûr. Il adore Nan. Il écrit tous les jours, son prochain roman sera bientôt terminé.

— Et la vie chez les bouseux ? » Elle renifla.

« Tu n'as absolument aucune idée de ce qu'est ma vie, Louise, alors comment peux-tu te permettre de la juger ? »

J'élevai la voix, Nan tressaillit. Elle avait lâché mon sein et s'était endormie, mais je ne voulais pas prendre le risque de la réveiller.

« Je peux imaginer. » Louise croisa les bras et les jambes – elle portait des collants opaques malgré le plein été. « Tu es malheureuse, tu regrettes d'avoir pris cette décision mais maintenant tu es coincée. Tu n'as pas de diplôme et tu dépends financièrement d'un homme. Tu as un bébé, mais tu n'as pas un sou ni nulle part où aller. Tu vis dans le fin fond de nulle part, tu n'as rien à faire de tes journées à part changer des couches et donner le sein. »

Je secouai la tête, m'apprêtant à l'interrompre, mais Louise n'avait pas terminé : « Ton mari passe son temps à travailler sur un roman, dont tu sais qu'il ne se vendra pas. Quand ton bébé te lâche enfin le sein, tu t'endors en pleurant et tu recommences le lendemain.

— Comment oses-tu ? » Je me levai et hissai Nan sur mon épaule, au passage une giclée de lait me coula du sein jusque sur le ventre. « Tu ne sais absolument rien de ce que c'est d'être une épouse et une mère. Rien de rien.

— Et je n'en ai aucune envie », répondit Louise, avant de reprendre plus calmement : « Mais je peux t'aider. » Elle posa la main sur mon bras. « Si tu veux le quitter, je pourrais t'aider maintenant, j'ai de l'argent. »

Je m'éloignai d'elle. « Je ne crois pas, non. » Je mis Nan dans le landau, sans même prendre la peine de la couvrir. Elle avait assez mangé et dormait d'un sommeil de plomb.

« Réfléchis-y, dit Louise en se levant à son tour.

— Je dois y aller. »

Je débloquai le frein du landau. « Merci pour… » J'hésitai. « La tourte au jambon », terminai-je, et je poussai le landau hors du parc.

Je restai une demi-heure dans les toilettes pour dames de la gare à tenter de me refaire une beauté en attendant le train. Bien obligée de laisser la porte ouverte pour être sûre que personne n'allait se faire la malle avec ce fichu landau. La gare débordait de jeunes gens aux cheveux hérissés en pointe avec des anneaux dans le nez, de filles si serrées dans leurs jeans que le tissu semblait avoir été directement cousu sur elles. Personne à Londres ne portait plus ni pantalons pattes d'éléphant, ni talons compensés. Les bancs publics ployaient sous le poids des punks qui s'y étalaient, fumant, se bousculant et riant. En passant devant une de ces filles aux yeux de charbon, à la peau granuleuse, en la voyant ouvrir la bouche pour tirer la langue jusqu'au menton, je me rendis compte tout à coup qu'elle devait avoir dans les vingt et un ans, le même âge que moi.

J'essayai de t'appeler depuis une cabine téléphonique devant la gare, le landau calé de l'autre côté de la vitre pour que je puisse voir le bébé, terrifiée à l'idée que quelqu'un l'emporte. Londres était si plein de monde, de bruits, de saletés ; j'avais peur.

Il faisait nuit quand je descendis du bus à l'arrêt du magasin du village. Nan avait dormi tout le long du trajet : dans le wagon à bestiaux, dans le ferry et dans le bus où j'avais moi-même somnolé. Une fois le bus reparti, l'odeur de la mer, le noir à couper au couteau et le sublime silence me galvanisèrent, j'étais déterminée à prouver à Louise qu'elle se trompait. Je ferais tout ce que je pourrais pour être heureuse. Ma maison était ici. Nous fîmes un détour, Nan et moi, jusqu'au parking devant la plage, où j'entendis le frôlement des vagues qui venaient lécher le sable et plus loin le bruit de l'eau se retirant des creux entre les rochers. J'aurais aimé marcher le long de la mer et remonter le sentier côtier, mais aussi luxueux qu'il fût, mon landau n'allait quand même pas rouler dans le sable.

Lorsque j'arrivai enfin, ta voiture était dans l'allée et il y avait une lumière allumée dans la maison. Je retournai le landau pour le hisser sur les trois marches du perron, puis je le garai, dans un coin au fond de la véranda, avec Nan encore à l'intérieur. La porte d'entrée n'était pas verrouillée et, lorsque je l'ouvris, de la musique et de la lumière me parvinrent.

« Coucou ! appelai-je. Nous sommes rentrées ! » La musique s'arrêta, laissa place au grésillement et au cliquetis de la fin du disque. Je poussai la porte – il n'y avait personne à l'intérieur. Je soulevai le diamant et éteignis le tourne-disque. Dans notre chambre, les lumières étaient éteintes, mais en passant une tête je pus constater que les draps étaient restés dans l'état où je les avais laissés le matin même. Je remontai le couloir. Je ne sais pas ce qui me poussa à regarder partout, mais je vérifiai la chambre d'amis, puis la chambre d'enfant. Rien n'avait bougé. Personne dans la cuisine non plus, pourtant l'air était chargé d'une odeur d'huile chaude et de vieille nourriture. Le silence alentour était épais, j'avais l'impression d'avoir oublié un endroit dans mon tour d'inspection.

Les premiers temps où j'ai habité au Pavillon de nage, ni toi ni personne dans le village ne verrouillait la porte de sa maison. Après la construction du parc de loisirs, avec ses chalets en préfabriqué et la promesse de vacances bon marché sur la côte, les résidents permanents de Spanish Green se mirent à fermer leur porte à clé le soir. Je savais que tu n'aurais pas laissé la porte d'entrée ouverte sans une bonne raison.

J'avais parcouru le couloir dans l'autre sens et me trouvais devant la salle de bains lorsque j'entendis le bruit : évoquant, quoiqu'en plus étouffé, le cri d'une jeune mouette ; le bruit d'un animal, à intervalle d'une minute, répétitif, persistant. Je tendis l'oreille. Cela venait de l'extérieur. Je retournai à la véranda où le son était plus fort. Je jetai un coup d'œil à Nan toujours endormie et j'allai dans le jardin. Il y avait une lumière allumée dans ton atelier d'écriture, je suivis le sentier qui serpentait à travers l'herbe penchée. Sans doute un oiseau entré par erreur dans la pièce et qui était pris au piège. Je fis encore deux pas pour atteindre la fenêtre. La lampe à huile brûlait, projetant une lumière jaune sur ta table d'écriture et un petit carré au sol, le reste de la pièce était plongé dans l'obscurité. J'appuyai mon nez sur la vitre.

Il me fallut un moment pour comprendre ce que je voyais, pour donner du sens aux formes qui se découpaient dans le noir : tu étais au fond de la pièce, à genoux au sol, face au lit, je te voyais de dos, courbé en avant, la dernière vertèbre au sommet de ta colonne captait la lumière, ainsi penché ton corps projetait une ombre triangulaire comme si tu étais un lézard ou un dinosaure. Je pensai d'abord que tu devais être en train de prier. J'apercevais la raie de tes fesses, les plantes de tes pieds, croisés l'un au-dessus de l'autre. Il y avait un oreiller sous tes genoux, pour ne pas avoir mal supposai-je. Le cri d'oiseau jaillit à nouveau, et tu relevas la tête. Je luttais pour comprendre ce que je voyais tout en songeant, Gil ne peut pas être en train de prier, il ne croit en rien.

Connais-tu ce dessin ? Lorsqu'on le regarde la première fois, on voit une vieille bique au nez crochu, mais si on l'observe plus attentivement, on distingue une jolie fille en manteau de fourrure avec une plume dans les cheveux. Enfin, je vis la femme, étalée les bras en croix sur la couverture en velours du lit, tes mains lui écartant les cuisses, ses mollets et ses pieds de part et d'autre de ton corps. Et tandis que je contemplais ce spectacle, elle se redressa pour poser une main sur ta tête, te guider, enfoncer ton visage en elle. Puis elle leva la tête, ses cheveux bruns, courts, et ouvrit les yeux. Elle avait les yeux vitreux, comme Nan à sa naissance, et elle eut beau regarder droit vers la fenêtre, elle était si absorbée par l'instant présent qu'elle ne me vit pas. Elle ouvrit la bouche, laissa échapper ce cri à nouveau et son corps convulsa en rythme avec le son qu'elle émit.

Ingrid

[Dans *Nous sommes les gens dont nos parents nous disaient de se méfier*, de Nicholas von Hoffman, 1968]

25

Il était environ cinq heures du matin quand Flora renonça définitivement à se rendormir. Tandis qu'elle se glissait hors de la chambre, Nan, elle, continuait de respirer régulièrement et profondément. Elle prit une serviette dans la salle de bains, passa la robe de sa mère et descendit à la plage. L'air du petit matin était frais, la brume nichait dans les creux et le soleil levant apparaissait derrière un brouillard de chaleur qui promettait une journée de beau temps. Elle nagea jusqu'à la bouée : derrière elle, une plage vide, autour d'elle, l'eau toujours aussi froide, en tout cas jusqu'au bord, là où il n'y avait presque plus de fond et où l'eau devenait miraculeusement plus chaude que l'air autour. Elle regagna sa serviette sur la plage, il y avait là un inconnu qui promenait son chien et qui s'arrêta pour la regarder.

« La plage des nudistes est de ce côté », dit-il en pointant la direction de la côte.

Flora lui lança un regard agacé, ramassa sa robe et sa serviette, et glissa les pieds dans ses tongs. Elle ne remit la robe qu'une fois parvenue tout en haut du sentier côtier.

Elle pensait trouver toute la maison encore endormie, mais lorsqu'elle entra, Flora entendit des voix qui venaient de la grande chambre. Le lit était vide, Nan était accroupie à côté d'un des pieds sculptés tandis que Richard était allongé sous le cadre du lit, tel un garagiste sous le châssis d'une vieille voiture.

« Est-ce que je vais chercher une lampe torche ? proposa Nan.

— Où est Papa ? demanda Flora.

— Dans ton lit, il dort », répliqua-t-elle sans même lever la tête, et elle s'adressa à Richard : « Peut-être que les montants sont vissés les uns aux autres.

— Que se passe-t-il ?

— Richard démonte le lit.

— Enfin, j'essaie. » Sa voix était étouffée.

« Tu ne peux pas faire ça. Pourquoi tu ferais ça d'ailleurs ? » dit Flora.

Elle s'agrippa à l'un des montants. Ses doigts connaissaient par cœur les ondulations grimpantes jusqu'aux faîteaux en forme d'ananas, chaque ourlet de chaque feuille, chaque bourgeon clos. Au milieu de chaque pilier, le bois était noirci par des siècles de doigts agrippés, caressants ou cramponnés. Dans le feuillage de chaque façade, se dissimulait un petit animal : souris, vairon, vipère et roitelet. Petite, Flora s'amusait à imaginer comment le vairon avait pu survivre hors de l'eau tout ce temps. La bouche béante du minuscule poisson semblait chercher de l'air vers le haut, et lorsque, enfant, elle avait pris son courage à deux mains et posé son doigt entre les lèvres de la petite créature, elle avait constaté que le trou était encore plus profond que la longueur de son doigt. Le 2 juillet 1993 – un an après la disparition de sa mère –, Flora avait célébré cet anniversaire, toute seule, en laissant tomber une des dents d'Annie dans le trou béant.

Nan prit une grande inspiration : « Si le lit est entré, nous devrions pouvoir le faire sortir.

— Vous ne pouvez pas faire ça, dit Flora en s'adressant aux jambes de Richard et à l'arrière de la tête de Nan.

— Je ne suis pas sûr que ce soit aussi simple de toute façon. » Richard s'enfonça encore davantage sous le lit. « Possible qu'un charpentier l'ait assemblé à l'intérieur de la pièce. Il n'y a pas la moindre vis, les montants sont comme soudés entre eux. »

Il ressortit en toussant. « Il y a des tas de trucs là-dessous – des valises, des livres.

— Oh mon Dieu, j'avais oublié tout ce bazar, s'écria Nan.

— Ça suffit ! cria Flora pour attirer leur attention. C'est le lit de Papa. Vous ne pouvez pas le démonter comme ça. Je vais lui parler. »

Elle sortit.

Nan rattrapa sa sœur par le bras. « Flora, il y a un nouveau lit qui arrive, un lit d'hôpital, réglable.

— Pourquoi est-ce qu'il aurait besoin d'un truc pareil ? Tu lui as demandé s'il en voulait un ?

— Laisse-le dormir. »

Nan serra son bras.

« Pas question. Si c'est pour que tu disperses ses affaires aux quatre vents chaque fois qu'il a le dos tourné. » Elle libéra son bras d'un coup sec, en le lançant au-dessus de sa tête. « Je suis sûre qu'il aura un avis sur la question. »

Nan tenta de rattraper Flora par le bras, comme si c'était le seul moyen de l'arrêter, de la faire taire. Flora pivota sur le côté.

« Calme-toi, siffla Nan, tu vas le réveiller.

— Tu as prévu de prendre quoi ensuite ? cria Flora. Les canapés ? Ou bien les tableaux, qu'est-ce que tu en penses ? Ça te plairait un tableau ? »

Elle alla à grands pas vers les fenêtres qui surplombaient la mer. « Je suis sûre que c'est là quelque part. » Elle poussa la pile de livres la plus haute contre le mur, les volumes, petits et grands, s'étalèrent par terre. Juste derrière il y avait une marine dans un cadre épais. « Le voilà. » Elle tira sur le tableau, mais il était fixé au mur avec des agrafes pour miroir et ne bougea pas d'un centimètre. « Désolée, Nan, apparemment tu ne pourras pas emporter ce tableau, à moins que Richard ne te le décroche avec sa putain de dévisseuse.

— Flora, arrête. S'il te plaît, dit Nan en traversant la pièce.

— Que j'arrête quoi ? Que j'arrête quoi ? hurlait à présent Flora.

— J'essaie de te le dire depuis plusieurs jours. Il ne s'agit pas juste d'un poignet foulé et d'un œil au beurre noir », cria Nan.

Flora vit l'expression sur le visage de Richard, ses lèvres serrées en une fine ligne. « Tu n'as donc rien compris ?

— Je ne sais absolument pas de quoi tu parles.

— Il est en train de mourir. »

Nan ouvrit les mains devant elle, comme si elle s'apprêtait à réceptionner sa sœur. Il y avait quelque chose en elle qui refusait de bouger, un rocher qui ne voulait pas avancer.

« Qui ?

— Pour l'amour du ciel. Pourquoi il faut toujours que chaque conversation soit une épreuve avec toi ? »

Nan posa sa main sur son front, Richard avait commencé à reculer puis il s'était cogné à l'un des pieds du lit. Au-dessus de son oreille gauche, un filament de toile d'araignée était resté accroché dans ses cheveux. L'espace d'une seconde, Flora pensa que ce devait être de lui que Nan voulait parler.

« C'est à cause de toi, c'est toi qui ne dis jamais ce que tu penses vraiment ! » Flora avança vers Nan, la tête en avant, tel un taureau prêt à charger.

« Notre père est en train de mourir. Il a un cancer du pancréas ! » cria Nan en attrapant Flora par les épaules. La réaction de Flora fut instinctive, animale, elle leva la main en l'air, le poing serré sans même qu'elle s'en soit rendu compte, et frappa sa sœur en pleine poitrine. Nan poussa un cri, se plia en deux et tomba à la renverse, au moment même où Richard se jetait en avant.

« Flora, Flora », tenta-t-il de la contenir, mais elle ne cessait d'agiter les bras, les mains, giflant, frappant jusqu'à ce qu'il l'esquive et se dégage, hors d'atteinte.

– Non », dit-elle en s'asseyant. Entre les mèches de cheveux collées à son visage par les larmes et la morve, elle distingua Richard, la main sur la bouche. Puis Flora rampa jusqu'à Nan, à quatre pattes, marchant sur les couvertures déchirées des livres piétinés, se prenant les genoux dans sa robe, et Nan ouvrit les bras et la berça comme un bébé. Plus tard, elle sentit la présence de Richard, accroupi à côté d'elles. Sa silhouette aux couleurs si pâles et à l'odeur délavée, délicate.

« S'il te plaît, est-ce qu'on peut garder le lit ? » souffla Flora contre la poitrine de sa sœur. Nan ne répondit pas, mais Flora entendit, tout contre son oreille, le rythme de sa respiration ralentir, les battements de son cœur redevenir réguliers.

26

Pavillon de nage, 14 juin 1992, 4 h 10 du matin

Cher Gil,

Vendredi, la maîtresse de Flora a appelé. Elle voulait savoir si je pourrais venir pour « discuter un peu lundi ».

« Que se passe-t-il ? » ai-je demandé, en mon for intérieur je pensais, *Quoi encore ?* (Pourquoi suis-je incapable d'imaginer qu'il pourrait y avoir une bonne nouvelle ?)

« Je préférerais que vous et votre mari veniez me voir à l'école. Ce ne sera pas long. »

J'avais envie de lui dire que tu ne viendrais pas avec moi parce que tu n'étais pas là et que je ne savais pas où tu étais, même si j'avais bien une petite idée. Mais à la place, j'ai pris ma voix la plus enjouée et j'ai dit :

« Bien sûr, je prendrai le car avec Flora lundi. »
Je ne suis pas une bonne mère.

Après que j'ai compris qu'il ne s'agissait pas d'écriture au fond du jardin, après avoir pleuré, fait mes valises, après que tu m'as supplié, tu m'as écrit une autre lettre. Je ne l'ai pas gardée, mais elle était courte et je m'en souviens très bien.

Ingrid,
Je sais que j'ai tout gâché. Je sais qu'il n'y a aucun moyen de réparer ce que j'ai détruit. Je suis un sale enfoiré. Un sale enfoiré qui t'aime.
Je t'en prie, ne me quitte pas.

Gil

Tu avais laissé la lettre au-dessus d'une grande boîte en carton, sur le lit. À l'intérieur de la boîte, il y avait une robe : plusieurs épaisseurs de mousseline rose sous un bustier brodé de perles d'argent et de sequins, vintage, chère. Sans réfléchir, je l'ai sortie et l'ai mise devant moi, caressant le tissu du bout des doigts, avant de me reprendre tout à coup et de la fourrer dans la boîte. Je n'ai jamais porté cette robe, mais je l'ai quand même suspendue dans mon placard car j'étais proprement incapable de la jeter.
Malgré la lettre et la robe, je refusais de te laisser dormir dans la maison. Chaque soir, après avoir dit bonne nuit à Nan, tu me jetais ce regard triste et je te demandais de regagner ton atelier

d'écriture. Je voulais que tu dormes là-bas : comme on fait son lit on se couche, littéralement. La nuit, cette maison était la mienne et celle de notre fille. La nuit, ce serait ainsi que cela se passerait (c'est toujours le cas d'ailleurs) : je m'efforce de rester debout aussi tard que possible mais vers 22 h 15 mes yeux cuisent dans leurs orbites, et je sens que je vais piquer du nez sur la table de la cuisine, ou m'endormir sur ma chaise, alors je monte me coucher. Je m'étends sous les draps et sombre dans le sommeil. À 2 h 35, l'horloge digitale sur la table de chevet affiche la fin de ma nuit. Je n'ai pas de temps de réveil ; je suis juste réveillée, d'un coup. J'espère toujours qu'en restant allongée, immobile, les yeux fermés, le sommeil finira par me reprendre. À 2 h 56, j'ai les yeux secs, irrités, et mon esprit, tel un papillon, vole d'un monstrueux problème à l'autre, incapable de se fixer ou d'en résoudre aucun. À 3 h 12, je suis furieuse contre moi-même, contre le sommeil, contre les filles, contre toi. Je roue le matelas de coups et m'enfonce les doigts sur les yeux jusqu'à ce qu'ils semblent sur le point d'exploser. Je me redresse, laisse retomber mon menton sur ma poitrine et attends ainsi jusqu'à 3 h 21, heure à laquelle je repousse la couverture du lit, me mets debout à la fenêtre et regarde vers ton atelier d'écriture. La lumière n'est jamais allumée, bien sûr. Quand il fait très froid, je fais les cent pas entre le salon et la cuisine, et depuis peu, je m'enveloppe dans une couverture, je m'assieds à la table de la véranda et je t'écris.

À 4 h 33, je suis gagnée par l'angoisse de la journée à traverser sans pouvoir dormir avant le soir suivant. Rien que de penser au jour qui va bientôt se lever, j'ai la nausée, à l'idée de devoir lever Nan et Flora, leur faire un petit-déjeuner, préparer leurs paniers-repas, chercher une paire de baskets égarée, l'argent pour le voyage de classe, et passer le reste de la journée debout si je veux avoir une chance de fermer l'œil la nuit venue. À 5 heures, je rends les armes et je vais nager.

Durant des mois, je déambulais dans la maison comme un cheval nerveux prêt à décocher une ruade, tandis que tu te montrais excessivement gentil, étrangement enjoué, comme un garçon d'écurie, une bride à la main et un bâton caché dans le dos au cas où. Nos conversations étaient anecdotiques, nous parlions du menu du dîner, du moment où tu serais libre pour m'emmener faire les courses à Hadleigh et acheter à manger si jamais je ratais le bus. Nous ne nous touchions pas, ne nous embrassions pas, je ne me laissais pas approcher. Souvent je songeais à partir. Une ou deux fois, je suis allée jusqu'à composer le numéro de Louise mais j'ai toujours reposé le combiné avant qu'elle décroche. Une autre fois, j'ai rempli cette valise bleue de toutes mes affaires, mais je ne voyais pas comment j'aurais réussi à tout porter en plus des affaires de Nan et à pousser son landau en même temps. J'ai donc défait la valise et remis tous les vêtements à leur place.

Et puis j'ai songé à partir sans elle.

Plusieurs fois, cet été-là, les gens débarquèrent sans avoir été invités (même pas par Jonathan) pour venir profiter du soleil, de la plage, pour venir camper sur notre pelouse comme l'été précédent. Toi, tu les évitais, mais moi j'étais contente qu'ils soient là, et si je suis vraiment honnête, j'étais contente parce que toutes ces jeunes filles, pieds nus sous leurs jupes longues, adoraient Nan. Un jour, j'en ai même surpris une, c'était une femme qui devait avoir dix ans de plus que moi, en train de donner le sein à Nan. Elle était torse nu, assise sur un matelas avec ses amies, souriant vers les petites lèvres de notre fille suspendue à son téton. À l'époque je ne comprenais pas comment c'était possible, comment elle pouvait avoir du lait, plus tard j'ai compris. Lorsqu'elle me vit, elle rougit des joues jusqu'à la gorge, elle glissa un doigt dans la bouche de Nan, l'ôta de son sein et me la tendit, mais je secouai la tête et m'assis à côté d'elle. Elle retrouva son sourire et remit la bouche humide de Nan à son sein.

Et puis Jonathan s'installa à demeure.

Il avait passé deux jours à la maison après la naissance de Nan, mais cette fois il arriva avec un nounours qui grognait quand on le retournait, deux bouteilles de Kilbeggan et une meule de fromage au lait cru.

Nous étions tous les deux tellement heureux de le voir que nous rendîmes les armes pour la première fois et passâmes cette première soirée tous les trois à nous passer le bébé autour de la table en même temps que le vin et le fromage, jusque tard dans la nuit.

« Ça sent les chiottes, dis-tu quand je déballai le fromage.

— J'ai campé dans la ferme où ils le fabriquent et j'ai même aidé à traire les vaches, déclara Jonathan.

— Jonathan – champion du monde toutes catégories de la grasse matinée – s'est levé pour aller traire les vaches ? lançai-je la bouche pleine de fromage et de crackers.

— Faut ce qu'il faut quand on est un écrivain voyageur. » Il rit, puis s'interrompit. « Il s'est passé une chose terrible pendant que j'étais là-bas. » Nous étions suspendus à ses lèvres. Ses yeux se détournèrent de nos regards pressants, et dans un geste théâtral il posa la main sur sa bouche. « Une petite fille est tombée dans le marais, elle a disparu.

— Mon Dieu, dis-je.

— Disparu ? interrogeas-tu, en serrant Nan contre toi. Comment c'est possible de disparaître dans un marais ?

— Son frère avait parié avec elle qu'elle n'oserait pas sauter par-dessus. Elle a sombré et il n'a pas réussi à l'en sortir.

— Oh mon Dieu, repris-tu. Quel âge avait-elle ?

— Six ans. Son frère a couru jusqu'à la laiterie et avec tout un groupe, nous nous sommes précipités là-bas avec lui, mais il n'arrivait pas à se souvenir où elle avait coulé exactement et nous n'avons rien trouvé. Rien du tout. Tout le village s'y est mis.

— Et vous ne l'avez pas retrouvée ? demandai-je.

— Elle avait disparu, répondit Jonathan.

— Pas même un corps à enterrer ? Je ne peux rien imaginer de pire. »

Le silence retomba entre nous jusqu'à ce que tu reprennes : « Bien sûr que non, ce n'est pas cela le pire. Trouver le corps est encore plus terrible, plus définitif. S'il y a un cadavre, alors il n'y a plus le moindre espoir.

— Crois-moi, elle avait disparu, dit Jonathan.

— Peut-être, ou bien un jour elle reviendra à Bally-je-ne-sais-quoi, en disant qu'elle s'était juste cogné la tête, qu'elle avait oublié qui elle était et erré au hasard. Sans le corps, ses parents sont libres d'imaginer n'importe quoi, et de tout espérer, rétorquas-tu.

— Mais peut-être qu'ils ne cesseront jamais d'espérer alors. Quel genre de vie cela sera ? On ne peut pas vivre ainsi, sans savoir, fit remarquer Jonathan.

— Cela veut dire que le cerveau est capable de prêter foi à deux idées contradictoires en même temps : l'espoir et la peine. C'est ce que les hommes font en permanence avec la religion – la chair et l'esprit – tu sais. L'imagination et la réalité.

— Revoilà ta bonne vieille éducation catholique, ironisa Jonathan. Passe-moi le whisky pour que je ne me mette pas à déprimer. »

Vous avez discuté à bâtons rompus et continué de boire toute la soirée jusqu'à ce que Nan s'endorme dans tes bras. J'étais allongée sur le canapé, la tête posée sur les jambes de Jonathan, fermant les yeux de temps à autre, me laissant aller et venir sur le seuil de la conscience.

« Je suis tombé sur Louise pendant que j'étais à Londres, tiens, dit Jonathan.

— La Louise d'Ingrid ? demandas-tu. Je ne l'ai pas revue depuis le mariage. »

J'entendis le whisky couler de nouveau, deux verres tinter l'un contre l'autre.

« Je l'ai invitée à dîner.

— Vraiment ?

— Bon, d'accord, c'est elle qui m'a invité.

— Toujours à fond dans le mouvement de libération des femmes ? » Ta voix s'éloignait, tu avais dû te lever, nous tourner le dos.

« Je suppose. C'est elle qui a payé en tout cas.

— Et tu l'as remboursée en nature, je suppose ?

— En nature, tu n'es jamais quitte. Et de toute façon je ne suis pas son genre. »

J'entendis un clic, tu avais mis en route le tourne-disque, puis il y eut un bruissement quand tu posas un disque dessus. La musique commença, le diamant se cala au début de la chanson. Nichée sur le canapé d'en face, Nan émit un petit cri et tu baissas tout de suite le son.

« S'il y avait une offre sur la table, je me ferais un plaisir d'auditer ses actifs immobilisés de fond en comble, déclaras-tu tranquillement.

— Je suis sûr que tu les dévaluerais.

— Il y aurait sans doute un mouvement ascendant des biens et services, c'est possible. » Vous avez ricané comme deux gamins, sous ma tête les muscles de la jambe de Jonathan se sont raidis.

« Et sinon, la vie de famille ? demanda Jonathan.

— Bien, tout va bien. » Tu n'étais pas franchement convaincant.

« Je n'ai pas pu m'empêcher de remarquer qu'il y avait quelque chose dans l'air.

— Quoi donc ? » Tu semblais sur la défensive.

« Ça te manque de ne plus être le célibataire du coin, n'est-ce pas ?

— J'en ai fini avec tout ça, tranchas-tu en élevant la voix, de sorte que je me demandais si tu savais que je vous écoutais.

— Vraiment ? Je ne savais pas que tu prenais les vœux du mariage autant au sérieux. Tu sais, je n'aurais jamais pensé que tu t'installerais à la campagne. Est-ce que cet endroit n'était pas censé être uniquement dédié à l'écriture et aux fêtes ? Je croyais que tu t'étais échappé une bonne fois pour toutes à la mort de ton père.

— Qu'est-ce que tu veux dire ? Qu'est-ce qu'Ingrid t'a raconté ?

— Je n'ai pas parlé à Ingrid », répondit Jonathan. Il y eut un silence. Pendant lequel peut-être m'avez-vous regardée tous les deux, en essayant de déterminer si j'étais endormie ou non. « Ne lui fais pas de mal, Gil. Elle mérite mieux. Si tu prévois de te taper toute la ville, laisse-la partir. » Aucun d'entre vous ne dit un mot, vous buviez, jusqu'à ce que Jonathan ajoute : « Et je ne pensais pas non plus que c'était le rêve d'Ingrid de vivre pieds nus et enceinte. Je croyais qu'elle voulait plus.

— Je l'ai sauvée, déclaras-tu sans une once d'ironie dans la voix.

— De quoi l'as-tu sauvée ?

— D'une vie triste et solitaire.

— Bon sang, Gil. T'as l'air d'y croire en plus. »

Tu répliquas peut-être mais je n'entendis rien. « Eh bien, poursuivit-il, tu ferais bien d'écrire un peu plus vite. Et de sortir ton prochain livre avant qu'elle sorte son prochain môme.

— C'est l'idée, répondis-tu en bâillant. Il faut que j'aille me coucher. Je ne peux pas tenir ton rythme et boire jusqu'au bout de la nuit comme ça, je suis un père de famille maintenant. »

Je t'entendis aller aux toilettes au bout du couloir.

Au-dessus de ma tête, Jonathan remua le whisky au fond de son verre et le vida d'un trait. J'en humais les effluves à son haleine penchée sur mon visage. Après quelques instants, il murmura : « Ingrid. » Ses doigts dégagèrent les mèches qui me tombaient sur le visage et caressèrent ma joue.

J'ouvris les yeux et le regardai. « En Norvège, dis-je, quand une personne se noie, il faut aller la chercher dans un bateau à rames avec un coq à bord.

— Ah oui ?

— Lorsque le bateau passe au-dessus du corps, le coq est censé se mettre à chanter. Alors le corps peut être dragué et enterré comme il se doit. »

Je ne sais pas ce que Jonathan aurait dit – est-ce qu'il aurait préféré savoir ou bien vivre avec l'espoir ? – parce qu'à ce moment nous t'avons entendu revenir des toilettes. Je me suis assise.

« Viens, ma belle endormie, c'est l'heure d'aller au lit », me dis-tu. Tu t'approchas de moi et me pris par la main comme si les mois qui venaient de s'écouler n'avaient jamais existé ; nous ne nous étions plus touchés depuis des semaines. Tu m'attiras loin des genoux de Jonathan et m'emmenas dans notre chambre sans lui adresser un regard.

Je continuais d'allaiter Nan, et Jonathan recevait de temps à autre un peu d'argent pour ses chroniques de voyage, néanmoins avec trois bouches à nourrir et la réserve de whisky qui diminuait à vue d'œil, l'argent demeurait un problème. Nous nous nourrissions de légumes et de lentilles, et de temps en temps j'achetais les invendus d'un pêcheur. Quand un matin je me réveillai avec la nausée, je la mis sur le compte d'un poisson pas frais, mais lorsque la nausée réapparut, je sus. Tu avais toujours insisté pour utiliser le retrait comme moyen de contraception (ce devait être un truc de catholique, me disais-je). J'aurais dû me montrer plus ferme, j'aurais dû insister pour prendre la pilule, j'aurais dû la prendre sans même que tu le saches. J'avais déjà commencé à imaginer ce que serait ma vie quand Nan aurait grandi, tous les endroits où je pourrais aller, toutes les choses que je pourrais voir, sans avoir besoin que tu m'accompagnes. À présent les murs du Pavillon de nage se refermaient sur moi. Et lorsque tu me trouvas agenouillée à côté des toilettes, je n'eus pas besoin de t'expliquer ce qui se passait.

« Deux sur six, tu te souviens ? » lanças-tu dans la cuisine où nous avions retrouvé Jonathan. Tu me pris dans tes bras et tu donnas une claque dans le dos de Jonathan.

« On n'a pas les moyens, dis-je.

— Bien sûr que si.

— Je ne vois pas sur quoi je peux encore rogner pour faire des économies.

— Je vais trouver un travail. Ça va aller. »

Jonathan éclata de rire, mais il s'interrompit en voyant ta tête.

« Quoi ? dis-tu. Tu crois que j'en suis incapable ? lanças-tu.

— Quel genre de travail ? demanda Jonathan.

— Je ne sais pas. » Tu balayas la question d'un revers de la main ; rien ne pouvait gâcher ton plaisir. « Je trouverai quelque chose à Hadleigh – pêcheur, boulanger, fabricant de bougies, barman chez Martin. »

Jonathan leva les yeux au ciel. Cela l'amusait manifestement.

« En parlant de Martin, repris-tu, une petite fête s'impose pour célébrer cette nouvelle. » Tu te frottas les mains. « Qu'est-ce que vous diriez d'un apéritif avant le déjeuner ?

— Tu as terminé le whisky hier soir, répondis-je.

— Et pourquoi pas cette sympathique petite échoppe sur la route ? Vous savez, celle que

Martin doit avoir ouvert depuis – tu regardas ta montre – une heure environ.

— Je ne crois pas que ce soit une très bonne idée, dis-je.

— Oh, allez. C'est quoi le problème avec vous deux ce matin ?

— Nous n'avons pas assez d'argent pour aller au pub ! me mis-je à crier. Il faut d'abord qu'on rachète du lait, de la lessive, de la nourriture.

— Ne sois pas si rabat-joie, Ingrid. Je te promets que ça va aller. »

Tu passas tes bras autour de moi, tu m'entraînas dans une valse à travers la cuisine, me basculas en arrière et m'embrassas, tout cela sous les yeux de Jonathan.

Nous remontâmes la route jusqu'au Chêne royal, tu portais Nan dans tes bras, Jonathan et moi suivions derrière.

Il y avait plusieurs personnes au pub : ce fermier et sa femme (ceux dont l'écurie avait brûlé pendant le dernier orage) ; Joe Warren qui avait perdu tellement de poids ; Mme Passerini, avec ses doigts jaunes, perchée sur son tabouret habituel au bout du bar ; deux représentants de commerce en alimentation animale prenant un verre pendant leur pause-déjeuner ; et bien sûr Martin, qui servait des verres.

« Gil, lança-t-il avec un sourire et une main tendue, ça fait longtemps qu'on t'a pas vu. »

Mme Passerini descendit de son tabouret d'un pas tremblant, cala sa cigarette au coin de sa bouche et souleva Nan de tes bras. Elle ne pleura pas et se contenta d'agiter ses jambes dans ses petits collants blancs en gazouillant.

« J'ai une grande nouvelle, Martin, annonças-tu. Passe-moi un couvert. » Debout au bar, attrapant une grande cuillère dans un pot à vinaigre, tu la fis tinter contre ton verre. Le pub se tut.

« Mesdames et messieurs, commenças-tu, nous sommes ici aujourd'hui pour célébrer le fait que les Coleman vont faire baisser la moyenne d'âge de ce village à soixante ans. Ma magnifique épouse, Ingrid – tu me fis signe d'approcher et me tins serrée contre toi –, va avoir un autre bébé ! »

Après cela, je passai de bras en bras, comme Nan – enlacée par des voisins pleins de bière, tandis que leurs femmes me caressaient le ventre – quant à toi, tu ne payas pas le moindre verre. À deux heures et demie de l'après-midi, je rentrai avec Nan, et Martin verrouilla la porte derrière nous. Tu ne lui avais pas demandé s'il avait du travail pour toi.

C'était un mois de janvier froid, et tandis que j'attendais que vous rentriez, Jonathan et toi, je me mis au lit avec Nan pour nous tenir chaud. Quand le soir tomba sans qu'aucun de vous deux fût revenu, j'allumai le four en laissant la porte ouverte pour chauffer la pièce, puis je fis cuire quelques carottes et les écrasai en purée. Nan s'endormit, je mangeai le dernier morceau de pain, assise à la table de la cuisine. Une fois au lit, j'entendis la porte d'entrée s'ouvrir, des pas dans la chambre de Nan et le lit d'appoint craqua de l'autre côté du mur. Je grattai le mur de mes poings, Jonathan frappa une fois pour me répondre. Allongée dans le noir, les doigts noués sur mon ventre, je fixai le montant au bout du lit qui s'élevait et disparaissait dans les ombres au plafond. J'étais engourdie. Je t'entendis rentrer avec tout un tas de gens, bien après l'heure de fermeture du bar. Vous continuiez de fêter la bonne nouvelle dans la cuisine.

Je dus m'endormir car, lorsque je me réveillai le lendemain à l'aube, percluse de douleur, tu ronflais à côté de moi, je ne t'avais pas entendue arriver. Les draps sous mon corps, mes jambes, tout était rouge, gluant de sang. Dans la cuisine, je m'appuyai sur le dos d'une chaise, inspirant par le nez, expirant par la bouche. Lorsque les crampes cessèrent, les seules sensations que j'éprouvais (les faits et la vérité, souviens-toi) étaient du soulagement et de la culpabilité.

J'allai aux toilettes, et tandis que je tirais la chasse sur notre second bébé, je fis mentalement la liste de tous ceux qu'il faudrait détromper dans la journée, à commencer par toi, Gil, puis Jonathan, et tous nos voisins. Et je songeai alors, en voyant le nombre de cadavres de bouteilles dans la cuisine, pour lesquelles tu n'avais pas déboursées un centime, qu'ils risquaient de croire que je n'avais jamais été enceinte.

Ingrid

[Dans *Money, money*, de Martin Amis, 1984]

27

Dans l'après-midi, Flora s'installa face à son père dans la véranda. Il faisait encore chaud et les abeilles bourdonnaient autour du chèvrefeuille planté là par sa mère et qui avait depuis envahi tout un pan de la maison. Avec Nan, elles avaient réussi à extraire un des grands fauteuils du salon et l'avaient installé sous un rayon de soleil pour y caler Gil sous une couverture. La dernière fois qu'elle lui avait rendu visite, c'était juste son père, un excentrique retiré du monde, qui passait sa vie dans le Pavillon de nage ou l'atelier d'écriture, sans lui causer le moindre souci. À présent, c'était un vieil homme mourant. Elle n'avait pas encore trouvé comment en parler avec lui, lui dire qu'elle était au courant, elle n'était même pas sûre qu'il y ait quelque chose à dire – peut-être même l'avait-elle déjà compris au moment où elle l'avait vu s'extirper de la voiture à grand-peine deux jours auparavant.

Après lui avoir donné un coup de poing, Flora s'était excusée encore et encore auprès de Nan. Les deux sœurs étaient restées assises par terre côte à côte dans la chambre de Gil, et Nan avait raconté à Flora : les premiers symptômes d'indigestion, de nausée, passés inaperçus, Gil qui ne s'en était pas inquiété, son médecin généraliste non plus, jusqu'à ce qu'il soit trop tard. On avait proposé un protocole de soins à Gil, il avait refusé en disant que cela ne ferait que retarder l'inévitable et qu'il voulait rentrer chez lui le plus tôt possible.

Depuis la véranda, ils observaient les moineaux picorer les miettes de pain que Nan avait lancées, s'éclaboussant de poussière à tour de rôle dans un petit trou qu'ils avaient creusé face aux buissons d'ajonc, puis Flora regarda Gil endormi, ses yeux qui s'agitaient sous ses paupières comme ceux d'un chien qui rêve. Elle prit son bloc de croquis sous sa chaise et sortit un fusain, une gomme mie de pain et un morceau de chiffon qu'elle laissait toujours entre les pages. Le dessin diffusait ses odeurs crémeuses, son jaune caillé et beurré.

Elle se décala à l'ombre pour ne pas être dérangée par le soleil qui tombait sur la page blanche et se mit à dessiner son père, sa tête abandonnée contre l'oreille du fauteuil, sa main droite posée sur ses jambes, l'autre en écharpe, sa joue épargnée, blanche et lisse sous la lumière pâle réfractée par la mer. Avec le chiffon, elle passait la page au fusain, puis elle l'allégeait avec la gomme, l'étalait du bout d'un doigt mouillé.

« Est-ce que tu t'es disputée avec ton petit ami ? »

Flora leva les yeux. Elle croyait qu'il dormait.

« Pas vraiment. » L'angle de sa tête avait changé, elle redessina la ligne qui allait de sa tempe au bas de son menton, en passant par sa joue creusée.

« Ça n'en vaut pas la peine, dit Gil.

— Qu'est-ce qui n'en vaut pas la peine ?

— De contrarier quelqu'un que tu aimes. »

Flora lui lança un regard vif. « Qui a dit que je l'aimais ?

— On ne sait jamais quand on le verra pour la dernière fois. »

Flora scruta son dessin, l'arracha du bloc et le froissa.

Elle recommença, aligna les traits, les ombres et les courbes, suivant indifféremment l'ossature de Gil et la structure du fauteuil. Elle aimait voir jusqu'où elle pouvait aller dans l'économie du dessin tout en préservant un aspect humain reconnaissable. Le cerveau de l'observateur faisait le travail de compensation, comblait les vides – imaginait un nez là où on devinait une narine, reconstituait le pavillon complet d'une oreille là où elle esquissait à peine un anneau. Chacun voyait une image différente. Les doigts de Flora étaient barbouillés de noir, ses ongles étaient sales. L'homme sur la page ne ressemblait pas à son père : il était fort et jeune, éternel. De nouveau elle arracha la page et la déchira.

« Tu ne me montres pas ? demanda Gil.

— C'est nul. J'en ai marre. »

Elle se pencha en avant sur son fauteuil, se cura les ongles. « Papa ? » commença-t-elle, mais lorsqu'elle croisa le regard de son père, elle ne savait plus quelle question elle voulait lui poser – s'il était vraiment certain d'avoir vu Ingrid à Hadleigh, quel effet cela lui faisait de savoir qu'il allait mourir, pourquoi il voulait qu'on brûle tous ses livres. Au lieu de quoi elle enchaîna sur : « Je t'ai dit qu'il a plu des poissons l'autre jour sur la route quand je conduisais la voiture de Richard ? Il y en avait partout, qui rebondissaient sur le toit et le capot.

— Qu'est-ce qui te fait croire que tu ne sais plus dessiner, Flo ? Si tu veux mon avis, le dessin que tu as fait dans *Queer Fish* était sacrément bon. »

Il lui fit un clin d'œil.

Elle feuilleta son carnet de croquis : Nan étendant le linge, Martin lisant le journal en pantoufles, Richard endormi, les lunettes posées de travers sur son visage.

Au bout de quelques minutes, Gil reprit : « Il y a quelque chose que je voulais te demander.

— Quoi ? interrogea Flora.

— Approche ta chaise. »

Elle tira sa chaise vers lui sans se lever.

« Plus près », dit-il. Elle s'avança jusqu'à ce que les accoudoirs de leurs sièges se touchent. Derrière lui, par quelque illusion d'optique, la mer semblait plus haute que la terre, comme aspirée par le pressentiment d'un bouleversement à venir. « Toi et moi, ça a toujours été plus fort, n'est-ce pas, Flo ? J'aurais dû faire un peu de place à ta sœur, et à ta mère bien sûr. Mais c'est trop tard maintenant. Et je voudrais que tu fasses quelque chose pour moi.

— Quoi, Papa ? Je ferai n'importe quoi pour toi. » Elle chercha sa main sous la couverture.

« Je veux que tu me trouves un chausson de bébé. Tu sais, en tricot. »

Flora retira sa main. « Un quoi ?

— Il faut qu'il soit bleu. Je n'ai pas besoin de la paire, un seul suffira. Je me disais que Nan pouvait peut-être en trouver à l'hôpital, mais je ne peux pas lui demander. Elle croirait que je suis devenu fou.

— Bon Dieu, Papa, rit Flora. Je croyais que tu allais me demander quelque chose d'important. J'ai failli avoir un arrêt cardiaque.

— Mais c'est important. Très important. J'en ai besoin, Flora. »

Le visage de Gil était impassible.

« Laisse tomber, Papa. Ça ne prend pas. Et tu en as besoin pour quoi ? Pour un bébé unijambiste ? »

Il ne répondit pas.

« Donc tu es sérieux ? » Flora ne souriait plus.

« Absolument.

— Bon sang, Papa. Qu'est-ce que c'est que cette histoire ?

— Je veux l'enterrer.

— Quoi ? Pourquoi ?

— C'est juste quelque chose que ta mère… » Il s'interrompit au milieu de sa phrase, comme s'il choisissait ses mots. « Tu ne veux pas en parler à Nan, alors ?

— Je ne comprends pas.

— Oublie que je te l'ai demandé. Oublie ça. »

Gil reposa sa main sous la couverture, sa tête sur l'oreille de son fauteuil, et murmura quelque chose.

« Quoi ? » dit Flora. Il ne répéta pas, mais c'était peut-être : « À vendre : chaussures bébé, jamais portées. »

Plus tard, une fois Gil à l'intérieur, Flora ramassa les reliefs de ses dessins déchirés et marcha jusqu'au bout du jardin avec une boîte d'allumettes, elle brûla les pages une à une, et regarda s'envoler les volutes noires parmi les orties.

28

Pavillon de nage, 16 juin 1992, 4 h 35 du matin

Cher Gil,

Hier, avant la sonnerie du matin, la maîtresse de Flora m'a reçue dans sa classe. Elle m'a montré une lettre et m'a demandé si c'était moi qui l'avais écrite :

Chère Madame Layland,

Je suis profondément désolée de vous écrire pour vous dire que Flora n'a pas pu se rendre à l'école hier. Son père est rentré à la maison pour passer du temps avec sa fille, c'est la raison pour laquelle elle n'est pas venue. Je vous écris aussi pour vous dire que, comme il est toujours à la maison, Flo ne reviendra peut-être plus à l'école.

Sincères salutations,

Ingrid Coleman

J'ai pleuré devant la maîtresse de Flora, non parce que cette lettre était la manifestation si évidente du désespoir d'une enfant, pas non plus parce que Flora fait l'école buissonnière et qu'elle me ment, même si c'est ce que Mme Layland a dû penser, mais parce qu'elle n'a pas besoin de moi.

Le 9 février 1978, tu me conduisis au rendez-vous de contrôle que tu m'avais pris avec le médecin. Je ne voulais pas y aller : pour y apprendre quoi ? que j'avais été enceinte et ne l'étais plus ? Tu avais à peine prononcé un mot depuis que je t'avais réveillé ce matin-là. J'avais cru t'entendre pleurer dans la salle de bains, mais le bruit s'était arrêté dès que j'avais appuyé sur la poignée de la porte et prononcé ton nom, tu étais sorti et t'étais assis dans la cuisine devant une tasse de café.

Jonathan était resté une semaine de plus, mais à la fin je crois qu'il ne supportait plus l'atmosphère mélancolique qui régnait dans la maison. J'étais triste de le voir s'en aller, même si le fait de ne plus l'avoir à la maison m'ôtait aussi un poids.

Pendant l'examen, tu attendis dans la salle d'attente jusqu'à ce que le Dr Burnett t'appelle.

« Je suis ravi de vous annoncer que tout est en ordre à l'intérieur. » Le médecin s'adressait à toi. Tu ne ris pas de sa plaisanterie, il poursuivit : « Les fausses couches à ce stade si peu avancé sont beaucoup plus courantes que vous ne pensez. Et Mme Coleman n'a que... » Il regarda l'enveloppe qui contenait toutes les informations dont il disposait me concernant.

« Vingt et un ans », dis-je.

Il leva les yeux de ses demi-lunes, l'air surpris que je sois capable de parler. « Vingt et un ans, c'est exact, reprit-il. Presque encore une enfant elle-même.

— Mais quel est le problème ? » demandas-tu.

Le Dr Burnett ôta ses lunettes. « Monsieur Coleman, il n'y a absolument aucun problème avec votre femme. Rentrez chez vous, continuez votre vie comme d'habitude et je peux vous assurer qu'elle retombera enceinte très bientôt. » Il remit ses lunettes et, de sa main crochue, nota quelque chose au bas d'une fiche cartonnée qu'il glissa dans l'enveloppe avec le reste du dossier. « De bons repas copieux et beaucoup de repos. » Le clic de son stylo annonça la fin du rendez-vous. Je commençai à me lever mais tu ne bougeas pas.

« Est-ce que dans ce cas, repris-tu, vous lui déconseilleriez d'aller nager ? » C'était une question inattendue.

« Nager ? dit le médecin.

— En mer, précisas-tu. Au milieu de la nuit, le matin, le soir – chaque fois qu'elle en a envie. »

Le Dr Burnett jeta un coup d'œil à sa montre. « Mon Dieu, non. Il lui faut du repos pour le moment. Et éviter tout exercice physique. »

Nous passâmes le trajet du retour à nous disputer, tes mains serrées sur le volant étaient blanches aux articulations.

« Et tu crois que c'est reposant de s'occuper de Nan ? C'est toi qui vas te lever au milieu de la nuit quand elle fait ses dents, peut-être ? ou quand elle a de la fièvre ? C'est toi qui vas tout nettoyer quand elle aura vomi, qui vas lui changer ses couches ? Tu as prévu d'arrêter d'écrire pour pousser le landau jusqu'au magasin, parce qu'il n'y a plus rien à manger à la maison ? dis-je.

— Il s'agit de la nage, putain, Ingrid.

— Nager n'a rien de fatigant, Gil. En fait, c'est même reposant.

— Il ne s'agit pas de toi, bon sang. » Les arbres qui bordaient la route laissèrent place à la mer.

« Je sais très bien de quoi il s'agit, tu n'as pas besoin de me le dire.

— Il s'agit de notre bébé, et toi, ça ne te dérange pas de mettre sa vie en danger juste parce que t'as envie d'aller nager, putain.

— Gil ! Il n'y a pas de bébé. Je l'ai perdu, tu te souviens, pendant que tu te saoulais ! »

Tu arboras un calme condescendant, mais tu serrais les dents. « Je voulais dire, la prochaine fois, Ingrid, bien entendu. »

Je regardai par la fenêtre côté passager, vers la mer. Dans ma tête, je répondis, *S'il y en a une*. Aucun de nous ne prononça plus un mot de tout le trajet.

Quatre mois plus tard, tu réussis à vendre une nouvelle et lorsque l'argent arriva sur ton compte, dans le plus pur style Gil Coleman, tu le dépensas dans une semaine de vacances à Florence. En décrétant que c'était mon cadeau d'anniversaire en avance, ou bien une seconde lune de miel, au choix. Je demandai à Megan, au village, de s'occuper de Nan en notre absence. Megan avait un an de moins que moi, elle serait ravie de passer un peu de temps loin de la crèmerie, pensais-je. Je l'observais, tenant Nan dans ses bras avec une confiance que je n'avais pas encore acquise moi-même, elle la calait sur sa hanche avec tant de naturel qu'en comparaison j'avais l'impression de faire semblant d'être mère depuis treize mois.

Quand nous montâmes en voiture, elle était debout dans la véranda avec Nan, et me regardait avec pitié, naïvement j'en déduisis qu'elle devait avoir entendu parler de la fausse couche. Elle tenait le minuscule poignet de Nan dans sa main pour que notre fille nous fasse un signe d'au revoir tandis que tu faisais demi-tour dans l'allée. Le temps d'arriver à la grand-route, j'avais des larmes plein les yeux. Tu posas la main sur mon genou.

« Ça va bien se passer. Megan va prendre soin d'elle. Qu'est-ce qu'elle risque...

— ... après tout », achevai-je à ta place, avec un sourire timide. J'aurais été incapable d'admettre, pas même en mon for intérieur, que je ne pleurais pas car Nan me manquait déjà, mais que je pleurais de soulagement de m'éloigner enfin d'elle.

Florence, du 15 au 19 janvier 1978. Tu avais tout planifié. Le matin, nous allions prendre un café serré très fort sur la Piazza della Repubblica et tu nous commandais deux cornetti semplici Ensuite nous nous promenions dans le jardin de Boboli, puis à l'Accademia, où nous contemplions le *David* de Michel-Ange. Après un long déjeuner, nous passions l'après-midi au lit. Plus tard, tu m'emmenas à La Specola, où tu me montras les trois femmes de cire allongées sur le dos dont tu étais tombé amoureux à l'âge de quinze ans, et ce malgré le fait qu'elles étaient ouvertes en deux, exposant leur anatomie aux quatre vents. Tu me racontas qu'à l'époque durant votre version moderne du Grand Tour d'Europe, tu venais les voir tous les jours pour échapper à ce sentiment de claustrophobie qui t'oppressait entre ta mère tyrannisée d'un côté et, de l'autre, le sifflement de la machine à oxygène portative de ton père. Nous dînions à dix heures, terminant avec de la glace aux châtaignes et encore un autre café.

Le soleil nous chauffait la peau, Florence était magnifique, l'hôtel et la chambre parfaits. Assise sur l'appui de fenêtre en pierre, je recevais tes baisers en écoutant les bruits de la rue monter jusqu'à nous : des klaxons, des cris en italien, les talons des femmes qui claquaient sur les pavés.

Tu me déshabillas, lentement, un bouton après l'autre, mais je me dégageai soudain de ton étreinte et courus vomir aux toilettes. Une sensation désagréable s'était emparée de moi dès que nous étions montés à bord du train pour Pise, mais j'avais préféré l'ignorer.

« Je peux faire quelque chose ? » lanças-tu de derrière la porte tandis que je me vidais. Tu ne parvenais pas à masquer l'excitation dans ta voix.

Je collai mon front sur les carreaux blancs et froids du mur et lançai : « Ce doit être un truc que j'ai mangé dans l'avion. Ça va vite passer, j'en suis sûre. »

Tu n'entras pas dans la salle de bains, je t'entendis ouvrir les loquets de la valise et déballer nos affaires pour les ranger dans la penderie, poser tes carnets et tes stylos sur la table de chevet tout en sifflotant entre tes dents. Une nouvelle vague de nausée me submergea, mes yeux se remplirent de larmes, mon front devint moite et je vomis une seconde fois. Je pensais que j'avais de la chance que nous soyons dans un bon hôtel avec des toilettes propres – du moins avant mon passage –, même si je savais que nous n'en avions pas les moyens et que, de retour en Angleterre, je devrais ponctionner cette chance sur le budget de la maison pendant des mois et des mois.

Au bout d'un moment, en m'entendant tirer la chasse et faire couler le robinet, tu vins t'accroupir à côté de moi. Sur les carreaux au sol, il y avait une carte de l'Italie imprimée en relief, dessinant une Italie d'un bleu irréel, surmonté de vagues blanches d'où sautaient des créatures à queue de poisson. « Tu crois... » hasardas-tu, un sourire benêt sur le visage. « Est-ce que c'est possible, déjà ? »

J'agitai la main pour te faire signe de sortir de la salle de bains et recommençai à vomir.

« Je suis désolée, dis-je en regagnant enfin le lit. J'ai gâché nos vacances. Tu t'allongeas à côté de moi, la tête posée dans la main, et me caressas les cheveux.

« Pauvre Ingrid. Ne sois pas désolée. On va pouvoir être heureux maintenant. »

J'étais contente pour toi mais je n'éprouvais pas la même chose.

« Promets-moi de n'en parler à personne pour le moment, dis-je.

— Je te le promets. »

Tu déposas un baiser sur mon front.

« Ça ne sert à rien qu'on reste enfermés tous les deux. Surtout pas le premier soir. Tu n'as qu'à me laisser dormir ici, on sortira tous les deux demain matin. »

Tu eus la décence de marquer quelques secondes d'hésitation.

« Vas-y, insistai-je.

— Tu es sûre ?

— Oui. Trouve-toi un bon restaurant et dîne tranquillement. »

Je me redressai sur les oreillers, ramenai mes jambes contre moi et passai les bras autour de mes genoux. La queue d'un triton s'était imprimée sur la peau de ma cheville là où je m'étais agenouillée dans la salle de bains.

« Tu veux que je te rapporte quelque chose ? » lanças-tu en quittant la chambre.

La nausée a ceci de particulier qu'elle passe très vite, ainsi après m'être reposée dix minutes, je me sentais de nouveau pleine d'énergie, plus fatiguée du tout. Je me levai et me rassis devant la fenêtre ouverte, les pieds appuyés contre le mur, observant les cyclomoteurs qui cahotaient sur les pavés dans la rue.

Je me lavai le visage, me brossai les dents, choisis une robe (celle avec le col marin) et sortis à grands pas dans la ville. Je marchai au hasard, sans aucun sens de l'orientation, me repaissant du spectacle des Italiens qui se promenaient sur les places. J'étais ivre de vitalité.

Je m'arrêtai au milieu d'un attroupement et regardai un homme jouer « La lettre à Élise » en faisant glisser ses doigts humides sur des verres en cristal posés sur une table. Ce fut à ce moment-là, au milieu des gens qui applaudissaient, devant cet homme qui saluait son public, exaltée même à l'idée d'un nouveau départ, que je te vis, assis seul à une table à la terrasse d'un restaurant, les épaules luisantes des lueurs jaunes de l'intérieur. Je restai là à t'espionner, dissimulée par la foule autour de moi, à te regarder d'un œil neuf et à m'imaginer, marchant vers toi et te rencontrant pour la première fois. Tu étais si séduisant, si sûr de toi, au milieu de l'agitation, j'étais prête à tout pardonner.

Tu appelas le serveur, pour lui demander la note, supposai-je, mais la conversation qui s'ensuivit fut murmurée et, bien qu'un morceau de papier et un billet aient été échangés, tu restas assis à attendre. Autour de moi la foule applaudit de nouveau le joueur de verres en cristal, jeta des pièces dans la valise qu'il avait ouverte devant sa table, et s'en alla, aussitôt remplacée par un nouveau groupe de touristes. Il eut le temps de jouer le morceau cinq ou six fois avant que le serveur ne revienne enfin, cette fois avec une femme. Elle devait avoir mon âge, mais elle était plus grande, ou bien étaient-ce ses talons et sa mini jupe qui la grandissaient. D'aussi loin que j'étais, je distinguai pourtant le khôl sur ses yeux, le rouge sur ses lèvres. Elle s'assit à ta table et croisa les jambes. Tu serras la main au serveur, puis elle se pencha vers toi et tu lui dis quelque chose qui la fit éclater de rire, de sorte que quelques passants se retournèrent sur vous. Lorsque tu te levas, la femme te prit le bras – d'une manière possessive, remarquai-je douloureusement. Je vous suivis en direction de la chapelle Médicis. Qu'aurais-je bien pu faire d'autre ?

Elle t'emmena jusqu'à un immeuble derrière les stands vides du marché couvert sur la Via del Canto dei Nelli. Je ne sais pas pourquoi je te le raconte – tu t'en souviens certainement. Je t'en prie, dis-moi que tu t'en souviens, sans quoi cela signifierait que cette prostituée que tu t'es payée ce jeudi soir à Florence n'était qu'un numéro dans une longue liste de femmes rencontrées pendant tes voyages à Londres ou n'importe où ailleurs. Je n'ai jamais cru que je serais un jour comme ces femmes jalouses qui se laissent dominer par leur imagination.

Je m'assis sur les marches de San Lorenzo, cramponnée à mes genoux, et je vis une lumière s'allumer derrière une fenêtre sous les combles. Bien sûr ce n'était peut-être pas la tienne (la sienne d'ailleurs), mais c'est ce que je me suis figuré. Je t'ai imaginé baissant la tête pour pénétrer dans une chambre mansardée, aux parquets éclaboussés de peinture dans une pièce décorée à la va-vite, avec une petite fenêtre basse qui surplombait les toits de tuiles rouges de Florence.

« Tu habites ici ? » demandais-tu peut-être en anglais, comme ça, pour parler. Elle avait la peau couleur caramel, une coupe de cheveux brouillonne, et elle avait eu beau éclater de rire à ta plaisanterie tout à l'heure en terrasse, elle ne comprenait pas un mot d'anglais et venait d'on ne sait quel pays. Elle ne répondit pas, haussa les épaules même sans doute et tu n'en fus que plus soulagé de ne pas avoir à faire la conversation. C'était une transaction. Tu étais l'acheteur et elle avait quelque chose à vendre ; c'était exactement la même chose que le dîner que tu venais de consommer. Elle n'était qu'un digestif que tu t'offrais parce que tu avais quelque chose à fêter.

Dans la mansarde (petite mais propre), la femme se déshabilla probablement, et tu ôtas tes vêtements, cherchant des yeux un endroit où les poser qui ne soit ni le lit ni le sol. Regarde, je t'ai mis une chaise là dans le coin pour que ton pantalon et ta chemise ne ramassent pas la poussière. Elle sortit un préservatif du tiroir de la table de chevet, et malgré tes protestations et le surcroît d'argent que tu offris, tu cédas le premier. (J'ai décidé de me convaincre qu'elle avait insisté.) Ton érection ne retomba pas lorsque tu nous protégeas tous les trois ; ce n'est pas une question de sensations chez toi, ce qui t'inquiète c'est l'idée de gâcher ainsi ta précieuse semence.

Tu commenças par la prendre sur le lit, avec vigueur. Tu n'avais que quarante et un ans. Puis, avec quelques précautions et manœuvres, tu la fis s'appuyer au rebord de la fenêtre, pour pouvoir jouir face au Dôme illuminé.

J'avais regagné le lit de l'hôtel et faisais semblant de dormir depuis longtemps quand tu finis par rentrer. Le lendemain, tu me décrivis avec force détails les antipasti (salami, asperges grillées, minuscules poivrons fourrés au fromage fondant), les pasta e fagioli, le sublime agnello dell'imperatore avec sa couronne de laurier et de romarin, et puis la grappa que tu avais prise ensuite de l'autre côté du Ponte Vecchio dans un bar sur la Piazza della Passera. Je ne mis jamais en doute ton histoire.

En revanche, de retour à la maison, je racontai tout à Jonathan. Il sait écouter, il ne m'interrompit pas, il me laissa déballer tout mon récit, assis dos à l'Enclume du Diable, face à Nan qui jouait avec le sol sablonneux, les deux jambes tendues devant elle.

« Je vais le quitter, annonçai-je.

— Vraiment ? répondit Jonathan du tac au tac. Tu as pris ta décision ?

— Probablement. »

Il se rembrunit.

« Il faut juste que je trouve un moyen de subvenir à mes besoins. Quel métier je pourrais faire ? Je n'ai pas vraiment de formation, pas d'expérience, et un bébé à charge. Et ce n'est pas comme s'il y avait assez d'argent pour envisager une pension alimentaire.

— Il y a des moyens », dit Jonathan sans me regarder.

Du bout du doigt, il dessina une spirale entre les petites jambes potelées de Nan. Elle se pencha en avant, tapa le sol en riant quand la poussière s'éleva dans les airs. Il refit le même dessin.

« Il y a toujours un moyen, soupirai-je, avec un rire amer. Et pourquoi pas la prostitution ? Comme ça, Gil pourrait tomber sur moi. Ça lui ferait une surprise.

— Tu ne sais pas si c'était bien cela qu'il faisait.

— Pourquoi est-ce que tu le défends toujours ? » demandai-je.

Nan se balança en avant pour s'agripper à un rocher, puis elle se hissa pour se mettre debout. « Peut-être que tu as raison, peut-être que c'était mon imagination. Je l'ai vu entrer dans un immeuble avec une femme, je ne sais pas ce qu'il a fait à l'intérieur après tout. »

Nan nous regarda par-dessus son épaule, souriante, contente d'elle-même. Elle lâcha le rocher d'une main.

« Tu as raison, c'était peut-être sa psy, reprit Jonathan.

— Et quelle psy !

— Je plaisantais, dit Jonathan. Écoute, je veux juste que tu sois sûre de toi. Je ne veux te convaincre de rien.

— Tu crois que je ne devrais pas le quitter, alors ?

— Je n'ai pas dit ça.

— Oh, Jonathan, tu es si démodé. Si catholique.

— Tu n'as qu'à prendre un amant toi aussi, dans ce cas », siffla-t-il.

Nan lâcha complètement le rocher et, étonnée de tenir debout sans appui, vacilla en arrière et tomba sur les fesses, puis, après un silence, elle se mit à pleurer. Jonathan la ramassa et la percha sur ses épaules. Sur le chemin du retour, aucun de nous ne prononça un mot.

Le lendemain, quand je te dis que je voulais acheter l'un de ces nouveaux tests de grossesse à faire à la maison, tu insistas pour que nous apportions un échantillon d'urine au Dr Burnett.

« C'est plus fiable », arguas-tu.

Moins cher surtout, pensai-je.

Le test était positif.

J'ai terminé cette lettre il y a une heure. Je suis désolée pour les passages où l'encre a bavé, mais j'ai décidé d'arrêter d'écrire. À quoi bon ? Ces lettres et cette stupide idée que j'ai eue de coucher la vérité sur le papier ne me causent que du chagrin, et il est fort probable que tu ne les lises jamais. C'est la dernière donc.

Addio,

Ingrid

[Dans *Italien (méthode d'apprentissage)*, de Lydia Vellaccio et Maurice Elston, 1985]

29

Dans la cuisine, quelques jours plus tard, Nan déclara : « J'ai appelé Jonathan ce matin. » Elle était debout, tournant le dos à Richard et Flora. Elle lâcha ces mots devant l'évier plein de mousse comme si le fait de téléphoner à Jonathan était une chose tout à fait banale et qu'elle espérait voir ses paroles couler dans l'eau, sans que personne remarque qu'elle les avait même prononcées.

Mais Flora interrogea : « Notre Jonathan ? » Ils n'en connaissaient pas d'autre. La perspective de sa visite était un soulagement ; enfin il y aurait quelqu'un d'autre que Richard et Nan pour lui dire ce qu'elle devrait faire. Trois ou quatre fois par an, Jonathan et Flora se retrouvaient à Londres. Il l'emmenait voir une exposition, visiter un aquarium ou une galerie d'art, puis dîner ; dans un endroit chic avec des nappes en lin blanc et des lourds couverts en argent entre les doigts. Il lui posait des questions sur ses créations, elle lui expliquait sur quoi elle travaillait, tous les deux sachant très bien que ces bavardages céderaient bientôt la place au sujet principal : le Pavillon de nage, Gil, et enfin, face à deux verres de cognac, Ingrid. Jonathan lui demandait des nouvelles de son père, que faisait-il de ses journées, elle essayait de rendre intéressantes leurs virées dans les boutiques d'objets d'occasion, leurs promenades sur la plage. En retour, Flora réclamait à Jonathan le récit de ses souvenirs avec ses parents – les hippies qui campaient dans le jardin, jouaient au cricket dans le couloir de l'entrée, racontaient des histoires de fantômes et se saoulaient au whisky irlandais. Comme une enfant à l'heure du coucher, elle ne se lassait jamais de ces histoires, elle en fouillait le moindre recoin, exigeait toujours plus de détails. Bien qu'il n'en ait jamais rien dit, Flora était persuadée que Jonathan continuait de chercher Ingrid dès qu'il se trouvait au milieu d'une foule, ainsi qu'elle-même le faisait. Qu'il la cherchait dans le métro à Lancaster Gate, dans les troupeaux de touristes qui venaient assister au repas des hippocampes, les grappes de visiteurs plantés devant les *Baigneurs de la Grenouillère* de Monet.

Dans la cuisine, Nan se retourna : « Papa m'a demandé de l'inviter.

— Quoi ? À la maison ? répliqua Flora.

— Qui est Jonathan ? » interrogea Richard.

Flora l'ignora. Elle était agacée qu'il soit encore là, quatre jours après sa dispute avec Nan, à se servir dans le frigo, à traîner et bavarder avec Gil, la porte fermée. Elle aurait bien voulu savoir comment Richard avait justifié son absence à la librairie, s'il avait dit que c'était parce qu'on avait besoin de lui pour accompagner les derniers jours d'un auteur célèbre sur son lit de mort, ou bien s'il avait avoué qu'il était là pour faire brûler une maison pleine de livres.

« Papa veut qu'il amène Louise… commença Nan.

— Louise ? bondit Flora.

— J'ai été aussi surprise que toi.

— Est-ce que Jonathan est son frère ? » continua Richard.

Flora se demanda si pendant la nuit il recensait sur la vieille machine à écrire toutes les informations qu'il parvenait à rassembler chaque jour au chevet de Gil.

« C'est le meilleur ami de Papa, répondit Nan.

— C'était, corrigea Flora.

— Il va falloir que j'aille refaire des courses. Je vais préparer quelque chose de bon. Un saumon, peut-être.

— Et Louise, c'est qui ? » demanda Richard.

Flora regarda Nan, qui séchait ses mains déjà sèches dans un essuie-mains. Nan lui rendit son regard, la bouche pincée, les yeux sévères, et Flora songea qu'elle avait sans doute exactement la même expression sur le visage, qu'elles étaient à ce moment le miroir sororal l'une de l'autre. Richard les regardait tour à tour.

« Oh, c'est cette Louise-là », dit-il.

30

Pavillon de nage, 22 juin 1992, 9 h du matin

Gil,

Je ne voulais plus écrire, je ne dois pas écrire, c'est douloureux et cela ne résout rien, mais il faut que je jette tout cela sur le papier. Il faut que je le sorte de ma tête, maintenant, et il n'y a personne d'autre à qui je puisse en parler.

Je suis redescendue nager ce matin. (Tôt.) Je n'aurais pas dû. Non, mon Dieu, je n'aurais pas dû. Il faisait noir et froid alors j'ai pris ton grand pardessus, celui qu'un jeune homme russe à qui tu avais prêté une paire de chaussures en daim t'a donné. (« Raconte-moi l'histoire de Moscou, Papa, j'entends encore Flora, noyée dans ton manteau, sa petite tête dépassant du col.) J'étais nue dessous ; j'ai toujours aimé la façon dont la laine lourde gratte et pique la peau. On dirait une version moisie de ton odeur.

La plage était vide. La marée se retirait, laissant derrière elle un large ruban d'algues charriées par les bas-fonds, éparses sur la plage. J'ai contourné la Pointe pour atteindre la plage du Milieu où l'eau est toujours claire. J'ai déboutonné ton manteau, et j'ignore pourquoi mais avant de l'enlever j'ai d'abord regardé ce qu'il y avait dans les poches. Flora devait l'avoir porté, car j'y ai trouvé la reine de cœur de ce jeu de cartes qui a ces dessins de femmes au dos, deux timbres de réduction Green Shield et mon porte-monnaie ! Où il restait un billet de dix livres et quelques centimes. J'ai tout remis dans les poches, plié le manteau, posé mes tongs dessus et j'ai couru dans la mer juste devant les cabines de plage.

La mer était calme, noire. À peine quelques centimètres sous la surface, et mon corps disparaissait comme s'il n'avait jamais existé. J'ai nagé droit devant moi, face au soleil levant, qui diffusait une lumière d'un orange spectaculaire, j'avais l'impression de nager dans un paysage de la Renaissance. Le ciel semblait éclairer un chemin face à moi, à la surface de l'eau, murmurer un « Par ici, continue », mais je commençais à fatiguer alors j'ai fait demi-tour. Je nageais une brasse paresseuse, la tête hors de l'eau, quand je vis une lumière au loin, un feu de camp dans les dunes.

Tu te souviens quand nous allions nous baigner tous les deux au milieu de la nuit pour nous rafraîchir ce premier été ? Nous nous déshabillions, hilares, nous tenant l'un à l'autre pour ne pas tomber dans le sable, criant et riant, avant de traverser la plage en courant et de rentrer dans l'eau en éclaboussant l'air brûlant de la nuit, aussi chaud qu'à midi.

Quand je me suis retrouvée sur la plage, le manteau et les tongs avaient disparu. La première chose qui m'est venue à l'esprit, et je me sens coupable en l'écrivant, c'était que Flora avait dû me suivre, mais elle n'était nulle part. J'ai exploré la plage du Milieu sur toute sa longueur et face à la dernière cabine de plage j'ai trouvé une reine de cœur toute froissée. Pas la moindre trace de mon porte-monnaie ou de mes autres affaires. J'aurais pu rentrer. J'aurais dû rentrer, mais j'étais tellement furieuse. J'avais besoin de cet argent, et Flora adore ce manteau ! Alors je me suis souvenue du feu de camp que j'avais aperçu quand j'étais dans l'eau et, le cerveau en ébullition, je suis partie à sa recherche.

Je me suis accroupie dans la lumière de l'aube et j'ai observé deux hommes, ils buvaient, riaient. Leurs visages étaient illuminés par les flammes orange qui leur léchaient la peau, j'ai reconnu ton manteau, passé au-dessus des épaules de l'un d'entre eux. L'autre avait l'air d'avoir des tatouages carrés sur les joues et le front, il m'a fallu un moment pour comprendre que c'étaient les timbres Green Shield. Cachée derrière une roselière, j'ai poussé un râle long et sourd.

« Tu as entendu ? a demandé l'homme au manteau, en levant les yeux.

— Quoi ? » a interrogé l'autre, ivre j'imagine, et donc long à la détente.

J'ai secoué les herbes et l'homme au manteau s'est levé. « Il y a quelque chose par là.

— C'est la beu qui te fait flipper. Tiens. »

L'autre lui a tendu la main, un joint incandescent au bout.

J'ai bondi dans le cercle dessiné par le feu, comme une sauvage, une tigresse. Je me suis agrippée au manteau ; mon porte-monnaie n'était peut-être plus à l'intérieur, mais je comptais bien le récupérer malgré tout. Avant même que j'aie pu l'arrêter, l'homme m'avait plaquée au sol, le manteau toujours sur lui, me coinçant sous son poids, dos au feu, une main enfoncée sur ma joue, me faisant manger le sable. Je ne sais pas où était passé l'homme aux timbres Green Shield, entre-temps il avait filé. Je pense que celui au manteau s'attendait à ce que je sois un homme ; son bras était contracté, pointé sur moi, sa main serrée en poing. Mais lorsqu'il eut saisi ce qui se trouvait sous lui, son emprise changea, ce n'était plus un combat qu'il cherchait. D'une main, il m'enserra la gorge, tandis que de l'autre il écartait mes cuisses pour caler les siennes. Je ne crois pas que j'aie crié. J'ai tenté de secouer la tête, de dire non, je vous en prie, non, tenté de m'arracher à lui, mais sa main appuyait toujours plus fort. Alors j'ai cessé de lutter. Lutter, c'était sûr (c'est sûr), ne ferait (fera) qu'empirer les choses. Tandis que l'homme défaisait sa braguette, mon bras gauche, libéré, a tâtonné sur le sable autour, jusqu'à ce que ma main tombe sur un objet cylindrique, lisse et léger. Une canette de bière vide. Ma main l'a lâchée et a continué d'avancer vers les flammes. Pendant ce temps-là, au-dessus de moi, l'homme grognait en se débattant pour me maintenir au sol tout en sortant son sexe, jusqu'à ce que ma main se referme sur une sorte de bâton épais dépassant du feu. Je l'ai levé, l'extrémité en était incandescente et blanche de cendre, et je l'ai appuyé contre le dos de l'homme, contre la laine olivâtre de ton manteau. L'odeur de laine brûlée s'est répandue, j'ai pressé plus fort. Il n'a rien remarqué jusqu'à ce que son tee-shirt prenne feu, et durant quelques instants supplémentaires, tandis qu'il hurlait, je suis restée cramponnée à lui, de tout mon corps, le gardant en tenaille avec mon bras et le bâton brûlant, jusqu'à ce qu'il réussisse à se dégager en jurant et en criant. Quand il a jeté le manteau loin de lui, je l'ai ramassé, j'ai laissé tomber le bâton et je suis partie en courant.

Je n'ai ralenti qu'une fois arrivée à notre plage, en bas du sentier côtier, et ce n'est que là que j'ai senti ma propre douleur. Le soleil s'était complètement levé, une lumière jaune se faufilait entre des nuages en lambeaux, quand j'ai vu la peau sur ma paume et mes doigts, blanchie par la brûlure. Je scrutais la plage, accroupie dans les vagues, la main sous l'eau, et alors je me suis mise à rire. Le bas de ton manteau était trempé d'eau de mer.

En rentrant à la maison, la peau couverte de chair de poule et de boue, je suis allée dans la chambre des filles. J'avais été absente moins d'une heure. Je me suis penchée sur elles, mes cheveux dégouttant sur les joues de nos enfants endormies. Elles ne s'étaient pas réveillées ; rien de grave ne leur était arrivé pendant mon absence.

Je me suis fait un bandage, et quand Nan a demandé ce qui était arrivé à ma main, j'ai expliqué que je m'étais brûlée en faisant des œufs à la coque pour le petit-déjeuner. Elle a voulu regarder, ou qu'au moins j'aille voir le médecin, mais je lui ai dit de ne pas en faire toute une histoire. Puis, il y a une heure, quand les filles sont allées prendre le car scolaire, j'ai fourré ton manteau dans un grand sac-poubelle, et à l'aide d'un des poteaux qui tiennent le fil à linge, je l'ai poussé le plus loin possible sous la maison.

Ingrid

[Dans *Les Livres d'aventures pour filles de Warne*, 1931]

31

En sortant de la maison l'après-midi, Flora colla son oreille à la porte de Gil pour écouter sa conversation avec Richard, mais leurs voix étaient trop basses pour comprendre ce qu'ils se disaient. Elle envisagea un moment de frapper à la porte mais Nan lui fit signe de filer. Sur la plage, Flora donna des coups de pied dans l'écume attisée par le vent, on aurait dit la traîne d'une mariée sur le sable. Elle marcha du Bout du Monde jusqu'à la falaise, les yeux rivés au sol, chassant son père de son esprit, s'efforçant de ne pas regarder les gens sur la plage, de ne pas céder à cette habitude qu'elle avait de scruter les foules, dévisageant toutes les femmes à la peau pâle et aux cheveux clairs. Elle caressa l'idée d'aller nager, mais même cela lui semblait vain. Elle déploya sa serviette sur le sol, s'allongea et ferma les yeux.

Elle essaya d'imaginer de quoi Louise pouvait avoir l'air à présent. Juste avant la disparition d'Ingrid, Louise avait été élue à la Chambre des communes, et Flora était tombée sur une photo d'elle dans le journal, en veste cintrée, rang de perles et boucles d'oreilles assorties – rien à voir avec quelqu'un avec qui sa mère aurait pu être amie. Le journal était étalé sur la table de la cuisine, Flora avait bien remarqué qu'Ingrid avait peinturluré la photo de stylo rouge : sous le brushing, elle lui avait dessiné des cornes de diable.

Flora s'était peut-être assoupie, pas sûr, mais elle avait senti tout à coup une ombre passer au-dessus de son visage. Elle ouvrit les yeux, la main en visière pour se protéger du soleil. Richard la regardait d'en haut.

« Quoi ? dit-elle.

— Je me demandais si tu t'étais endormie. Ce n'est pas bon de rester trop longtemps au soleil.

— Je ne dormais pas.

— Avec ta carnation... tu aurais vite fait de brûler. »

Richard portait un tee-shirt à manches longues, un short et des chaussures de marche.

« J'ai vécu au bord de la mer toute ma vie, Richard, lança-t-elle.

— Bref, Nan veut aller faire les courses, je lui ai dit que je l'accompagnais et il ne faut pas laisser ton père tout seul.

— Mon Dieu, ça a empiré ? »

Flora bondit sur ses pieds.

« Il dort. Rien n'a changé. »

Gil respirait d'un souffle lent, râpeux, et trop irrégulier. Entre chaque respiration, Flora guettait, retenant son propre souffle. Elle s'enfonça dans la chaise à côté du lit et ferma les yeux, puis sursauta lorsque son père déclara : « Je ne t'ai pas encore vue dessiner aujourd'hui.

— Tu veux que je te dessine maintenant ? »

Il referma les yeux, ce qu'elle prit pour un oui.

Quand elle fut de retour avec son bloc, son fusain, sa gomme et son chiffon, il ajouta : « Mets-moi assis. »

Elle le souleva par-dessous les aisselles, sous les plis de sa peau il n'y avait presque plus aucun muscle. Elle dessina ce qu'elle voyait : sa tête et ses épaules maintenues droites par les oreillers, ses pommettes émaciées, ses joues creusées, ses yeux tachés de noir et son visage jaunâtre froissé de rides et de plis. L'œdème avait eu le temps de dégonfler mais il persistait une sorte de décoloration. Elle l'observa plus intensément cette fois-ci, releva la manière dont ses yeux reculaient dans leurs orbites, comme enfoncées dans son crâne, ses lèvres fines repliées sur elles-mêmes, l'amas de peau sous son menton.

« Tu te souviens de la fois où j'ai trouvé cette tête de baleine sur la plage ? » demanda Flora.

Gil ouvrit les yeux. « Une vraie tête de baleine ?

— Non, en plastique ou en fibre de verre, je suppose.

— Un jouet ?

— Une tête de baleine grandeur nature, je voulais que tu l'accroches au mur. »

Gil secoua la tête.

« Mais si, tu t'en souviens forcément.

— Non, je t'asssure. »

Ses yeux se tournèrent vers le bloc de Flora. « Laisse-moi voir. » Quand elle le lui tendit, il déclara : « C'est bien. Je ressemble à mon père juste avant sa mort, on dirait que certains morceaux de moi sont hors d'usage, et que j'en ai carrément perdu certains autres. » Il sourit et poussa la couverture avec sa main valide. « Il faut que j'aille aux toilettes, annonça-t-il.

— Tu veux que je t'apporte le bassin ? C'est ce que Nan fait d'habitude, non ? »

Devoir prendre soin de Gil toute seule rendait Flora anxieuse.

« Et je refuse à chaque fois. L'étape d'après, c'est les couches. »

Flora s'abstint de rebondir en lui disant qu'elle avait vu un paquet de couches pour adultes dans le placard du séchoir. Elle lui tendit le bras et l'accompagna d'un pas traînant le long du couloir, en louvoyant entre les livres. Elle attendit dans la cuisine, scrutant d'un air absent la lessive que Nan avait accrochée au fil. Elle alluma la bouilloire, fouilla dans la boîte à biscuits, bâilla et reporta son regard au-dehors. Au bout de cinq minutes, Flora alla coller son oreille à la porte de la salle de bains et entendit son père murmurer à l'intérieur.

« Papa ? demanda Flora en tapant sur le chambranle. Tout va bien là-dedans ?

— Oui, va te coucher, Flo. On se verra demain matin, répondit Gil.

— C'est l'après-midi, Papa. » Elle s'accroupit devant le trou de la serrure mais il avait été bouché avec du papier toilette humide par une Nan de dix-sept ans excédée que sa sœur passe son temps à l'espionner.

« C'est ta mère, c'est rien, reprit Gil.

— Papa. »

Flora secoua la poignée de la porte. Elle jeta un coup d'œil vers le couloir, aussi inquiète à l'idée que Nan revienne bientôt qu'à l'idée qu'elle tarde. « S'il te plaît, ouvre la porte. » Elle entendit le rideau de la baignoire coulisser, et quelques secondes plus tard le verrou de la porte tourner. Gil avait sa brosse à dents dans la main, une traînée de dentifrice dans la barbe.

Il se déplaça vers la baignoire. « Regarde », dit-il, d'une main il tirait le rideau en éponge qui dissimulait la baignoire. Les toilettes et le lavabo se mirent à tourbillonner autour de Flora, l'altitude dans la pièce était trop élevée, l'air trop comprimé. Son père tira le rideau avec emphase, tel un prestidigitateur réalisant son plus fameux tour. La baignoire était vide. Mais le magicien ne remarqua pas son erreur, ne vit pas que la porte secrète ne s'était pas ouverte, que le mouchoir dépassait de sa manche, que le lapin avait sauté de la scène.

« Tu la vois ? demanda Gil, en regardant la baignoire dans le miroir. Tu la vois ? Là, à côté du lavabo. »

Dans le miroir, Flora se vit avec un vieil homme à la moitié du visage jaunie, une touffe de poils gris s'échappant d'un cou fripé, les sourcils ébouriffés. Il n'y avait personne d'autre dans la pièce.

« Oui, dit Flora. Je la vois. »

32

Pavillon de nage, 23 juin 1992, 4 h 15 du matin

Gil,

Il y a eu une nouvelle coupure de courant hier soir. Nous étions dans le salon toutes les trois quand les lumières se sont mises à trembler, avant de s'éteindre complètement. Nan est allée voir ce qui se passait dehors pendant que je restais pour tenir la main de Flora. Elle a toujours du mal avec l'obscurité.

« Tout le village est dehors, a annoncé Nan en rentrant. Je vais chercher les bougies.

– Chhh... » Flora s'est accrochée à moi. « Écoutez », a-t-elle dit, avec une urgence telle dans la voix que Nan et moi nous sommes figées, guettant la suite. « Il y a un bruit dans la cuisine. » Il y a eu un craquement lent, le bruit d'un pas. « C'est la latte mal fixée.

— Quelle latte mal fixée ? a interrogé Nan.

— Celle en face de la cuisinière. »

La terreur dans sa voix était perceptible.

« Ne sois pas ridicule », a lancé Nan en partant chercher les bougies d'un pas décidé, bien entendu il n'y avait personne dans la cuisine.

Il faut que j'apprenne à Flora à ne pas avoir peur, il faut que je lui dise qu'elle peut faire tout ce qu'elle veut, devenir la personne qu'elle a envie d'être.

Après avoir terminé ma précédente lettre, j'ai beaucoup repensé à ce qui s'était passé sur la plage. J'ai d'abord été furieuse contre toi de n'avoir pas été là pour m'aider. C'est toi qui m'as emmenée ici, toi qui m'as installée là, qui m'as fait des enfants et puis qui es parti ; tout ce qui m'est arrivé dans ma vie d'adulte m'est arrivé à cause de toi, et tu voudrais maintenant que je me débrouille toute seule, comme un oisillon abandonné avant d'avoir appris à voler. Et puis je me suis rendu compte que j'avais survécu à cet épisode sur la plage par mes propres moyens, que je n'avais eu besoin ni de toi, ni de personne pour me sauver. J'y suis arrivée toute seule.

Après ma conversation en face de l'Enclume du Diable avec Jonathan, je décidai de rester. Non, d'ailleurs, sans doute était-ce plutôt une non-décision qu'une réelle décision. Partir était trop énorme, trop effrayant, cela demeurait quelque chose d'abstrait. Et tout en m'efforçant de reléguer ce voyage en Italie aux oubliettes de ma mémoire, je constatai avec étonnement le plaisir que j'éprouvais à cette troisième grossesse. Non seulement les nausées ne durèrent pas, mais je me sentais en forme, forte, invincible même. J'allai jusqu'à partager ton enthousiasme, ajoutant des idées à la liste de noms que tu affichais sur la porte du frigo (Herman, Leo, Ford, Günter). Moi aussi, j'étais persuadée d'attendre un garçon.

Jonathan m'appela après que tu lui eus annoncé la nouvelle.

« Alors tu es restée, finalement ? dit-il.

— Je me sens merveilleusement bien.

— Tu veux que je vienne ?

— On adorerait te voir, mais ne te sens pas obligé de venir pour moi.

— Est-ce que Gil peut t'entendre ?

— Non, je t'assure. Ce bébé a quelque chose de particulier, une sorte de connexion. Je n'ai pas l'impression d'avoir un corps étranger en moi comme les précédentes fois. Il m'appartient autant que je lui appartiens. Finalement j'étais peut-être faite pour ça, la maternité et tout ce qui va avec, cela me prend juste un peu plus longtemps qu'aux autres.

— S'il se passe quoi que ce soit... commença Jonathan.

— Il ne va rien se passer.

— ... tu n'as qu'un coup de téléphone à donner. »

Un matin de juillet, je demandai à Martin de me prêter sa tondeuse à gazon. Appuyée au portail du Pavillon de nage, j'étudiai l'herbe avec lui – à hauteur d'ajoncs et de genou – et à la place il me prêta sa faux, après l'avoir aiguisée sur une pierre. Pendant la fermeture du pub, à la fin du service de midi et avant l'ouverture du soir, il me montra comment m'en servir. Je balançais la lame de droite à gauche et de gauche à droite devant moi, stoppée dans mon élan au bout de deux ou trois arcs de cercle irréguliers, par les muscles endoloris de mes épaules. (Manifestement ce n'étaient pas les mêmes que ceux que je sollicitais pour la nage.) Je coupais l'herbe pendant les siestes de Nan, et à ce rythme-là il me fallut une semaine pour arriver à une hauteur où je pouvais envisager de tondre. Après cela, je creusai une plate-bande devant la véranda, dur labeur à cause de la terre compacte. Les Écuries du Bois lacté entendirent parler de mes travaux et vinrent me livrer tout un tas de fumier. Chaque jour, je m'activais sous mon chapeau à large bord, en pantalon long et vieille chemise d'homme. Parfois Martin se penchait au-dessus du portail et me regardait en secouant la tête, d'après lui ce qu'il me fallait, c'était un sorbier et un argousier pour faire paravent, et les fleurs de la sœur de Mme Allen ne tiendraient jamais dans cet air salé. Le bébé grandissait en moi, et le jardin autour.

Quand je repense à ces mois d'épanouissement, de félicité, je me revois seule au Pavillon de nage, ou du moins seule avec Nan et le jardin. Tu étais là pourtant, tu écrivais, puisque cet été-là tu as rendu ton troisième roman. Qui a été refusé.

Nous vivions des droits minuscules de tes deux précédents romans que nous recevions deux fois par an et l'argent que ta mère t'avait laissé en fiducie ; ce n'était pas assez. Des sandwichs à la margarine au dîner, des feuilles de thé insipides à force d'être recyclées de théière en théière, se cacher chaque fois que le laitier venait frapper à la porte. Martin te confia un petit boulot derrière le bar mais, à la troisième soirée que tu passas à boire plus d'alcool que tu n'en servais aux clients, il te pria de ne plus revenir. Tu travaillas quelques semaines aux étables mais les chevaux te faisaient peur. Tu réussis à tenir presque six mois à la crèmerie mais c'était irréaliste d'imaginer que tu te lèverais de bonne heure éternellement. (C'est drôle, quand on repense à cette conversation que nous avions eue avec Jonathan sur le fait d'aller traire les vaches à l'aube en Irlande.)

Le jardin et la nage étaient mes soupapes, des moments où je ne pensais ni à nos soucis d'argent, ni à mes interminables devoirs de mère. L'eau me ressourçait, de l'intérieur. Sans que tu le saches, je me faufilais hors de la maison jusqu'à la mer, dans le noir, mes pieds connaissaient par cœur le dessin des rochers qui surplombaient la plage. Je cachais ma serviette humide pour que tu ne la voies pas, lavais le sable de mes cheveux et le sel de ma bouche avant que tu ne m'embrasses. J'étais douce avec ce bébé, je ne nageais ni vite, ni loin, nous n'étions jamais en danger. Il y avait quelque chose de magique dans ces aurores, j'imaginais le bébé flottant dans sa propre apesanteur liquide, tandis que je flottais dans la mienne, en harmonie avec notre nature, l'un comme l'autre.

Je nageai jusqu'à la saison froide. Quand elle vint, je me contentai de contempler la mer à défaut d'y entrer – tour à tour plate et grise, étincelante sous le soleil levant, ou mieux encore, furieuse, le vent rugissant dans ses vagues, qui venaient se fracasser sur les rochers.

Au magasin du village, un après-midi, Mme Bankes me trouva cachée derrière les étagères, en train de compter l'argent qu'il me restait dans mon porte-monnaie, pour savoir si je pouvais me permettre d'acheter une plaquette de beurre. Assise dans le landau, Nan pointait du doigt tout ce qui lui passait sous les yeux en disant « Fraise », même s'il s'agissait de produit pour les vitres ou de bouillons Kub.

« C'est une bonne petite, n'est-ce pas ? Elle n'essaie jamais de se libérer ou de descendre de là, me dit Mme Bankes. Tu es une bonne petite, dit-elle à Nan d'une voix chantante.

— Fraise, répéta Nan.

— Il n'y a plus qu'à espérer que le prochain soit aussi facile qu'elle », ajouta Mme Bankes. Je regardai ma fille, et puis, comme manifestement c'était ce que j'étais supposée faire, je tendis la main et caressai une de ses boucles de cheveux. « J'imagine que vous voudriez un garçon. C'est ce que les gens veulent souvent, un de chaque.

— George, répondis-je, la main sur le ventre, le prénom jaillissant je ne sais d'où.

— Charmant. D'après George V, je suppose. Un homme tellement bon.

— Non. D'après Bernard Shaw, ou peut-être Orwell », répondis-je.

Mme Bankes poursuivit comme si elle n'avait rien entendu. « Il paraît que nous allons avoir un hiver très froid, même ici. J'espère que vous avez des vêtements bien chauds pour ce petit.

— J'ai gardé ceux de Nan – ils sont au grenier, je crois. »

La propriétaire du magasin se pencha sur Nan. « Ton petit frère va se retrouver en layette rose ? Ça ne va pas aller. Pas du tout. » Mme Bankes leva alors une main et posa son doigt sur le bout du nez de Nan. Un autre enfant aurait peut-être pleuré, mais Nan sourit, c'était presque un sourire d'adulte – tolérant, indulgent. Mme Bankes se redressa. « Il va falloir vous mettre à tricoter. Je crois qu'on a de la laine bleue là-bas au fond, et je suis sûre que je pourrais vous trouver quelques aiguilles.

— Je ne peux pas tricoter. Je ne sais pas comment on fait », dis-je.

Elle secoua la tête. « Venez demain à l'heure du déjeuner, je vous apprendrai. » Elle me bouscula hors du magasin. Une fois rentrée à la maison, je découvris une plaquette de beurre et un pot de confiture de fraises glissés sous la capote du landau de Nan.

Le mois suivant, je passai tous mes déjeuners au magasin, Nan s'amusait à lancer des boutons dans une casserole et Mme Bankes et moi nous asseyions au comptoir de la boucherie, où elle m'apprenait à tricoter. C'était de la laine bleue, toute douce. Je réussis à finir un chausson, il était un peu tordu et trop grand pour un nouveau-né, mais je le mis sous mon oreiller et je le serrais dans mes mains le soir avant de dormir.

Le soir du 23 novembre, j'étais assise dans la cuisine, à monter des mailles ainsi que Mme Bankes me l'avait appris, je projetais de commencer le second chausson tout en me demandant si tu passais un bon moment à Londres, pour ton anniversaire. Je m'efforçais de ne pas trop m'inquiéter, de ne pas trop me demander où tu étais, quand tout à coup j'entendis un « pop » que je reconnus : j'avais perdu les eaux, deux mois trop tôt. Je posai les mains entre mes jambes, comme si je pouvais arrêter le flot de liquide, mais il dégoulina sous la chaise et forma une petite mare sur le lino. J'avais dû crier car j'entendis Nan appeler « Maman, maman, maman, maman », depuis sa chambre. Je laissai tomber un torchon sur la flaque.

Je me servais rarement du téléphone, trop soucieuse de la facture, mais ce soir-là je me retrouvai plantée devant, à me demander quel numéro composer. Nous avions encore ce répertoire tournant à l'époque, et durant quelques minutes je fis défiler les étiquettes de l'alphabet, essayant de me rappeler le nom de ton agent, mais en composant le dernier numéro je songeai qu'il était déjà tard, et lorsque le téléphone sonna dans le vide de son bureau, je ressentis la première contraction, une douleur légère, sourde, comme les précédentes. Jonathan était à Londres ce week-end-là et je me souvenais du nom de l'hôtel où il avait l'habitude de descendre. L'opérateur me donna le numéro, mais là-bas on me dit qu'il était sorti. Bien sûr, il était avec toi, à boire des verres qu'il ferait passer en notes de frais. Je laissai un message d'urgence au réceptionniste. La seule autre personne que je connaissais à Londres était Louise. Je ne l'avais pas vue depuis plus d'un an ; nous échangions des cartes de vœux à Noël, pour nos anniversaires, mes lettres au fil du temps n'étaient plus qu'un feu roulant de mauvaises nouvelles érodées par les sels de la marée comme un banc de sable asséché. À la cinquième sonnerie, Louise décrocha.

« Fitzrovia 386 ?

— Louise ? C'est Ingrid, dis-je.

— Ingrid. » Elle prononça mon prénom sans y mettre la moindre intonation. Il y avait des voix en arrière-plan, le tintement de couverts sur la porcelaine. « Ingrid, répéta-t-elle, en montant et descendant le ton cette fois. Comment vas-tu ?

— Je vais très bien », répondis-je. Une autre contraction m'étreignit alors et je serrai les dents en sifflant pour respirer. « Je vais avoir un bébé. »

Elle marqua une pause et dit : « Un autre ? Félicitations.

— Non. Maintenant.

— Tu ne devrais pas appeler un médecin, une sage-femme, quelqu'un ?

— Je vais le faire. Mais j'essaie de trouver Gil. Il est à Londres.

— À Londres, reprit-elle.

— Oui, il est à un rendez-vous avec son agent, ou bien en train de boire un verre avec Jonathan. Je ne savais pas qui appeler. »

Pendant qu'elle parlait, en couvrant le récepteur avec sa main, j'entendis du monde derrière elle, un éclat de rire.

« Et tu es en train d'accoucher ?

— Oui. Mais c'est trop tôt. » Je ne voulais pas pleurer.

« Ingrid, écoute. » Sa voix n'avait jamais sonné plus pragmatique. « Je vais retrouver Gil. Toi, tu vas reposer ce téléphone, appeler l'hôpital, dire que tu es en train d'accoucher et faire envoyer une ambulance. Maintenant. Et Ingrid, ne t'inquiète pas. »

Deux jours plus tard, de retour dans mon lit, avec l'une de ces serviettes hygiéniques incroyablement épaisses entre les jambes, je fixais le couffin vide à côté de moi tandis que tu te rendais à l'hôpital du Royal Oak tout seul. Je ne peux pas l'écrire, je ne peux pas mettre des mots sur ce qui s'est passé, quoi qu'il en soit, tu étais là. La scène à l'hôpital continue de repasser en boucle dans ma tête, parfois c'est même plus facile de la laisser tourner jusqu'au bout. Ils ont pris notre petit garçon avant même que j'aie eu le temps de lui dire au revoir, ils ne nous l'ont jamais rendu, pas même dans une urne ou un cercueil. J'avais emporté le chausson avec moi, j'étais allée le chercher sous mon oreiller au dernier moment, et même s'il n'y en avait qu'un, j'avais hâte de le voir sur lui. Il a disparu dans cette chambre d'hôpital, je n'ai jamais su où il avait atterri. Dans les bons moments, je me dis qu'une des sages-femmes l'a mis à l'un de ses minuscules pieds. Je ne te l'ai jamais dit, mais il m'a manqué ; ce tout petit objet, la seule chose qui ait jamais appartenu à notre fils. Qu'aurais-je fait d'un seul petit chausson ? Je n'en sais rien ; je l'aurais gardé sous mon oreiller, ou bien je l'aurais enterré et j'aurais prononcé la prière d'Annie au-dessus de sa tombe.

On m'a raconté que tu avais payé tes verres ce soir-là au pub, que tu avais acheté une bouteille. Je ne te blâme pas, je te vois, assis là-bas, au bout du bar, sur le tabouret de Mme Passerini, pendant que Martin et ses habitués chuchotent en te lançant des regards inquiets.

« Laissez les enfants venir à moi, et ne les empêchez point », avais-tu marmonné dans ton verre, d'après Martin.

Et cet idiot de George Ward, à l'autre bout du bar, avait dit dans sa barbe : « Faudrait qu'ils aient eu un prêtre directement sous la main pour que ce gamin se retrouve pas en enfer. » Il aurait dû chuchoter plus bas encore, parce que tu t'es levé de ton tabouret, tu as chancelé jusqu'à lui, et quand il s'est retourné vers toi, tu lui as mis ton poing dans la figure. Martin m'a raconté qu'il avait entendu le nez de George se briser sous les jointures de ton poing, puis il avait titubé en arrière, les narines dégoulinant de sang (des flots de sang). Tu as vacillé, balancé l'autre bras dans le vide, jusqu'à ce que Martin fasse le tour de son bar et passe ton bras sur son épaule : « Gil, ça va aller. Gil, Gil », comme s'il réconfortait un bébé.

Parfois j'imagine George Ward aux urgences, allongé sur un lit derrière un rideau, tenant une serviette imbibée de sang sous son visage tandis qu'on lui redressait le nez, et au même moment, quelque part, ailleurs dans l'hôpital, notre George à nous était là, froid et seul. Un petit poisson, qui avait voulu nager hors de ses eaux trop tôt.

Ingrid

[Dans *Joe Strong, le garçon poisson*, de Vance Barnum, sans date]

33

Richard et Flora, assis dans les deux canapés face à face, disparaissaient sous les livres qui croulaient tout autour d'eux. Gil et Nan étaient allés se coucher. Flora essayait d'extraire un livre de poche d'une des tours derrière elle, *Joe Strong, le garçon poisson*, disait la tranche. Au-dessus d'elle, la tour vacilla légèrement.

« Attention », dit Richard. Flora replaça le volume et en prit un autre un peu plus haut. Un grand format dont le titre était *Élagage des arbres et arbustes fruitiers*. Lorsqu'elle le feuilleta, des morceaux de papier Canson découpés en forme de cœur volèrent d'entre les pages et atterrirent sur ses jambes.

“*Une invitation qui vient du cœur* », lut-elle, les mots étaient tapés à la machine. « *Vous êtes conviés aux fiançailles de Michael et Clementina le 14 février 1957.* » Le papier était doux, fragile, le violet avait viré au rose décoloré.

« Si ça se trouve, quand arriva la Saint-Valentin, ils n'étaient plus aussi amoureux », suggéra Richard.

Elle en choisit un autre, *Moby Dick*. Une baleine géante au nez aplati émergeait de la mer, écrasant un navire de marins en bois. À l'intérieur du livre, quelqu'un avait collé un ex-libris, « *Ce livre appartient à* », et Flora lut à voix haute : « *Sarah Sims* ». L'écriture était besogneuse, le stylo creusant le papier, elle s'imaginait une jeune fille studieuse, la langue sortant de sa bouche malgré elle dans la concentration. Sous son nom, Sarah avait ajouté, *Mais je n'en veux pas*. Flora rit et tint le livre en l'air pour le montrer à Richard. « À ton tour », dit-elle.

Il tendit la main derrière lui et sortit un livre en soutenant le reste de la pile qui descendit d'un étage avec un soubresaut mais ne s'effondra pas. « *Ciel rouge de minuit.* » Il feuilleta les pages, rien. Il les tourna plus lentement, et s'arrêta en arrivant au milieu. Il sourit.

« *Marginalia.* » Il baissa la voix, allongea ses voyelles, fit résonner ses consonnes, dans une imitation assez réussie de Gil : « C'est une vulve femelle, dessinée par quelque mâle de la même putain d'espèce. »

Richard lui tendit le livre ouvert.

« Joli dessin commenta-t-elle. Bonne technique. »

Elle en prit un autre, *Palpitantes Histoires pour filles*. Sur le marque-page, quelqu'un avait dessiné une petite île déserte entourée d'eau. Il y avait un schéma, comme dans un manuel scolaire, qui représentait l'île en coupe transversale et où l'on avait tracé une « ligne d'évasion » pénétrant directement au cœur de l'île, elle était dissimulée sous une trappe qui passait pour le puits de l'île. Sous l'eau, un sous-marin secret attendait les passagers.

« Après le départ de Maman, j'étais gênée de la manière dont nous vivions, commença Flora en refermant la couverture. Le jardin avait l'air d'une jungle, la maison était noyée sous les livres, ma sœur se comportait comme une mère, mon père, qui aurait pu être mon grand-père, restait toute la journée enfermé seul avec sa machine à écrire, à ne jamais rien écrire. »

Richard repoussa ses lunettes sur son nez et écouta.

« Je n'invitais jamais personne à la maison. » Flora posa les talons sur le rebord du canapé et serra les bras autour de ses genoux. « Je n'avais pas beaucoup d'amis, mais il y avait cette fille, Kathy. J'étais devenue son amie pour pouvoir aller chez elle le soir après les cours, plutôt que de rentrer chez moi. » Flora se grattait une croûte sur le genou. « La première fois qu'elle m'a invitée, elle s'est arrêtée sur le seuil de sa maison, s'est dandinée d'un pied sur l'autre et a finalement lâché : "Il y a quelque chose que je dois te dire à propos de ma mère", je me souviens d'avoir pensé, *Merde, elle va me dire que sa mère a disparu.* Mais non : "Ma mère est vraiment très grosse."

« Elle disait vrai, sa mère était énorme. Elle débordait de sa chaise, et lorsqu'elle s'asseyait, ses robes à fleurs bariolées dévoilaient des jambes tellement charnues que, si on avait planté une fourchette dedans, du gras aurait jailli. Kathy éprouvait le besoin de s'excuser, pourtant moi j'adorais sa mère. Durant ce trimestre-là, je suis allée chez Kathy après l'école au moins deux fois par semaine, jusqu'à la fin de la journée, prenant même mon dîner sur mes genoux avec sa famille, devant la télé. Je faisais semblant que son frère mécanicien était mon frère, que son père, qui avait un travail normal dans un bureau, était mon père, que sa maison mitoyenne au milieu d'un lotissement était ma maison. Je sais aujourd'hui que je devais faire pitié à sa mère, avec ce qui m'était arrivé, mais à l'époque je l'ignorais. Quand je m'en allais le soir, elle me prenait dans ses bras, et j'avais l'impression de m'enfoncer dans sa chair, comme si elle pouvait m'absorber dans son corps pour que je devienne son bébé. En rentrant de chez Kathy, je m'allongeais sur mon lit et tentais de reconstituer le parfum de la poitrine de sa mère, l'odeur de plats cuisinés qui s'échappait de ses vêtements mêlée à la transpiration qui remontait de son décolleté. Le mélange était une odeur de mère pour moi : du rose carmin.

— Du rose ? demanda Richard, mais Flora ne se laissa pas interrompre.

— C'est avec Kathy que j'ai lu *Un homme de plaisir* pour la première fois, sous la couette, braquant ma lampe torche sur les passages les plus crus. Je crois que l'exemplaire appartenait à l'un de ses oncles. L'essentiel nous passait complètement au-dessus de la tête bien entendu. Je n'ai réalisé que plus tard la signification de ces mots, et même alors je n'ai pas tout compris. »

Richard allait intervenir, mais Flora le coupa : « Attends. Maintenant que je me suis lancée, laisse-moi aller jusqu'au bout.

« Après quelques mois, Kathy laissa entendre qu'elle voudrait bien être invitée chez moi à son tour. Elle disait des choses comme “Ton père est célèbre. Je n'ai jamais rencontré quelqu'un de célèbre” ou bien “C'est vrai que tu vis dans une cabine de piscine ?” Je songeai alors à ce qu'il aurait fallu que je lui dise sur *ma* mère avant de passer la porte de ma maison, mais je ne savais pas par où commencer – *Il y a quelque chose que je dois te dire : mon père est un écrivain qui n'écrit pas, à la place il collectionne les livres des autres, là c'est ma sœur-mère, et au fait ma mère a disparu, mais ne t'avise pas de dire qu'elle est morte.* Enfin, ça, elle devait déjà le savoir. Tout le monde le savait.

« La dernière fois que je suis allée chez Kathy, l'une de leurs voisines était là. Sa mère et cette femme étaient assises dans la cuisine, elles prenaient le thé. Kathy et moi jouions à faire semblant d'être des espionnes, quelque chose dans ce goût-là ; nous écoutions à la porte comme si les canevas de tricot et les recettes de cuisine nous fascinaient. Puis leur conversation changea :

« “J'ai vu que Flora est encore là, dit la voisine. Pauvre petite.

« – Elle vient presque tous les jours après l'école, rebondit la mère de Kathy. Tu imagines ? Rien que d'y penser, c'est insupportable. Et son père, pendant ce temps-là, qui se cache dans sa cabane, ou qui traîne Dieu sait où.

« — Moi, c'est l'aînée qui m'inquiète, reprit la voisine. Devoir jouer les mères pour une enfant de dix ans alors qu'elle en a à peine, quoi ? Quinze ?

« — Oh, mais quand même, et cette pauvre petite Flora ? Perdre sa mère si jeune." »

Flora s'arrêta un moment, regarda Richard. Son visage ne trahissait aucune réaction, il attendait. « Perdre sa mère, répéta Flora. Elles pensaient que c'était moi qui l'avais perdue.

— C'est juste une façon de parler. Elles ne pensaient pas vraiment que tu étais responsable... intervint Richard, mais Flora secoua la tête.

— J'ai planté mes yeux dans ceux de Kathy et j'étais sûre qu'elle pensait la même chose : ma mère avait disparu et pourtant je l'avais surveillée. Et je la surveillais – j'étais cachée dans les ajoncs, dehors. »

Flora désigna la fenêtre d'un mouvement de tête. « Nan s'était assurée que je prenne bien le car scolaire ce matin-là, mais j'étais descendue à l'arrêt suivant et j'étais revenue à la maison à pied. J'étais impatiente que Maman sorte de la maison pour pouvoir me glisser à l'intérieur, prendre mon maillot de bain et aller nager. Je l'ai regardée partir, je ne l'ai pas arrêtée.

— Mais si tu étais allée à l'école, tu n'aurais pas non plus pu l'arrêter, répliqua Richard.

— Je suis sortie de la maison de Kathy en courant, le coupa Flora. Elle m'a appelée, m'a crié de revenir mais personne n'est venu me chercher non plus. Peut-être que Kathy leur a raconté que j'étais juste rentrée chez moi.

— Oh Flora, dit Richard en se penchant pour lui caresser la cheville.

— Je sais, quelle enfance pourrie, lâcha Flora avec un rire forcé. Attends, c'est pas fini. Le lendemain, à l'école, la fille qui était assise à côté de moi m'a fait passer un mot. J'ai tout de suite reconnu l'écriture de Kathy. Je l'ai ouvert sous mon bureau. Ça disait : "Je sais ce que tu as fais."

— Quoi ? s'écria Richard.

— Je te l'ai dit, elle était persuadée que c'était moi qui avais perdu ma mère. Et je le croyais moi aussi. Peut-être que je le crois encore, d'ailleurs. » Flora ne raconta pas le reste de l'histoire à Richard : elle avait rapporté le mot à la maison et, assise à la table de la cuisine, l'avait relu. Nan était sortie, mais Gil était là, il cuisinait. Elle voulait qu'il le voie, qu'il le lise et qu'il lui dise qu'elle n'était pas responsable, qu'elle n'avait pas perdu Ingrid.

Son père avait posé une assiette devant elle, un œuf à cheval sur une saucisse dont le jaune dégouttait sur les haricots. Elle n'était pas sûre d'arriver à manger. Gil avait regardé par-dessus son épaule et lu ce que Kathy avait écrit.

Il avait secoué la tête. « C'est "ce que tu as fait", avait-il dit, avec un *t* à *fait*. » Flora avait glissé le mot sous son assiette et l'avait jeté ensuite avec la nourriture que son père n'avait même pas essayé de lui faire avaler, n'ayant pas remarqué qu'elle ne mangeait rien.

Flora se leva du canapé et se fraya un chemin entre les livres jusqu'aux portes vitrées, elle scruta le ciel où de sombres nuages filaient devant la lune à toute allure. « Je crois que nous avons eu les dernières journées de beau temps.

— Flora ? demanda Richard.

— Je vais bien. C'était il y a très longtemps. » Elle revit sa mère refermant la porte du Pavillon de nage, un livre à la main. Flora s'efforçait de lire le titre – une question peut-être. Elle se souvenait de s'être accroupie dans l'espace qu'elle s'était aménagé au milieu des ajoncs, une forteresse d'épines. Elle se souvenait d'avoir voulu que sa mère se dépêche, qu'elle s'en aille. Et une fois qu'Ingrid avait tourné le dos, marché au soleil dans sa longue robe rose, passé le coin de la route et disparu dans Spanish Green, Flora l'avait chassée de son esprit.

Elle se retourna vers Richard : « Allons nous coucher. »

34

Pavillon de nage, 25 juin 1992, 23 h 50

Gil,

Aujourd'hui, j'ai eu un coup de téléphone de la directrice de l'école de Flora. Derrière moi, j'entendais notre fille de dix ans qui râlait pendant qu'au bout du fil j'écoutais le récit de ses derniers exploits. On l'avait retrouvée le pouce tendu sur la grand-route, bien loin des grilles de l'école. Plus tard, elle m'a expliqué qu'elle avait prévu de faire du stop jusqu'à Londres pour aller vivre avec toi. Je lui ai demandé comment elle comptait te trouver à Londres sans même avoir ton adresse. Elle avait tout prévu : elle serait allée dans une librairie, elle aurait demandé le nom de ton éditeur et ensuite elle se serait présentée dans ses bureaux. (Une jeune fille intelligente et indépendante, notre petite. J'aurais peut-être dû la laisser partir.)

Je me rends compte que je pense moins à toi depuis que j'écris ces lettres, du moins au Gil d'aujourd'hui, où tu es, ce que tu fais. À l'inverse, le Gil du passé occupe mon esprit tout entier. Quand les filles sont à l'école, je travaille dans le jardin, il y a toujours à faire. L'horizon a besoin d'être dégagé, on ne voit plus bien la mer depuis la maison, la cordyline a pris des proportions énormes et j'aurais dû tailler le tamaris il y a trois mois déjà. De temps en temps je songe à ce que ce jardin deviendrait si je n'étais pas là pour en prendre soin. (Les orties qui dominent la berge se réapproprieraient leur territoire, au bout de quelques semaines l'herbe monterait en graine, les parterres de fleurs seraient envahis d'intrus.) Est-ce une erreur d'imposer notre volonté à la nature ? Tous ces efforts pour garder le jardin dans l'état qui me plaît – semer, tailler, tondre. Peut-être serait-il plus juste, plus vrai, de laisser la terre revenir à ses instincts.

Te souviens-tu de la fois où Flora a fugué quand elle avait sept ans ? Encore une chose dont nous n'avons jamais parlé. Tu étais à Londres pour une séance de dédicaces et tu devais rentrer le lendemain matin. Le temps était tel que je n'avais pas résisté à l'envie de descendre le long du sentier côtier, une fois les enfants couchées. J'adorais me laisser flotter à la surface de l'eau dans une mer agitée, la peau lavée par les vagues et criblée par la pluie. Je n'étais pas là pour l'arrêter quand Flora avait escaladé le rebord de la fenêtre de sa chambre. Mais tu étais finalement rentré plus tôt, tu avais pris le dernier ferry, ou bien encore n'étais-tu jamais parti, et tu avais sans doute trouvé Nan en larmes, la fenêtre des filles ouverte, et notre petite envolée.

J'avais remonté le sentier côtier pieds nus. Le chemin était boueux et je marchais en regardant mes pieds quand je vous ai entendus appeler Flora, tu avais rameuté nos voisins pour partir à sa recherche, et en levant la tête j'ai vu le ballet de vos lampes torches à travers les taillis. Je savais que j'aurais dû être à la maison, en train de veiller sur nos filles, alors je me suis mise à courir à travers les bois, j'ai perdu ma serviette, mais tu avais déjà retrouvé notre fille, et quand je suis arrivée près de vous, en me frayant un chemin dans le groupe qui t'entourait, j'ai découvert Flora dans tes bras. Devant tous nos amis et voisins, tu m'as alors assenée une gifle dont le fracas a résonné dans les collines nues comme un coup de fusil.

Je ne mérite pas de m'occuper de nos enfants.

Ingrid

[Dans *De mort à trépas*, de Harold Q. Masur, 1958]

35

« Reste tranquille, dit Flora à cheval sur les hanches de Richard. Ou bien tu vas te retrouver avec le squelette tout de travers. » Il était allongé sur le lit aménagé au fond de l'atelier d'écriture. La lumière du matin pénétrait par la fenêtre et la porte ouverte venait réchauffer la couleur de sa peau ; concentrée sur le dessin de son articulation de coude, Flora s'efforçait de visualiser la manière dont l'extrémité en forme de pivot de l'humérus venait s'insérer dans les os de son avant-bras.

« Il a plu des poissons, dit-elle sans cesser de dessiner, la nuit où j'ai emprunté ta voiture.

— Des poissons ? interrogea Richard.

— Oui. »

Elle attaqua l'autre coude. « Il y en avait partout sur la route. De minuscules maquereaux.

— J'ai lu quelque chose là-dessus. Ce sont des trompes marines, ou des mini tornades qui se forment au large ou même à la surface de lacs, et aspirent de petits animaux aquatiques – des poissons, des grenouilles – pour les recracher ailleurs », dit-il.

Flora soupira et décala ses genoux sur le couvre-lit. « Je ne te demandais pas d'explication scientifique.

— Tu voulais quoi alors ?

— Tu ne trouves pas que ça prend un sens particulier ? »

Flora leva son stylo de la peau de Richard, contempla son ouvrage. « Que ce soit arrivé juste au moment où je rentre à la maison ? Comme une sorte d'augure ? » Elle leva la tête vers son visage mais son expression n'avait rien à voir avec ce qu'elle était en train de lui raconter. « Laisse tomber. » Elle se remit au travail.

Au bout d'un moment, Richard lâcha : « Je n'arrive pas à croire que je suis dans la pièce où Gil Coleman a écrit *Un homme de plaisir.* » Il tourna la tête vers la porte. Flora suivit son regard. Il y avait un goût d'interdit à se trouver ici avec Richard, dans l'intimité de son père. Par la fenêtre entrouverte, on apercevait les buissons d'orties et un bout de mer. Rabattue sous le rebord, une planche de bois se dépliait pour créer une petite table de travail ou de repas. Il y avait aussi une chaise pliable qui attendait qu'on vienne la décrocher de sa patère. Près de la porte, accrochés à des clous au-dessus du poêle, il y avait encore une vieille manique, deux mugs écaillés et une lampe à huile. Sous les fesses de Richard, le couvre-lit violacé, élimé par endroits, piqué par l'humidité et replié dans un coin, laissait apparaître des draps et oreillers grisés à l'odeur de moisi. Fluant et refluant, il jetait autour d'eux le parfum d'une couleur, celle du dessous d'un champignon.

« Tu crois que tout s'est passé ici, ou juste une partie ? demanda Richard.

— Quoi ? Tu ne crois quand même pas que c'est autobiographique, si ? »

Elle rit et son stylo ripa sur sa peau. « Putain, c'est pas vrai.

— C'est ce que tout le monde dit.

— Je ne t'imaginais pas prêt à gober toutes les rumeurs du petit milieu littéraire.

— D'accord, mais en tout cas c'est bien ici qu'il l'a écrit, à cette table, face à cette vue.

— Je suppose. Nous n'avions pas le droit d'entrer. »

Elle coinça le bout de sa langue entre ses lèvres. Elle avait atteint le poignet de Richard et rencontrait quelques difficultés au niveau du canal carpien.

« Pourquoi cela ?

— C'était la règle. »

Une seule fois elle était entrée dans la pièce toute seule. Bizarrement, Flora ne se souvenait plus qu'elle avait escaladé la fenêtre pour sortir de sa chambre. Elle se rappelait Nan dans la cuisine ; quant à sa mère, elle ne savait pas trop où elle était. Il pleuvait, une pluie drue, chaude, à peine avait-elle atterri dans le parterre de fleurs que son pyjama était trempé. Elle avait longé les sentiers de gravier en courant entre les étendues d'herbe, son père était sans doute en train d'écrire, cependant, malgré la lumière et la porte ouverte, la pièce était vide. Flora hésita un moment sur le seuil, elle était parfaitement consciente de transgresser un interdit, mais elle entra. L'endroit dégageait l'odeur de son père, musquée, chargée, de la couleur brune de la loutre, pareille à l'homme lui-même. Les couvertures étaient rabattues en arrière, comme s'il venait de se lever. Elle avait envie de se glisser entre les draps mais elle fut distraite par la vision de sa machine à écrire et de la feuille qui s'en échappait. « Je passai la main sur les courbes duveteuses de sa croupe », lut-elle. Flora n'était pas sûre de comprendre le sens du mot « croupe », alors elle s'approcha pour lire la ligne suivante. Ses cheveux mouillés dégoulinèrent sur la feuille, les lettres se brouillèrent.

Elle se précipita hors de la pièce, traversa le jardin, courut jusqu'à la route et prit le sentier qui montait sur la colline à travers le petit bois de hêtres, où la pluie creusait des ruisselets pourpres et glissants sur les troncs des arbres. Elle frappait sa paume contre leur écorce en passant, comme si elle claquait les croupes charnues de chevaux géants. Le temps qu'elle traverse le bois, elle avait chaud, elle était en sueur et la pluie avait cessé. Le sentier débouchait sur la montée de Barrow Down, où l'herbe était rongée par les lapins et la lande ondulait en vagues. Dans un sursaut d'énergie, Flora courut jusqu'au point culminant. Le chemin continuait, longeant la côte vers la droite jusqu'à Hadleigh ; à sa gauche l'herbe dépouillée descendait le long de la falaise vers la plage ; devant elle, le sol était plat, avançant face à la mer. Les bras en croix, elle courut dans le vent et l'herbe, jusqu'au sommet de la falaise. À cet endroit, le rebord s'était érodé, ce n'était plus qu'une étroite jetée de soixante centimètres de large et quatre mètres de long qui semblait pointer un doigt accusateur vers la mer et le Vieux Fumeur, une colonne de roche crayeuse détachée de la côte depuis des siècles. Telle une gerbe marine, il dressait ses douze mètres hors de l'eau, évoquant la cheminée d'un gigantesque paquebot échoué. Autrefois, la Femme du Vieux Fumeur, un rocher plus petit, se nichait auprès de lui. Au milieu de ce doigt de terre, un sentier avait été tracé dans l'herbe par des adolescents casse-cou ou des adultes imprudents. Flora et Nan, et tous les enfants qu'elles connaissaient, avaient l'interdiction formelle de s'aventurer jusqu'au bout de cette péninsule, et l'interdiction formelle également, Flora s'en souvenait maintenant, de s'aventurer seuls dans les collines. Elle posa un pied sur le sentier, qui faisait la largeur d'une chaussure, puis un autre – un pied devant l'autre, le talon collé aux doigts de pied, jusqu'à ce qu'elle ne pût plus distinguer la terre ferme derrière elle. En dessous, de chaque côté, la masse mouvante et noire de la mer l'aurait fait vaciller si elle ne s'était pas forcée à fixer les nuages filant devant la lune et l'immensité du Vieux Fumeur s'élevant des eaux tel un phare sans fanal. Flora redéploya les bras, le vent souleva ses cheveux. Elle fit un autre pas en avant, le bout de ses doigts était moite, puis encore un autre, jusqu'à ce qu'elle soit à l'extrémité de la jetée. Un pas de plus, et ce ne serait que le vide sous ses pieds, le néant, et la chute, longue, une pierre s'abattant dans l'air, la mer et les rochers en bas. Une bourrasque souffla derrière elle, puissante, comme pour la pousser en avant de toutes ses forces. Elle tomba à genoux, s'agrippa aux touffes d'herbe sur le rebord, puis, une fois qu'elle fut calmée, recula en se traînant en arrière et en se cramponnant à l'herbe pour se mettre à l'abri.

En redescendant à travers bois, Flora croisa la battue lancée à sa recherche : des lueurs de lampes torches balayant les branches, des gens qui appelaient son nom : son père, Martin et une poignée d'autres voisins. Gil la prit dans ses bras, la serra fort et le petit groupe se rassembla autour d'eux. De la suite, elle ne saurait jamais s'il s'agissait de la réalité ou de son imagination macabre, car elle se souvenait d'un spectre blanc surgissant sous un arbre, de sa peau luisante sous la lune et de son père s'avançant pour frapper la créature, qui tourna et prit la fuite, avant de la ramener à la maison.

L'automne suivant la disparition de sa mère, Flora retourna sur le sentier projeté au-dessus de la mer, allongée sur le ventre, la tête dans le vide par-dessus le rebord, elle laissa tomber une des dents d'Annie. La petite noix blanche était dans ses mains et l'instant d'après elle avait disparu, trop minuscule, trop insignifiante pour qu'on la voie ; elle l'imagina tourbillonnant jusqu'en bas, fendant la surface de l'eau sans aucun bruit, puis emportée par la marée, toujours plus profond et plus loin dans la mer, avant de s'échouer quelque part entre les herbes et les cailloux.

« Tu ne dessines pas sur ma main », dit Richard en repoussant le stylo qui laissa un zigzag noir courant jusqu'à son majeur. Flora leva les yeux, surprise par la mobilité de son modèle. « Il va bientôt falloir que je reprenne le boulot. »

Flora avait oublié que Richard avait un travail, qu'il y avait des endroits où les gens travaillaient, échangeant des biens matériels contre de l'argent, entre 9 heures et 18 heures tous les jours, à un ferry de là. La mer, la terre, le Pavillon de nage lui faisaient souvent cet effet-là ; elle oubliait que le reste du monde continuait d'exister. « Soit, si la librairie est plus importante pour toi que d'avoir tous tes membres et tes organes bien en place et de rester au lit avec moi… » dit-elle en commençant à descendre de lui mais il la rattrapa par le bras et l'attira sur le lit.

Plus tard, à côté de Richard endormi, elle contemplait le ciel et les nuages qui passaient devant la fenêtre entre la mer et le village, tandis que le poêle diffusait une chaleur sèche dans l'air frais. Au bout d'un moment, elle murmura : « Richard, tu es réveillé ? », et sa respiration changea tandis qu'il émergeait. « Tu vas vraiment brûler tous les livres de Papa ?

— Bien sûr que non. »

Il lui embrassa la nuque, et la barbe de trois jours sur son menton lui donna une chair de poule qui s'étendit à tout son corps. Elle se pressa contre lui pour qu'il la serre plus fort dans ses bras.

« Tu lui as dit que tu ne le ferais pas ?

— Pas encore. Il insiste beaucoup. Je ne sais pas comment lui dire. Comment pourrais-je refuser à Gil Coleman d'exécuter ses dernières volontés ? Mais je ne peux pas. Je ne peux pas brûler des livres. »

Elle se leva et posa la bouilloire sur le poêle. « Je suis impatiente que Jonathan soit enfin là. Lui, il saura quoi faire. » Elle s'accroupit pour ouvrir la trappe du poêle.

« Je vais dire à Gil que je ne peux pas le faire, dit Richard en chaussant ses lunettes. Aujourd'hui, tout à l'heure, c'est promis. »

36

Pavillon de nage, 26 juin 1992, 5 h du matin

Gil,

Cela faisait presque quatre ans que les montants en bois desséché du berceau de George reposaient dans le grenier, comme un poids au-dessus de ma tête, où que je me trouve dans la maison. Dans leur carton sous le lit, les vieux vêtements de bébé de Nan avaient viré d'un parfum de lessive fraîche à une odeur de poussière, et cet espace entre mon épaule et ma joue, où aurait dû reposer la tête d'un bébé, demeurait vide. Le monde entier était devenu plus raide, plus abrasif : les draps m'écorchaient la peau, les vêtements m'irritaient, tout comme les gens. Je n'éprouvais de soulagement que sous l'eau ou dans mon jardin. Cependant, une fois passé le plus dur de la douleur, les souvenirs précis s'effacent, les moments de chagrin, les sensations de l'enfantement : la nature efface la peine pour assurer la continuité de l'espèce.

Je suppose que nous avons repris notre quotidien : je jardinais, m'attelant au chemin rocailleux qui descendait en lacets de la berge à la plage, j'y plantais du chou marin, de la glaucière et du fenouil. Nos voisins déposaient des boutures emballées dans du papier journal devant notre porte, des pots de petit muguet, de trèfle jaune des sables, de lavande marine. Je les plantais, les arrosais, j'en prenais soin, tout comme je prenais soin de Nan. Tu commenças un nouveau roman (tu avais abandonné toute velléité de trouver un boulot depuis longtemps). Nous n'allions pas bien, c'est sûr. Nous ne bougions jamais de la maison, comptions le moindre centime. Chaque fois que tu arrivais à vendre une nouvelle, nous fêtions l'événement avec Jonathan, qui était souvent là, il venait ici taper ses chroniques de voyage, me donnait un coup de main dans le jardin pour les tâches les plus lourdes tandis que tu demeurais enfermé dans ton atelier. Il n'amenait plus des gens avec lui, à part une femme parfois (tu te souviens de cette Américaine qui était venue pour Noël en 1980 ?). Je m'efforçais de les apprécier, de les accueillir, mais la plupart d'entre elles étaient ridicules. L'Américaine insista pour que Jonathan achète de quoi faire une maison en pain d'épice bien qu'aucun d'entre nous n'aime le pain d'épices, pas même elle. La maison prit la poussière dans un coin de la cuisine jusqu'au mois de mars, où son toit s'effondra.

Toutes les nuits que tu passais hors de la maison, j'allais nager. Un jour, après deux semaines de pluie, alors que les rivières sortaient de leur lit, je marchai jusque dans les terres tandis que le soleil se levait, jusqu'au champ derrière les Écuries du Bois lacté, là où la terre plonge vers le ruisseau. J'accrochai mes vêtements au grillage et descendis dans l'eau trouble. Rien qu'à l'idée des sentiers et des haies submergées, des fils barbelés affleurant sous la surface de l'eau, j'étais grisée.

J'allais souvent nager à la Petite Mer, bien avant que tout le monde ne le fasse et que ne fleurissent des panneaux officiels et des chemins balisés. L'eau était saumâtre, la boue fraîche. Je me frayais un chemin entre les roseaux et pivotais face à la rive, je basculais alors sur le côté, puis sur le dos, inerte, laissant l'eau porter le poids mon corps, la tête en arrière, les cheveux en corolle autour de mon crâne. Immobile, les yeux ouverts, je voyais le ciel se colorer lentement du violet profond à l'orange du soleil levant. Le retour à la terre ferme était moins charmant, mais malgré l'odeur de soufre de la boue que je soulevais, nager là-bas m'aidait à me sentir vivante.

Il y eut un matin en 1980 – au mois d'octobre je crois – où je nageai au-delà de ma limite habituelle (la bouée) et poussai jusqu'au Vieux Fumeur. Le rocher est loin de la côte mais j'étais une bonne nageuse (je le suis toujours) et le temps était propice, couvert mais calme. J'y étais presque lorsque tout à coup autour de moi la mer s'agita avec une force que je n'aurais jamais cru possible. Elle m'emporta, tel un monstre invisible, vers le large. Je luttai, battis des pieds et des mains vers le rivage, mais la créature était puissante et déterminée. Je criai, mais au bout d'à peine quelques minutes j'étais beaucoup trop loin pour que quiconque m'entende, un point sur l'horizon bien trop minuscule pour que quiconque me voie. Le monstre m'attira sous l'eau, me retourna, me remplit la bouche d'eau. Une fois, deux fois, je réussis à remonter à la surface, crachant, toussant, criant, et replongeant toujours jusqu'à ce que, trop secouée, je parte à la dérive, perdue. Sous la surface, l'eau bouillonnait comme si des nuages d'orage s'y massaient et s'y dispersaient à grande vitesse, m'emportant en vrilles telle une feuille morte dans le vent. Ma poitrine me brûlait et les rayons du soleil irradiaient autour de moi, illuminant les bulles d'air qui s'évaporaient des algues au-dessus et en dessous de moi. Je me souviens d'avoir pensé combien les fonds sous-marins étaient beaux, qu'il fallait que je le dise à tout le monde, et puis je me souviens d'avoir compris tout à coup, sans aucune panique, que je ne pourrais pas car j'étais en train de me noyer et que je ne reverrais jamais plus personne. Mais peut-être la mer n'attendait-elle de moi que cette reddition, parce qu'une fois que j'eus cessé de lutter, ma tête émergea de l'eau comme un bouchon et mes jambes se mirent à pédaler dans les vagues qui me ramenèrent vers la plage. Le courant m'entraîna jusqu'au Vieux Fumeur, me poussa contre lui, lacérant mes joues et mes genoux au passage, mais je m'agrippais à la roche, embrassant la craie tranchante. Quand j'eus repris ma respiration, je fis le tour du pilier, sans le quitter, jusqu'à la face sud à l'abri du courant. Je pris alors un moment, sous le vent, au milieu des vagues qui claquaient autour de moi, et regardai vers le haut. Le Vieux Fumeur se dressait, vertigineux, vers le ciel, les nuages se dispersaient, et quand le soleil apparut, la craie brilla d'un éclat aveuglant. As-tu déjà plaqué ton visage contre la façade d'un gratte-ciel et fixé son sommet ? L'immeuble semble avancer, menaçant, et force le visiteur étourdi à reculer. D'ici quelques siècles, le Vieux Fumeur aura disparu, érodé, avalé par la mer comme son épouse avant lui.

Depuis le rocher de craie, je nageai vers le sud, passai devant les plages de galets inaccessibles par la terre, atteignis Hope Cove, où je me hissai hors de l'eau, rampant jusqu'à un éboulement de rochers couverts d'algues tombés des falaises. J'escaladai les rochers, nue, à quatre pattes, les genoux sanguinolents, les cheveux en paquets – une sirène à la queue blessée. Une famille s'était installée sur une roche plate avec des seaux et des filets pour la pêche à la crevette. La mère dévissait le couvercle d'une thermos, le père démêlait un filet de crabes, le fils, environ sept ans, était assis sur une corbeille de pique-nique rigide ; tous trois me regardèrent ramper jusqu'à eux, médusés. J'avais eu de la chance.

Je me rappelle à présent l'impression d'ivresse qui m'envahit après l'incident de la plage, la survie m'était montée à la tête. Chaque fois que je regardais la mer, j'éclatais de rire ; j'avais lutté contre les éléments et j'avais gagné. Tout était miraculeux. Je trouvais de la joie partout, non seulement dans le jardin, mais jusque dans les lessives, en comptant mes pièces face à la patiente Mme Bankes, en me faisant réveiller par Nan à cinq heures du matin alors que je venais de réussir à m'endormir.

As-tu remarqué le changement ? Si oui, tu ne dis jamais rien, mais tu te mis à passer plus de temps à la maison, et nous faisions l'amour comme aux premiers temps de notre rencontre, et tu recommenças à me demander ce que je voulais que tu fasses, ce que nous pourrions faire ensemble. J'inventais des fantasmes : faire l'amour dans la mer, dans les dunes, sur la banquette arrière de ta voiture, mais rien de tout cela ne te suffisait. « Dis-moi ce que tu voudrais que nous fassions avec Jonathan », dis-tu. L'idée ne m'était jamais venue à l'esprit jusqu'à ce que tu l'y enracines et que je prenne plaisir à la faire croître, grandir encore et encore, s'épanouir. Et chaque soir je te racontais les nouveaux développements, inventant au fur et à mesure, avec force détails, les trois personnages, l'intrigue, le revirement, le dénouement. Te dictant un roman, que le matin venu tu te dépêchais d'aller écrire, tapant sur ta machine à écrire si frénétiquement que le tap-tap-tap des touches résonnait à travers les parterres de fleurs et la pelouse.

« Tu sais que ces choses que tu m'as racontées ne sont que le fruit de ton imagination ? »

lanças-tu un soir alors que nous étions seuls à table dans la cuisine. Tu tournais les pages d'un livre d'occasion, t'arrêtant aux cornes, observant les dessins griffonnés dans les coins par un précédent propriétaire. En feuilletant rapidement, on découvrait un chat debout dansant sur ses pattes arrière, essayant d'attraper un poisson. Je savais ce que tu voulais dire sans que tu aies à me donner d'explication, tu poursuivis néanmoins : « Je n'ai pas envie que nous fassions ces choses avec Jonathan dans la vraie vie.

— D'accord.

— Tu comprends ce que je veux dire ? »

Le chat retomba en avant, le poisson se balançait sur sa truffe. « Promets-moi que tu ne coucheras jamais avec Jonathan. » Tu cessas de feuilleter et plantas tes yeux dans les miens.

« D'accord », dis-je.

Le chat fit faire un saut périlleux au poisson qui atterrit dans sa bouche, et tandis que le maquereau lui descendait le long du gosier, le chat tigré referma ses crocs satisfaits.

Ensuite, une fois de plus, je suis tombée enceinte. Nous ne l'avons dit à personne, tu m'as juste prise dans tes bras, nous étions assis sur le banc, en haut du chemin en lacets. Le sentiment que j'avais éprouvé pour George ne revint jamais. La nuit, j'échafaudais des plans pour m'évader, qui le matin me semblaient aussi ridicules qu'irréalisables. Flora arriva avec deux semaines de retard, se frottant les yeux, pleurant, rouant le monde extérieur de coups de pied, ses petits poings serrés. Tu es tout de suite tombé amoureux d'elle (ta Flo), je l'ai vu dans tes yeux et à la façon dont tu la portais.

« Numéro deux, dis-tu. Encore quatre. »

Mais ton compte était faux. Le mien nous portait à quatre. Je fis de mon mieux pour cacher ma déception quand Flora glissa hors de moi, telle une anguille aussitôt attrapée par une sage-femme à la maternité. Mais ici, lieu de toutes les vérités, je peux l'avouer. Flora n'était pas George. Flora n'était même pas un garçon, et je repris le deuil de l'enfant que j'avais perdu.

Ingrid

[Dans *La Nuit des Rois*, de William Shakespeare, édition de 1968]

37

Flora était assise sur la plus haute marche de l'escalier devant l'atelier lorsque Richard sortit de la maison.

« Je lui ai dit.

— Qu'est-ce que tu lui as dit ?

— Que je ne pouvais pas brûler ses livres. Que c'était trop *Fahrenheit 451* pour moi. » Il alla se blottir contre elle. « Il n'a pas semblé surpris. N'a pas protesté non plus.

— Il n'a rien dit du tout ?

— Il a prononcé une citation en allemand, et lorsque je lui ai demandé ce que cela voulait dire, il a répondu que c'était un extrait d'une pièce de Heinrich Heine.

— Qui ?

— Un poète romantique allemand. "Là où l'on brûle des livres, on finit aussi par brûler des hommes." Il m'a quand même demandé de faire autre chose. Il veut que je l'aide à descendre jusqu'à la plage. Cet après-midi.

— Impossible – c'est beaucoup trop loin. Comment pourrait-il aller sur la plage ?

— J'ai dit que je le porterais. »

Richard étendit ses jambes au soleil.

« Qu'est-ce qui se passe entre papa et toi ? Comment ça se fait que tout à coup ce soit toi qui saches ce qu'il y a de mieux pour lui ?

— Ce n'est pas une question de savoir ce qui est mieux pour lui, dit Richard en veillant à ce que sa voix ne trahisse aucun emportement. Peut-être juste que n'étant pas de la famille je suis moins proche, moins impliqué. »

Flora détourna la tête, fixant le soleil.

Richard posa le bras autour de son épaule. « Hé, tout ce dont je lui parle, c'est de regarder la réalité en face.

— Est-ce que tu savais qu'il m'a demandé de lui trouver un chausson de bébé ? Tu sais, ces petits chaussons tricotés ?

— Un chausson ?

— Et il n'en voulait qu'un. Il a été très précis. »

Elle regarda Richard. Il avait l'air sincèrement surpris. « Je pensais que peut-être l'idée venait de toi.

— Pourquoi je lui mettrais une idée pareille dans la tête ? »

Elle haussa les épaules.

« Ça va aller. C'est juste un dernier voyage jusqu'à la mer. Quel mal y a-t-il à cela ? »

Sans se consulter, ni Flora ni Richard ne firent part à Nan de leur projet. Après le déjeuner, Nan annonça qu'elle allait à Hadleigh, qu'elle avait oublié des choses en faisant les courses. Elle déboula dans la véranda, en jupe crayon et haut noir avec un papillon brodé de sequins sur la poitrine.

« Il se repose, mais j'ai mon téléphone au cas où. » Nan glissa une main sous son haut et remonta la bretelle de son soutien-gorge. « Je le garde allumé, appelez-moi s'il y a quoi que ce soit.

— Eh bien, regardez-moi ça ! s'écria Flora. Toi, tu ne me feras pas croire que tu vas juste au supermarché. »

Nan baissa les yeux et passa les mains sur son haut, les sequins ondulaient, accrochant les rayons du soleil, projetant des lueurs blanches sur la façade de la maison.

« S'il y a le moindre changement, surtout, promettez-moi de m'appeler.

— Promis. Tourne-toi pour voir, dit Flora, en la faisant tournoyer au bout de sa main.

— Je peux revenir à tout moment. »

Nan jeta un œil par-dessus son épaule, tentant de voir ce que donnaient ses fesses moulées dans cette jupe. « C'est bien, tu crois ? Ce n'est pas trop ? »

Richard émit un long sifflement et Nan esquissa un sourire faussement effarouché. « J'ai pensé que je ferais mieux d'aller voir Viv pour lui demander si elle n'aurait pas vu le livre de Papa.

— Tu es superbe. Magnifique, dit Flora.

— J'ai mon téléphone avec moi, répéta Nan.

— Ne t'inquiète pas. Tout ira bien. Profite », dit Flora.

Flora marchait devant, le long du sentier côtier, une couverture et un fauteuil pliable à la main, Gil avait dit que ce ne serait pas nécessaire, mais elle avait insisté. Richard portait Gil.

Il avait mis un grand chapeau de paille, l'un de ceux, suspendus dans le couloir, qui n'appartenaient plus à personne depuis des lustres, et une paire de lunettes de soleil de femme que Flora avait trouvée dans le tiroir de la cuisine. En quelques jours, il avait maigri mais il arrivait à ouvrir son œil gauche désormais, et sur sa paupière le violet avait viré à un vert jaunâtre affreux. Il s'abandonna dans les bras de Richard sans aucune gêne, observant et commentant le ciel et les arbres qu'ils dépassaient, comme si c'était là sa dernière chance de les voir.

Lorsque Flora atteignit le sable, elle aperçut Martin au bord de l'eau. Le vent était léger, la mer ondulait paresseusement, laissant quelques vaguelettes se briser sur le sable.

« Papa ? Qu'est-ce qui se passe ? Pourquoi est-ce que Martin est là ?

— Tu peux me poser maintenant. Merci, Richard », dit Gil. Et il s'avança vers la mer. « Martin, appela-t-il.

— Comment vas-tu ? »

Martin ne vint pas vers eux, Flora constata qu'il tenait une corde à la main et tirait un bateau derrière lui dans le sable.

« Qui est Martin ? demanda Richard à Flora.

— Merde, lâcha Flora entre ses dents. Je savais bien qu'il ne s'agissait pas juste de descendre jusqu'à la plage. »

Elle alla aider son père. Gil et Martin se serrèrent la main.

« Ton coquard a presque disparu. Ça fait plaisir de te voir sur la plage. Pas beaucoup de vagues, c'est une bonne journée pour sortir en mer, dit Martin.

— Alors tu as le bateau, et l'oiseau ? » Gil jeta un coup d'œil dans le dos de son ami.

« Pas pu nous dégoter un zodiac ou un bateau à moteur mais je me suis dit qu'une bonne vieille barque ferait l'affaire. Ce petit gars m'a l'air d'avoir des muscles à revendre. » Martin leva le bras et contracta son biceps, poing serré, en riant. Le biceps ne bougea pas. « Fut un temps où on aurait pas eu besoin d'aide, hein ? lança Martin en donnant une claque sur l'épaule de Gil.

— Mais tu as l'oiseau ? demanda Gil, en fixant Martin par-dessus les verres de ses lunettes de soleil. Ça sert à rien d'avoir le bateau si t'as pas l'oiseau. »

Martin fit un pas de côté, révélant une yole à la peinture bleue tout écaillée avec deux bancs et une flaque d'eau croupie à l'intérieur. Il y aurait eu de la place pour trois sans cette petite cage coincée au fond. Derrière le grillage, un coq agitait la tête en les regardant de ses yeux globuleux, le droit puis le gauche, chaque fois les petites boules rouges au coin de ses yeux ondulaient.

« Papa ? Qu'est-ce que c'est que cette histoire ? Je croyais qu'on devait simplement t'emmener voir la mer, demanda Flora.

— Une sortie en mer. Mais je ne suis pas sûr que Martin soit d'attaque pour ramer, alors il va nous falloir l'aide de l'un de vous deux, répondit Gil.

— Et le poulet ? interrogea Richard.

— Le coq, corrigea Martin.

— Ça c'est un truc dont la mère de Flora m'a parlé. Il y a longtemps, enfin, non, pas si longtemps que ça », dit Gil. Il avança dans l'eau à côté du bateau, le tissu de son pantalon prit une teinte plus foncée de gris. « Tiens-le bien, Martin. » Gil leva une jambe tremblante et le coq émit un coassement guttural.

« Attends, Papa, attends », dit Flora. Elle laissa tomber la chaise pliante, balança la couverture et le coussin dans la yole et s'approcha de son père. « Richard, viens nous aider, dit Flora.

— Je ne suis pas sûr que ce soit une très bonne idée », répondit-il tout en passant un bras autour du vieil homme et baissant l'épaule pour qu'il puisse prendre appui dessus.

Flora et Richard manipulaient ses membres comme ceux d'une poupée désarticulée, ils finirent par réussir à l'installer sur un des bancs de la barque. Gil se cramponna sur le côté avec son bras valide, hors d'haleine, le chapeau de paille ratatiné dans son dos. Les autres restaient sur la plage, interdits, sous les yeux de l'oiseau médusé.

« Qu'est-ce que c'est que cette histoire, Martin ? chuchota Flora.

— Me demande pas à moi. Tu sais comment il est. Il voulait que je vienne ici cet après-midi avec un bateau et un coq dedans. Ça n'a pas été une partie de plaisir, crois-moi. Rien que pour emprunter la volaille pour l'après-midi, j'ai dû donner vingt livres à un fermier de Sydenham. Il a intérêt à revenir avec toutes ses plumes.

— Si je comprends bien, l'un de nous deux doit ramer ? Mais vers où ? »

Flora regarda la mer. Deux voiliers mouillaient au loin et la silhouette d'un porte-conteneurs se découpait, basse et immobile, sur l'horizon.

« Il a toujours été du genre aventureux, reprit Martin. Dieu sait qu'il nous en a fait voir des vertes et des pas mûres au village, t'y croirais pas si je te racontais. » Il eut l'air de vouloir donner un exemple mais se ravisa. « Et voilà qu'il est en train de mourir. » Sa voix basse les avait tous les trois réduits au silence, ils le regardaient, assis, la tête dévissée, observant le coq, qui lui renvoyait son regard. « Il veut qu'on l'emmène faire un tour au large et revenir. C'est tout. Alors avec ou sans le coq, qu'est-ce que ça change ? Il y a des gens qui demandent des trucs bien plus bizarres. » Là non plus, il ne donna pas d'exemple.

« Vas-y. Ce serait bien que vous passiez plus de temps en tête à tête tous les deux, dit Richard à Flora.

— Il y a assez de place pour nous deux. » Mais en fait elle n'en était pas vraiment sûre à cause de la cage.

« Je vais attendre avec Martin. »

Ils firent faire demi-tour à la barque et la poussèrent dans l'eau, quand elle fut à flot, Flora sauta à bord, prit place au milieu et empoigna les rames. Elle ramait dos au coq, face à son père. C'était un mouvement agréable, pensa Flora, il y avait quelque chose de satisfaisant dans la pression de ses plantes de pieds contre les parois de la barque, dans la contraction des muscles de ses épaules, c'était ce qui, hors de l'eau, se rapprochait le plus de la nage. La yole semblait souffler en montant et descendant dans le courant ; Gil ôta ses lunettes et ferma les yeux en se calant d'un côté de la coque, le dos appuyé à la poupe. Il étendit le bras, la main agrippée au rebord de la barque.

Arrivée à environ cent mètres du rivage, Flora manœuvra la yole et rama à contre-courant vers le Vieux Fumeur. Elle avait pris le rythme, ses rames fendaient les flots, remontaient, pivotaient et repartaient. Derrière elle, le coquelinement du coq était devenu un *puk*, *puk*, *puk*.

« C'est un truc que j'ai lu, qu'on peut faire avec les coqs, dit Gil en ouvrant les yeux.

— Je croyais que c'était Maman qui t'en avait parlé, demanda Flora en sortant les rames de l'eau.

— Oui, enfin, peu importe. Ils ont une sorte de sixième sens.

— Il faut que je me repose un peu. »

Flora ramena les rames à l'intérieur et se pencha en avant, haletante. Ils avaient dépassé le Bout du Monde et se trouvaient face aux cabines de plage, dont certains propriétaires étaient installés sur leurs petits pontons de bois. Sans le mouvement vers l'avant, le bateau glissait entre les creux des vagues de plus en plus grosses maintenant qu'ils n'étaient plus protégés du vent par la falaise, et Flora sentait l'air refroidir la sueur qui lui coulait dans le dos. « Tu as froid, Papa ? » Gil était tout recroquevillé, sa main libre au chaud entre ses jambes. Flora prit le coussin et la couverture qu'elle avait posés à fond de cale, mais ils étaient tous les deux trempés et elle les laissa retomber. Une grosse vague les fit rouler sur le côté et les éclaboussa tous les trois. Le coq braillait à présent à bec déployé, un cri qui partait dans les aigus et retombait en une sorte de quinte chargée. Ce n'était plus un coquelinement, c'était plus mélancolique que cela, une lamentation. Dès que la vague fut passée, le cri reprit. Flora se retourna pour regarder derrière elle et la barque vacilla de nouveau. « Je crois qu'il a le mal de mer, dit-elle.

— Si l'on passe à un endroit où quelqu'un s'est noyé, le coq se met à chanter, dit Gil.

— Quoi ?

— Ou bien c'est là que le corps se trouve. Je ne sais plus exactement. »

Gil avait les yeux fermés, comme s'il se concentrait, sa main agrippa de plus belle le rebord de la barque, ses jointures étaient blanches.

« C'est donc de cela qu'il s'agit depuis le début ? Tu penses que Maman s'est noyée ? Mais tu l'as vue à Hadleigh.

— J'ai vu quelque chose. Qui sait ce que c'était réellement. Un fruit quelconque de mon imagination. »

Le coq criait de plus en plus fort. Sur la plage, Flora vit que les gens commençaient à regarder dans leur direction.

« Tu crois qu'il va bien ? » Gil tendit le cou pour voir la bête derrière elle. « Peut-être qu'il a le mal de mer. »

Flora leva les yeux au ciel. « Ton imagination ? » interrogea-t-elle.

Gil l'ignora. « On devrait peut-être le libérer pour qu'il puisse chanter à sa guise. » Le coq émettait un cri hideux et tentait en vain de déployer ses ailes, arrêté par les barreaux de la cage.

« Je ne vais pas pouvoir quadriller toute cette étendue de mer à la rame, dit Flora en reprenant les rames. On n'est même pas encore à la plage nudiste. Je pense qu'on ferait mieux de rentrer. » Elle regarda la côte et constata qu'ils dérivaient vers leur point de départ, le Bout du Monde.

« Ouvre la cage, rien qu'un moment. Au moins, comme ça, il sera un peu moins paniqué », dit Gil.

Flora manœuvra pour passer les jambes pardessus son siège. La barque versa sur le côté et un peu d'eau passa par-dessus bord. La cage vacilla et l'animal à l'intérieur, terrifié, cria plus fort encore. En se contorsionnant, Flora réussit à défaire le verrou. Le pauvre volatile sauta et se cogna contre le grillage.

« Attention, dit Gil.

— Je fais attention ! » cria Flora, mais il ne parlait pas du coq. Lorsqu'elle se retourna avec l'animal gémissant et gesticulant dans les mains, une des rames passa par-dessus bord, elle flottait juste à côté de la barque.

« Je peux la rattraper, dit Gil, en se penchant maladroitement.

— Non, Papa ! » hurla Flora par-dessus les cris du coq.

L'oiseau balançait la tête en avant, il visait son visage, elle le lâcha. Il alla se percher sur le rebord du bateau et les dévisagea d'un air hébété, ces deux étranges personnages et le monde aquatique où ils l'avaient transporté.

« Là, dit Gil en montrant à Flora la rame qu'elle avait parfaitement vue. Prends-la. »

En se servant de l'autre rame comme d'une pagaie, elle s'efforçait de faire avancer la yole jusqu'à l'autre rame qui progressait dans le courant. Il y eut une secousse, la barque cogna et frotta contre les rochers sous-marins du Bout du Monde.

« Tire-nous de là ! » ordonna Gil, et Flora poussa avec une rame sur un des rochers de sorte qu'ils atterrirent sur d'autres encore, Gil resserrait sa main sur la coque. À chaque à-coup, l'oiseau rebondissait puis revenait à sa place sur la proue, jusqu'à ce que Flora pousse de toutes ses forces et que le coq parte d'un battement d'ailes disgracieux pour aller atterrir deux mètres plus loin sur un rocher mousseux qui dépassait entre les vagues. Après quoi ils approchèrent finalement du Bout du Monde, Flora pagayant de son mieux pour les maintenir dans le bon axe, tandis que les vagues les ramenaient au bord.

Richard et Martin attendaient, Nan se tenait à leurs côtés, prête à exploser. Flora pivota pour jeter un coup d'œil au coq, Gil suivit son regard, le coq s'ébrouait, fourrait son bec dans les plumes de son poitrail, ressortait et coquelinait. Gil étouffa un rire et Flora éclata de rire avec lui. Richard fit quelques pas dans l'eau pour attraper la corde attachée à la barque et les tirer jusqu'au sable.

« Bon Dieu, Gil. Comment je fais, moi, maintenant pour aller chercher ce foutu poulet là-bas ? » pesta Martin.

Nan était verte de rage.

Ils remontèrent le long du sentier côtier en une procession dépenaillée autour de Gil, trempé, dans les bras de Richard.

« Il aurait pu se noyer », siffla Nan à Flora. Et Flora se demanda, l'espace d'un instant, si ce n'était pas ce qu'il avait cherché.

38

Pavillon de nage, 28 juin 1992, 4 h 45 du matin

Gil,

Hier nous sommes parties toutes les trois prendre le bus pour Hadleigh. Je pensais que ce serait sympathique, que nous pourrions aller manger un fish and chips sur la plage et que je pourrais même nous acheter quelques vêtements à chacune, bien que tu sois encore en retard pour la pension. Nous sommes allées à la boutique auto-proclamée grand magasin sous prétexte qu'on y trouve tout, et Nan et moi avons commencé à farfouiller dans les portants. Flora boudait. Elle n'avait pas envie d'être ici, jamais elle ne porterait quoi que ce soit qui vienne de cet « endroit de merde », elle allait prendre un de ces « fichus bus pour aller à Londres ou n'importe où, tant que ce n'est pas ici ». J'ai essayé de la consoler, de la raisonner, de l'ignorer, de l'acheter, mais au bout de cinq minutes elle est sortie du magasin et s'est engouffrée à l'intérieur de la salle de jeux vidéo. Nous lui avons laissé dix minutes, et puis Nan est allée la chercher.

« Elle ne veut pas venir », a déclaré Nan en revenant.

J'ai pénétré dans ce royaume de flashes et de crépitements, la fumée brouillant l'atmosphère. Au-dessus de chaque machine, de minuscules cendriers en aluminium débordaient de mégots.

Je l'ai trouvée au fond de la salle. « Flora, il faut qu'on y aille maintenant.

— Encore cinq minutes, a réclamé Flora.

— Maintenant. »

Elle s'est mise en route, marchant le long des machines en regardant dessous pour peut-être y dénicher quelque pièce égarée. Je l'ai suivie. « Nan nous attend. Il faut qu'on y aille maintenant.

— Je ne suis pas prête, a-t-elle dit.

— On y va, que tu le veuilles ou non.

— D'accord. »

Elle a changé de machine.

« Et tu dois venir aussi.

— Pourquoi ? » Flora ne me regardait pas.

« Parce que je te le demande. » J'avais élevé la voix.

Notre fille cadette a donné un coup de hanche dans la vitre du Carnaval de Rio et une rangée de filles en soutien-gorge noix de coco se sont mises à faire des cabrioles avec leurs plateaux glissants chargés de pièces de deux pence. Les pièces ont dégringolé dans la crevasse sur le rebord de la vitre, et disparu.

« Merde », a dit Flora.

J'ai vu la femme derrière son comptoir de change qui nous dévisageait en louchant. « Maintenant, Flora.

— Et si je veux pas ? »

— Je me fiche de ce que tu veux. On y va. »

Nan nous a rejointes. « Maman, j'ai faim, s'est-elle plainte.

— OK, Nan », ai-je répondu. Surprise par le volume de ma voix, elle a reculé.

J'ai attrapé Flora par le poignet et je l'ai tirée d'un coup sec. Elle est devenue toute molle, silencieuse, je l'ai traînée derrière moi, fuyant les machines hurlantes.

« Maman, lâche-la ! » Nan pleurait en s'accrochant à mon bras. Et nous avancions sous les regards appuyés de ces hommes solitaires avec leurs gobelets en plastique remplis de pièces de cinquante pence, de ces femmes aux cheveux blonds, cigarette aux lèvres. *Mauvaise mère*, pensaient-ils. *Mauvaise mère*. Nan me suppliait de lâcher sa sœur, pensant elle aussi, *Mauvaise mère*.

Une fois dehors, Flora a couru en bas des marches vers la plage et s'est recroquevillée contre le mur de la digue comme si je l'avais battue à mort. Il a fallu une demi-heure à Nan pour la convaincre de la suivre et que nous puissions rentrer, sans aucun vêtement ni fish and chips. Dans le bus, les filles se sont assises côte à côte, moi toute seule à l'avant. Et tandis que je posais mon front, appuyé contre la vitre, dans une odeur de revêtement de siège poussiéreux, je me suis demandé si mes enfants ne seraient pas mieux sans moi.

En septembre 1990, tu as remis *Un homme de plaisir* à ton éditeur, l'à-valoir que tu as reçu en échange était plus important que tout ce que nous aurions pu imaginer. Avant cela, il lui fallait toujours au moins un mois pour te rappeler, et soudain tout Londres voulait déjeuner avec toi, te faire signer des contrats, te rencontrer. Chaque fois que tu étais absent, tu appelais pour parler aux filles, mais je me retrouvais quand même à devoir expliquer à Flora pourquoi son père n'était pas là pour la mettre au lit le soir et à Nan pourquoi elle ne devait plus s'inquiéter, si elle oubliait d'éteindre une lumière, que je me mette à pleurer quand la facture d'électricité arriverait. Cela m'a pris des semaines pour m'habituer à l'idée que je n'avais plus besoin d'additionner mentalement les prix de ce que j'achetais au supermarché et que, si je voulais, je pouvais prendre un taxi à la place du bus pour rentrer de Hadleigh.

Il a fallu que j'insiste, que je revienne à la charge plusieurs fois pour que tu veuilles bien me montrer le manuscrit d'*Un homme de plaisir*. Lorsque tu me l'as enfin donné, dans une enveloppe marron scellée, tu m'as mis en garde de bien attendre que les filles soient couchées pour le lire et de le cacher ensuite. Une fois imprimé, tu as interdit qu'un seul exemplaire de ton roman passe la porte de notre maison. Je n'ai été ni choquée, ni écœurée par l'histoire ; je la connaissais déjà, c'est moi qui te l'avais entièrement soufflée au lit le soir. Mais dans cette dernière version que tu m'as fait lire, il manquait un élément crucial, n'est-ce pas, Gil ? La plus terrible de toutes ces lignes, celle qui reléguait au rang d'anecdotes toutes les scènes de débauche scabreuse que j'avais inventées et que tu avais recopiées avec un luxe extravagant de détails.

Le livre fut aussi sulfureux et controversé que ton éditeur et ton agent l'avaient espéré, mais les critiques qui allèrent au-delà du sujet même dirent de ton troisième roman qu'il était « léger, minimaliste », « raisonné et poétique », « le roman d'un écrivain au sommet de son art ». Jonathan ne partageait pas ces opinions, bien entendu, surtout dans la mesure où tu n'avais même pas pris la peine de changer son nom. J'étais d'accord avec tout ce qu'il vint hurler chez nous lors de sa dernière visite, au mot près, et j'aurais tellement voulu lui dire qui était le véritable auteur de cette histoire mais j'avais trop peur de ce qu'il aurait alors pensé de moi, j'avais trop peur de ne plus jamais le revoir. Aucun de nous n'a jamais dit à quiconque de quel cerveau *Un homme de plaisir* était sorti.

En interview, tu t'ingéniais à expliquer aux journalistes que c'était ton quatrième roman, et chaque fois je me disais que j'aurais tellement aimé avoir ce genre de courage. Que répondais-je, moi, quand la coiffeuse ou une nouvelle voisine me demandait combien d'enfants j'avais eus ? Je serrais les poings, m'enfonçant les ongles dans les paumes et je répondais toujours : « Deux. » Et toujours je me détestais.

Tu étais ravi du succès du livre, l'argent coulait à flots. Tu donnais des interviews à la radio, à la télévision, où on te taquinait sur ta vie privée. Tu étais beau, bourré de charme. N'est-ce pas ironique que la promotion d'un livre se focalise autant sur son auteur ? Personne, même pas toi, ne s'intéressait aux lecteurs.

La plupart du temps, j'avais trop à faire auprès des filles pour t'accompagner dans les mondanités littéraires. « Ça ne te plairait pas. C'est plein de gens du milieu, ennuyeux, qui passent des heures debout à parler d'eux-mêmes », disais-tu. Je suis venue, une fois, à une émission de télévision où tu étais invité : dix minutes assis dans un fauteuil face à un grand verre de whisky pour parler littérature et création.

Dans le studio, je me calai dans un coin, au milieu des câbles et des caméras, pour te regarder briller dans la lumière. Tu ensorcelas tout le monde – l'équipe du studio, le public, l'animateur (et moi) ; nous passions du rire au murmure, n'en perdant pas une miette. J'étais si fière. Tout le monde t'adorait, ton livre, tes nouvelles, toi. Et je t'aimais moi aussi.

Je t'aimais, et lorsque l'assistante de production à côté de moi me chuchota : « Il est génial, non ? », j'acquiesçai. Et je souris encore lorsqu'elle ajouta : « Mais, attention, c'est un voyou. » Je t'aimais encore lorsqu'elle poursuivit : « Apparemment, il a une femme et deux enfants à la campagne. Mieux vaut qu'il les garde à l'abri là-bas, je suppose. » Je ne dis rien. « Il a emmené une de mes amies boire un verre l'autre jour, chuchota-t-elle. Ensuite il lui a demandé de passer la nuit avec lui dans sa chambre d'hôtel. "Mais tu n'es pas marié ?" a-t-elle protesté, et il a dit : "Ce que l'œil ne voit pas et que l'esprit ignore n'existe pas." »

Je ne regardais pas cette fille dans les yeux. Je te regardais toi, sur ta chaise pivotante noire, les jambes croisées dans le pantalon gris que je t'avais repassé, avec aux pieds les chaussettes que je t'avais lavées et suspendues sur la corde à linge devant la cuisine. Même l'animateur riait et bafouillait, incapable de poser ses questions correctement. Je me rappelais notre premier été, allongés dans l'herbe haute devant le Pavillon de nage, ta tête posée sur mes genoux tandis que je te faisais la lecture, le livre brandi au bout de mon bras pour me protéger du soleil.

« Et elle a accepté, finalement ? Votre amie ? demandai-je.

— Je ne lui jette pas la pierre, répliqua l'assistante de production. Il est assez vieux dans son genre, mais mon Dieu, moi je dirais oui. Pas vous ? »

Je patientai jusqu'à ce que nous descendions du ferry, une fois le péage passé, filant vers la maison sur la route noire.

« J'ai rencontré une fille ce soir. Qui m'a raconté que tu avais baisé une de ses copines », dis-je. Je prononçai le mot « copine » avec l'intonation d'un courrier de lectrice racontant que son amie avait couché avec le frère de son petit ami et qu'elle avait besoin de conseils parce qu'elle ne savait pas quoi faire.

« Quoi ? lâchas-tu en pouffant d'un rire étranglé.

— Donc ce n'est pas vrai ?

— Quoi ? répétas-tu.

— Que tu l'as baisée ?

— Que j'ai baisé la copine d'une copine d'une copine ? »

On aurait dit une blague dans ta bouche.

Je ne répondis pas et quand le silence devint trop pesant, tu enchaînas : « Allez, Ingrid, c'est juste des ragots de bonnes femmes, si ça se trouve, elle savait très bien qui tu étais et elle guettait ta réaction.

— Tu démens donc l'avoir baisée ?

— Je croyais que c'était sa copine que j'étais censé avoir baisé. Et c'est supposé être arrivé à quel moment ? J'ai été pas mal occupé ces derniers temps au cas où t'aurais pas remarqué, notamment à nous rapporter de l'argent.

— Gare-toi.

— On est presque arrivés. On en reparlera plus tard.

— Gare-toi », répétai-je sèchement.

Tu arrêtas la voiture sur le rebord sablonneux de la route. Deux voitures nous doublèrent, leurs feux passant sur nos corps immobiles tels les rayons d'un phare balayant les rochers au bas des falaises. « Je refuse ! Pas cette fois ! dis-je.

— Tu refuses quoi ? » Tu ôtas les mains du volant pour les frapper contre tes cuisses.

« D'être la dernière des idiotes ! La dernière au courant !

— Tu n'es pas idiote, Ingrid. »

Tu ne me regardais pas en face.

« Pourtant c'est exactement comme ça que tu me traites, crachai-je.

— Il s'agit du livre, c'est ça ? Tu penses que je suis allé trop loin. » Tu te retournas vers moi et posas la main sur mon bras. Sans ciller. « Ne t'inquiète pas pour Flora et Nan. Elles ne le liront pas, jamais ce livre ne rentrera dans notre maison.

— Pour l'amour du ciel, le monde ne tourne pas autour de ton livre, Gil. »

J'arrachai mon bras à l'étreinte de ta main.

« Tu n'as pas à t'en faire. Tu es la mère de mes enfants – je rentrerai toujours à la maison vous retrouver, toi et les filles. Jamais je ne vous abandonnerai.

— Donc tu as bien emmené une groupie débile dans ta chambre d'hôtel pour la baiser ! »

Je tâtonnai jusqu'à la boucle de ma ceinture pour la défaire et elle se réenroula à toute allure.

« Ça ne voulait rien dire, Ingrid. C'est juste arrivé. »

Sans réfléchir, mon bras franchit le fossé qui nous séparait et ma main gifla ta joue. Le coup n'était pas très violent, mais tu sursautas et ta tête atterrit contre la vitre côté conducteur. Tu demeuras muet, regardant droit devant toi, comme si tu avais appelé la punition de tes vœux, comme si tu l'avais méritée.

« Ça veut dire quelque chose pour moi ! » lançai-je en te prenant la tête à deux mains pour la cogner contre la vitre. Je saisis la poignée de la porte, l'ouvris et sortis en chancelant de la voiture.

« Ingrid ! Ingrid, je suis désolé ! » t'entendis-je crier.

Mais je partis en courant sans me retourner. Je glissai dans un creux au milieu des joncs et trébuchai sur les racines, et tout en pleurant je continuai de courir. Je courus jusqu'à ce que mon cœur batte tellement fort dans ma poitrine que c'en était douloureux, alors seulement je ralentis. Au bout de quelques minutes de marche, je reconnus le sentier sur lequel j'étais et me frayai un chemin entre les dunes jusqu'à la mer. Derrière une nappe nuageuse, la lune brillait et projetait son scintillement blanc sur la mer déchaînée. Le vent me fouettait les cheveux sur le visage. J'envisageai un moment d'entrer dans l'eau, songeai à ce qui pourrait arriver et si je manquerais à quelqu'un, et bien que la réponse me semblât évidente, j'ôtai mes chaussures, nouai les lacets ensemble, les passai autour de mon cou et marchai vers la maison sur le sable durci par la marée descendante. Quand j'atteignis l'allée, la voiture était là, mais tu avais dû aller directement dans ton atelier car tu n'étais pas à l'intérieur. Je payai la baby-sitter, la renvoyai chez elle et allai me coucher.

Le lendemain matin, je téléphonai à Louise, elle se chargea de tout. Deux jours plus tard, je me rendis dans une clinique et avortai de notre cinquième enfant.

Ingrid

[Dans *Géniales créatures*, de Clive James, 1983]

39

En rentrant de la plage, Gil alla se coucher. Nan lui donna un peu d'eau et une des plaquettes de comprimés qu'il gardait à son chevet. Flora s'assit à côté de lui, à la place de sa mère, et Nan, dans sa jupe crayon et son haut papillon, s'installa sur une chaise.

« Je suis désolée, Papa, mais Viv n'a pas ton livre, celui que tu avais à la main quand tu es tombé. Elle a demandé le titre, elle pourrait peut-être t'en trouver un autre exemplaire, dans sa boutique ou ailleurs. Parfois elle a plusieurs exemplaires d'un même livre, dit Nan.

— Ça n'a pas d'importance. C'était cet exemplaire-là que je voulais. » Gil toussa, la joue contractée par la douleur.

« Tu veux que j'appelle le médecin ? proposa Nan en retapant ses oreillers derrière lui.

— Plus de médecins, dit Gil.

— Il y avait quelque chose dans ce livre, Papa ? demanda Flora.

— Juste une autre lettre. C'est trop tard maintenant. »

Il toussa plusieurs fois, la tête penchée en avant dans l'effort.

Nan leva un verre avec une paille jusqu'à ses lèvres pour qu'il puisse s'hydrater.

« C'est pas un spectacle pour vous, les filles. Un vieillard malade. »

Le verre à la main, Nan jeta un regard accusateur à Flora.

« Mieux vaut laisser aux autres le souvenir qu'a laissé votre mère – encore jeune et belle. » Ses paupières se refermèrent lentement, et Flora se demanda s'il était en train d'imaginer Ingrid avec son chapeau à large bord, poussant une fourche dans le sol sablonneux, ou bien debout prenant le soleil dans la véranda.

Il y eut un silence, Gil resta la bouche ouverte, les bajoues affaissées. Flora se dit qu'il devait dormir jusqu'à ce qu'il articule, les yeux toujours fermés : « Un deuil ambigu.

— Quoi ? » dit Nan.

Il ouvrit les yeux. « Je suis allé à la bibliothèque et ils l'ont cherché pour moi dans leur ordinateur.

— Qu'est-ce qu'ils ont cherché ? demanda Flora.

— Quand on ne sait pas si quelqu'un est mort ou pas et que le deuil est impossible. Qu'il n'y a pas de fin. »

Il s'interrompit, comme s'il rassemblait ses forces pour continuer. « Apparemment, j'aurais dit à votre mère un jour qu'il valait mieux vivre sans savoir parce que alors on pouvait toujours avoir de l'espoir.

— Tu me l'as dit à moi aussi, intervint Flora.

— Papa, ce n'est pas grave, le coupa Nan. Tu devrais dormir. »

Elle tira sur le côté du couvre-lit, lissant des plis invisibles.

« J'avais tort, reprit Gil. La réalité vaut mieux que l'imagination. Votre mère est morte. Je le sais à présent.

— Non. Tu l'as vue, dit Flora.

— C'était une apparition. »

Nan croisa les jambes, sans un mot.

« Je ne te crois pas, rétorqua Flora.

— Avant, je pensais qu'il me fallait un corps, une preuve tangible ; en fait non. Tout est là. » Il leva la main vers sa tête, sans aller jusqu'à elle, le doigt pointé. « On ne peut pas vivre dans les limbes. Il faut que tu l'acceptes, Flora. Que tu l'enterres, que tu lui dises au revoir. Nous avons tous besoin de dire au revoir. »

Par-dessus la tringle du rideau de douche, deux maillots de bain et un bikini étaient suspendus, trempés. Il y avait encore du sable dans les plis, Flora n'avait pas pris la peine de les rincer. Elle ouvrit le placard du séchoir, rempli à ras bord de vieux draps, serviettes, couvertures et oreillers tachés et tout aplatis ; des strates de tissus colorés, semblables aux sables de différentes couleurs mis en bouteille et vendus dans les boutiques de souvenirs à Hadleigh. Quelque part au milieu de tout ce linge, on trouvait encore d'autres maillots de bain et bermudas pareils à ceux qu'elle avait prêtés à Richard, abandonnés là il y a des lustres par des visiteurs en vacances. Un tiers à peine des vêtements posés sur le haut de chaque pile était porté de temps en temps – lavé, repassé, plié et rangé par Nan. Flora enfonça le bras entre les épaisses couches de tissu, ses doigts tâtonnant à la recherche de quelque chose de lisse, de glissant. Le bras immergé jusqu'au coude, elle réussit à attraper un bout de tissu tout au fond du placard et le tira vers elle. Le coin d'une serviette apparut. En l'extrayant, elle reconnut la couleur sable délavée, l'éponge élimée par endroits, le trou sur le bord, quand la serviette était restée coincée sur la patère derrière la porte de la salle de bains. Flora porta le tissu à son visage, ferma les yeux et respira : une odeur de gris, l'odeur du linge resté trop longtemps sans être lavé. Et cependant, l'image de sa mère surgit, pivotant pour toujours dans sa robe rose, au milieu des ajoncs au parfum de noix de coco et à la couleur miel doré, un livre à la main.

Flora alla dans la cuisine, Richard nettoyait les assiettes du petit-déjeuner. Debout derrière lui, Nan vidait à la cuillère un pot de crème aigre dans un saladier en verre. Un grand saumon gisait dans un plat à gratin, à côté d'une salade et de pommes de terre nouvelles éparpillées sur le plan de travail.

« Tu te souviens de ça ? demanda Flora en brandissant la serviette.

Nan leva la tête. « Comment ça, si je m'en souviens ? » Elle cligna des yeux. « Flora, habille-toi, s'il te plaît, ce n'est pas correct. » Elle ajouta encore une bonne cuillérée de crème et termina avec une pleine poignée de persil émincé.

« Richard m'a déjà vue toute nue, n'est-ce pas, Richard ? »

Il grimaça par-dessus l'épaule de Nan.

« C'était la serviette de Maman », dit Flora à Nan.

Nan gardait les yeux fixés sur son saladier pris en étau dans le creux de son coude, comme si la vue de sa sœur nue lui était insoutenable. « Je ne me souviens pas que nous ayons jamais eu des serviettes attitrées, même s'il aurait certainement mieux valu que ce soit le cas. D'autant que je me souvienne, ça a toujours été le libre-service dans cette maison.

— Non, je veux dire que c'est la serviette qu'elle a emportée le jour où elle a disparu.

— Mets quelque chose s'il te plaît. »

Flora s'enroula dans la serviette, la coinça sous ses aisselles. « Et comme ça, tu te souviens ? » lança-t-elle en s'asseyant à table.

Nan mélangea le persil à la crème. « Peut-être, je ne sais plus. »

Richard remplit la bouilloire, sortit des tasses du placard. « Thé ? Café ? proposa-t-il.

— Si Maman a pris cette serviette pour aller à la mer ce jour-là – Flora la resserra autour d'elle –, comment est-elle arrivée jusqu'au placard du séchoir ?

— Je ne comprends pas où tu veux en venir, trancha Nan. Où pourrait-elle être sinon ?

— Comment est-elle arrivée là, et qu'est-il advenu des autres affaires qu'elle avait avec elle ce jour-là sur la plage ?

— La même chose qu'à cette robe ridicule que tu t'obstines à porter, répondit Nan. Je les ai rangées, dans le placard du séchoir, dans son placard à elle et sur les étagères de livres, à leur place – et c'est déjà beaucoup plus que ce dont la plupart des gens sont capables. » Elle prit la moitié d'un citron et le pressa dans son poing de sorte que le jus s'échappa d'entre ses doigts costauds pour atterrir dans le saladier de crème aigre.

« Mais comment sont-elles remontées jusqu'à la maison ?

— Je ne sais pas. Martin a dû tout rapporter le lendemain – les vêtements de Maman, la serviette. Quelqu'un les a ramassés sur la plage des nudistes et fourrés dans un sac. Les gens de la battue, j'imagine.

— Et son livre ? Il est où, son livre ? » Flora ne savait pas bien pourquoi c'était si important pour elle de comprendre comment les affaires de sa mère étaient revenues à la maison et où elles se trouvaient à présent. La réponse éclaircirait la question.

« Comme je te l'ai dit, j'ai remis chaque chose à sa place.

— La police n'a pas demandé à les voir ? » questionna Richard.

Flora avait presque oublié qu'il était là lui aussi. « Ces connards de policiers ne s'intéressaient qu'à une chose : Papa avait-il assassiné Maman et enterré son corps sous la maison ? » Flora tapa du pied. « Mais dès que leurs petits cerveaux obtus ont percuté qu'il ne l'avait pas tuée, plus rien ne les intéressait. Il n'y avait plus rien de louche. Saloperies de flics.

— Flora, tu es injuste. Maman était une adulte. » Nan se tourna vers Richard et dit : « Elle est allée nager ; elle a laissé ses vêtements sur la plage. Le garde-côte a cherché bien entendu, mais... » La voix de Nan s'évanouit.

« Et son passeport ? » demanda Richard. Il ouvrit un tiroir et trouva la théière, brune et ronde, avec plusieurs fissures en zigzag aux endroits où elle avait été recollée. Il la leva devant la fenêtre, pour vérifier qu'elle n'allait pas fuir.

« On ne l'a jamais retrouvé, dit Flora, comme si cela prouvait quelque chose.

— Elle ne l'avait pas utilisé depuis des années – depuis l'époque où j'étais encore bébé. Il avait expiré de toute façon.

— Toi aussi tu crois qu'elle est morte, n'est-ce pas ? Je parie que tu en es convaincue depuis le début. »

Nan regarda sa sœur, soupira et alla s'asseoir en face d'elle, posant le saladier sur la table entre elles. « Elle ne serait jamais partie sans laisser une lettre, un petit mot, quelque chose. Elle ne nous aurait jamais fait ça. Elle est allée nager, s'est retrouvée en difficulté et s'est noyée. C'est aussi simple que ça. » Nan esquissa un sourire et, face au silence de Flora, poursuivit : « Une mère ne quitte pas ses enfants.

— Qui a décrété une chose pareille ? » Flora plongea un doigt dans la crème. « Des pères quittent leurs enfants tous les jours et personne ne bronche, à peine y a-t-il vaguement une déception de temps en temps. Pourquoi ce serait si choquant que pour une fois ça vienne d'une femme ? » Elle se lécha le doigt.

« Du thé, j'imagine, dit Richard.

— C'est différent pour une mère, dit Nan.

— Pourquoi ? Parce que les mères sont censées aimer leurs enfants davantage que les pères ? Parce que c'est censé être instinctif ?

— Je vois ça tout le temps au boulot. Il y a un lien immédiat entre une mère et son enfant. Le père est dans la pièce certes, parfois même c'est lui qui prend le bébé en premier dans ses bras et il est aux anges, mais ce n'est pas pareil. »

Nan se leva et s'empara du saladier.

« Pourtant ça ne s'est pas passé comme ça dans cette famille, n'est-ce pas ? rétorqua Flora. Tu ne veux pas le reconnaître, voilà tout. Notre mère n'a pas éprouvé un lien immédiat avec nous. Je ne suis même pas sûre qu'elle éprouvait un lien avec quiconque d'ailleurs. Elle n'éprouvait sans doute que devoir, attente et culpabilité. Et si c'était devenu trop lourd et qu'elle était partie, et qu'elle était toujours là, quelque part dehors ? »

Nan coupa Flora : « Pourquoi tu tiens tant à ce qu'elle revienne si elle était si terrible ?

— Être une mère n'a pas été facile pour elle. Ce n'est pas comme pour Papa.

— Tu n'as pas la moindre idée de ce que tu racontes, n'est-ce pas, petite sœur ? »

Nan secoua la tête. Richard attendait, la boîte à thé à la main.

« Qu'est-ce que tu veux dire ? Il a été un bon père », dit Flora. Nan prit une grande inspiration, Flora attendait. « Quoi ?

— Il est en train de mourir. Ce n'est pas bien de parler de ça maintenant. » Nan donna un dernier coup de cuillère dans le bol.

« Et ce sera bien quand ?

— Tu veux vraiment savoir ? Alors ouvre grand tes oreilles : c'était un coureur. Il couchait avec tout ce qui lui tombait sous la main. »

Flora éclata de rire. Richard rinça la théière avec de l'eau chaude et compta trois cuillérées de thé.

« Quand j'avais quatorze ou quinze ans, chaque fois que Papa sortait, Maman et moi passions la soirée à nous demander où il était et qui il ramènerait cette fois encore dans sa saleté d'atelier, raconta Nan.

— C'est ridicule, Papa ne ferait jamais une chose pareille. »

Flora avait élevé la voix, la colère montait le long de sa gorge, elle voulait que Richard intervienne, qu'il dise quelque chose, mais il attendait juste que l'eau bouille.

« Tu croyais qu'il faisait quoi là-bas ? Qu'il écrivait ? » Nan riait à son tour. « Depuis que tu es née, il n'a réussi à pondre qu'un seul livre. Et quel livre. Je ne sais toujours pas quelle était la part du vrai et du faux dedans. Je n'ai jamais pu savoir. »

Du coin de l'œil, Flora vit Richard qui la regardait. « Bien sûr que c'est faux.

— As-tu donc été complètement aveugle durant toutes ces années ? s'écria Nan. Pendant que toi et moi, nous étions gentiment couchées dans nos lits, il était là-bas au fond du jardin en train de baiser Megan ou une autre, et Maman quittait la maison pour aller nager. »

Richard sortit le lait du réfrigérateur et le renifla.

« Megan ? Megan la baby-sitter ? Je ne te crois pas, répliqua Flora.

— Bon sang, tout ça n'a plus aucune importance maintenant, dit Nan. Laisse tomber.

— Ah non, tu ne peux pas lâcher une bombe pareille et me dire ensuite de laisser tomber.

— Écoute, il a passé sa vie à maquiller la réalité. Le grand écrivain que tout le monde aimait, qui appelait Maman le soir, était avec elle quand il était à Hadleigh. Du grand n'importe quoi tout ça. »

La bouilloire se mit à trembler.

« Pas tout, dit Flora, presque pour elle-même, presque optimiste.

— Oh, Flora, c'est pas croyable toutes ces choses que ta mémoire arrange pour qu'elles te conviennent. Parfois je me demande si tu habitais vraiment sous le même toit que Maman et moi. »

La cuillère en métal tinta contre le saladier et la crème gicla sur le menton de Nan.

« Personne ne m'a jamais rien dit ! Tout ce que je pouvais faire pour y comprendre quelque chose, c'était écouter aux portes, mettre bout à bout des morceaux de conversation et essayer de remplir les trous. Tu peux pas me reprocher d'avoir inventé ce qui manquait, cria Flora.

— Arrête de te plaindre. Toi, au moins, tu avais Papa. J'avais qui, moi, pour s'occuper de moi ? Même pas Maman tant qu'elle était là. Et ce n'est pas toi qui as été obligée de devenir une adulte d'un coup à quinze ans parce qu'il n'y avait plus personne pour remplir ce rôle.

— Personne ne t'a jamais demandé de le faire. »

Flora recula sa chaise de sous la table.

« Et d'après toi, qui d'autre aurait veillé à ce qu'il y ait de quoi manger, des vêtements propres, et que tu ailles à l'école ? Sûrement pas notre père. En une nuit, je suis devenue la mère d'une fille que je n'avais jamais voulue. »

Flora s'affaissa comme si Nan l'avait frappée. La fenêtre de la cuisine s'était couverte de buée.

« Tu n'as aucune idée de ce que ça a été de terminer ma formation, poursuivit Nan, en étant tout le temps obligée de revenir ici et de m'inquiéter de ce que tu faisais – des soirées que tu passais dehors, à boire, fumer et dormir chez les uns et chez les autres. Ne crois pas que je ne savais pas. Tel père, telle fille. »

Flora se leva, sa chaise bascula sur une pile de livres appuyée contre le mur. « La seule raison pour laquelle je passais mon temps dehors, c'est parce qu'être à la maison était si atroce que je ne pouvais pas le supporter, putain.

— Et ce n'est pas ma faute, dit Nan, c'est la faute de l'homme qui est allongé là-haut et que tu penses si extraordinaire. Il n'a été bon qu'à deux choses : il a fourni l'argent et la maison, le premier venait d'un livre salace qui me fait honte d'être sa fille et la seconde lui venait de son propre salaud de père. »

La bouilloire était sur le point d'exploser quand Nan prit le saladier à deux mains et le lança de toutes ses forces. Flora se baissa alors qu'il volait au-dessus de sa tête. Des éclats de verre étaient collés aux murs de la cuisine, éparpillés partout sur la table et le sol. Nan se retourna sur le seuil de la cuisine. « En fait, cracha-t-elle, je n'ai pas dit toute la vérité tout à l'heure. Oui, je pense que Maman s'est noyée, mais elle a aussi bien pu se suicider, et si c'est le cas, c'est ton précieux petit papa qui en porte la responsabilité. »

40

Pavillon de nage, 30 juin 1992, 4 h 35 du matin

Gil,

Ces derniers temps, je me demande si je ne devrais pas me trouver un travail. (Cela dit, qui voudrait de moi – pas de diplôme, pas d'expérience – avec tous les chômeurs qu'il y a déjà ? Peut-être que je devrais apprendre à conduire.)

Dans la valise qui est sous mon lit, il y a une photo de Flora et toi assis sur les marches de ton atelier que Jonathan a prise : tu as cinquante ans, Flora presque cinq, un mois plus tard c'était sa première rentrée à l'école. C'est une fin d'après-midi aux ombres étirées et au soleil doré. Pour une fois, elle n'est pas toute nue – elle porte un bikini avec un volant sur les fesses. Ses pieds sont recouverts de sable, on dirait qu'elle vient de remonter de la plage. Assis à côté d'elle en jean et tee-shirt, tu as les bras croisés sur les genoux, la tête inclinée vers elle. Le soleil vient caresser tes pommettes et le duvet clair de tes avant-bras. Flora a les yeux levés vers toi, elle te fixe avec intensité, concentrée, vous êtes manifestement en grande conversation. En examinant cette photo, j'éprouve ce sentiment puéril d'exclusion. Et le plus difficile est d'admettre que Nan ne suffisait pas à compenser cette connexion incroyable qu'il y avait entre Flora et toi. Nan a toujours été irréprochable, autonome ; elle n'a jamais eu besoin de qui que ce soit, encore moins de moi. La seule personne de notre famille dont j'étais faite pour être la mère, c'est mon petit garçon mort, George. Peut-être que j'aurais dû partir depuis longtemps.

Il y a moins d'un an (en septembre pour être précise), j'ai vu ce jeune homme derrière la porte vitrée pour la première fois. Je l'ai pris pour un reporter débutant ou bien un évangéliste. Il tenait un livre à deux mains comme s'il pesait une tonne et que le poids l'avait planté là, sur le seuil de notre maison, l'eût-il lâché qu'il se serait peut-être envolé et retrouvé coincé entre les poutres de la véranda. Il s'est efforcé de sourire en me voyant approcher mais son sourire n'était pas naturel.

« Qui c'est ? » a demandé Flora depuis ma chambre, où elle était allongée sur le grand lit à baldaquin, en train de dessiner. Je savais bien qu'elle faisait semblant d'avoir mal à la tête mais ce matin-là je n'avais pas eu le courage de me battre pour la forcer à sortir de la maison et aller à l'école. C'est sans doute le temps que j'ai pris pour lui répondre ou bien le ton de ma voix qui l'a poussée à se lever et à répéter : « Qui c'est ? » tandis que je sortais sur le seuil.

« Tout va bien », ai-je murmuré, même si je n'en étais pas sûre. Un journaliste à sensations m'avait déjà interpellée sur le parking du supermarché, il m'avait proposé de porter mes paquets, m'avait demandé si toute cette histoire était vraie et, voyant que je ne répondais pas, il était devenu agressif. Personne n'avait encore osé venir jusque chez nous.

J'ai ouvert la porte d'un cran. « Je peux vous aider ? » ai-je demandé.

Il avait l'air à peine plus âgé que Nan, quinze ou seize ans. (Un enfant, même pas un jeune garçon.) Il avait un duvet blond sur le menton, une bouche et un nez trop gros pour son visage anguleux. Je l'avais déjà vu quelque part mais je n'arrivais pas à me rappeler où. Il y a eu un silence, comme s'il ne parvenait plus à se souvenir de son texte ou qu'il avait peur de se tromper de réplique.

« Est-ce que Gil Coleman est là ? » a-t-il demandé.

J'ai hésité, puis dit la vérité. « Non. »

Il a encore resserré son étreinte sur le livre, attirant mon regard vers le volume. J'ai vu l'image renversée d'un lit défait, d'oreillers creusés par trois têtes, de draps froissés suggérant la silhouette d'un corps de femme. *Un homme de plaisir*, ai-je lu. J'avais déjà vu la couverture – la jaquette, comme tu l'appelais – même si, suivant ta promesse, nous n'avions pas d'exemplaire fini du livre dans la maison. Tu me l'avais montrée, tout fier de constater que ton nom était écrit en plus gros caractères que le titre.

« Cela vous embête si je l'attends ? » Sa voix tremblait, timide, il n'avait pas encore mué.

« Qu'est-ce que vous lui voulez ?

— Je veux juste… »

Il a levé le livre. Un chasseur d'autographes, ai-je pensé.

« Est-ce que je peux l'attendre ici ? a-t-il répété en désignant la table d'un mouvement de la tête. Je ne vous dérangerai pas. »

En temps normal, j'aurais dit non, mais quelque chose chez lui, dans son air fatigué, m'a poussée à hausser les épaules et refermer la porte derrière moi.

Lorsqu'il s'est approché de la table, j'ai vu qu'il avait une guitare dans le dos. Il a choisi une chaise face à la pelouse et au chemin de galets bordé de géraniums en pots qui descendait vers la mer en passant par ton atelier. De l'intérieur, je l'entendais gratter sa guitare, toujours la même mélodie qui montait dans les aigus. En passant devant la chambre, j'ai vu Flora qui rebondissait dans tous les sens en sifflant : « Maman ! Pourquoi tu lui as permis de rester ? Maintenant je peux plus sortir bronzer.

— Il n'est pas question de bronzer, Flora. Tu es censée être malade », ai-je dit. Je suis entrée dans la chambre et, sans même regarder dehors, j'ai tiré les rideaux.

« Au lit, Flora, ou bien, si vraiment tu te sens mieux, tu peux aussi t'habiller et prendre le bus pour aller à l'école. » Elle a soufflé et s'est assise.

Dans la cuisine, j'ai continué de préparer le dîner, j'émincais et faisais revenir des oignons, roussir du bœuf, jusqu'à ce que je me rende compte que je n'avais plus entendu Flora depuis un bon moment – beaucoup plus longtemps que ce dont elle était capable. Je me suis précipitée dans le couloir en m'essuyant les mains sur mon tablier. J'entendais la guitare, une chanson parmi d'autres.

Flora, toujours en chemise de nuit, épiait le musicien de derrière les rideaux.

« Va-t'en de là, ai-je murmuré.

— Pourquoi ? Toi, tu l'as bien laissé s'installer.

— Ça ne se fait pas d'espionner les gens.

— Lui aussi, il nous espionne. Il a l'air d'un chien affamé, un chien affamé et triste. On devrait peut-être lui donner quelque chose à manger. »

En sortant, nous avons trouvé le garçon les yeux perdus vers la mer, sa guitare muette sur les genoux. J'ai posé un plateau avec une tasse de thé et des biscuits sur la table. « J'ai mis un sucre », ai-je dit en m'asseyant. Appuyée contre le pilier de la véranda, à côté des marches, Flora n'en perdait pas une miette.

« Merci », a-t-il répondu. Il a calé sa guitare contre la balustrade de la véranda et lorsqu'il a porté la tasse à ses lèvres, ses mains tremblaient. Je lui ai tendu l'assiette de biscuits, il en a pris un dont il n'a fait qu'une bouchée.

« Je ne sais pas quand Gil arrivera. Mais il doit revenir à la maison aujourd'hui », ai-je dit. Bien entendu, je n'avais aucune idée du moment de ton retour.

« Ça ne me dérange pas d'attendre, tant que ça ne vous dérange pas que je reste. » Il a fixé l'assiette de biscuits et, du bout du doigt, Flora l'a poussée doucement vers lui, retirant vite sa main comme si elle craignait de prendre une claque. Il en a repris un et l'a avalé d'un coup.

« Vous venez de loin ? ai-je interrogé.

— D'Oxford. »

Il parlait la bouche encore pleine de miettes.

Flora a fait un pas en avant, sans le quitter des yeux.

« C'est un sacré voyage pour un autographe », ai-je dit. Quand il a posé ton livre sur la table, j'ai immédiatement plaqué la main sur la couverture et l'image du lit défait. À présent je sais que sous la jaquette il y a ce cartonné bleu et à l'intérieur une page bleue collée à gauche. Les rabats de tes autres livres sont toujours pâles – de la couleur des œufs de canard le matin. La page de garde est bleue elle aussi. Après, la page de titre, la première page blanche, porte les mots *Un homme de plaisir*. Puis une autre page, avec en plus le logo de ton éditeur et au verso la page de copyright. En face de laquelle ? Tu sais ce qu'il y a en face. Si tu ne t'en souviens pas, tu devrais regarder.

« Non, c'est… a commencé le garçon, avant de se reprendre. Oui, c'est un long voyage.

— Vous n'êtes pas un peu jeune quand même pour ce genre de livres ? ai-je demandé en pianotant sur les oreillers de la couverture.

— J'ai quinze ans », a-t-il rétorqué, manifestement vexé, mais trahi par le rouge qui lui montait aux joues.

Flora, désormais à côté de la table, a tiré le livre de sous ma main.

« Flora, rends son livre à ce jeune homme, s'il te plaît », ai-je dit sèchement. Elle m'a ignoré et a feuilleté le livre, s'arrêtant à une page cornée.

« Ça va. Je sais que c'est le livre de Papa.

— Flora, l'ai-je avertie de nouveau.

— Il a noté des trucs dans la marge. »

Elle a regardé le garçon. J'ai levé la main. « D'accord, d'accord », a dit Flora en refermant le livre d'un coup. Elle s'est adressée au garçon : « Ça plairait beaucoup à Papa. » Elle l'a reposé devant lui. « Il adore quand les gens écrivent dans leurs livres. C'est son truc. »

Il avait repris un biscuit.

« Ce ne sont que quelques notes en passant, a-t-il expliqué.

— Comment t'appelles-tu ? a demandé Flora.

— Flora », ai-je répété.

Le garçon a souri, et cela a bouleversé ses traits, d'un coup son visage s'est unifié, il était magnifique. « Je connais ton nom, il n'y a pas de raison que tu ne connaisses pas le mien. » Il lui a tendu la main. « Gabriel. »

Flora la lui a prise et l'a secouée de bas en haut. « Enchantée, Gabriel. Je te présente ma mère, Ingrid, a-t-elle dit.

— Je l'aurais deviné. Vous vous ressemblez comme deux gouttes d'eau. »

Il a cligné de l'œil et Flora a ri.

« Tout le monde dit que je ressemble à Papa. Il paraît que j'ai son sourire, mais je préfère avoir mon sourire à moi. » Elle s'était assise sur la chaise entre Gabriel et moi. « Toi aussi, tu es malade ? C'est pour ça que tu n'es pas à l'école ?

— Excusez-la, dis-je, mais il n'avait pas l'air gêné par ses questions.

— C'est un peu ça, a-t-il répondu.

— Ma sœur a dû aller à l'école aujourd'hui. Mais moi je suis restée à la maison parce que j'avais mal à la tête. »

Elle a pris un biscuit et laissé le dernier à Gabriel.

« Tu m'en vois désolé, a-t-il dit en souriant. Ce doit être terrible d'être malade par une telle journée, sous un si beau soleil, avec en plus la mer juste là. »

Flora a hoché la tête avec vigueur.

J'avais espéré que peut-être tu pourrais m'emmener jusqu'à la plage. J'habite si loin de la mer. Je n'arrive même pas à me souvenir de la dernière fois que j'ai vu une vague ou un peu de sable », a-t-il poursuivi.

J'avais commencé ma phrase : « Je ne crois pas… » mais Flora a couvert ma voix en criant :

« Oui, oui, bien sûr que je vais t'emmener à la plage. Je peux, Maman ? Je peux ?

— Flora, si tu n'es pas à l'école, c'est parce que tu as dit que tu étais malade. Tu ne peux donc pas aller à la plage, non, ai-je repris sévèrement.

— Peut-être qu'on pourrait y aller tous ensemble ? a suggéré Gabriel avec son sourire ravageur. J'adorerais voir la plage et on pourrait aller nager. Si vous aimez nager. »

J'ai hésité trop longtemps et la décision était prise avant même que j'aie eu le temps d'accepter. Flora a foncé à l'intérieur et préparé un sac : serviettes, seau, pelle.

« Il faut que tu mettes quelque chose. Tu ne peux pas nager toute nue, lui ai-je dit dans sa chambre.

— D'accord », et elle a fait passer sa chemise de nuit au-dessus de sa tête et ses jambes dans son maillot de bain. Dans le couloir, elle a lancé à Gabriel : « Tu veux que je te prête un maillot de Papa ? »

Le temps que nous arrivions en bas, la foule de l'après-midi était en train de quitter la plage. J'avais enfilé mon maillot de bain sous mes vêtements et Flora avait voulu prêter un des tiens à Gabriel, mais il avait refusé en disant qu'il serait aussi bien en sous-vêtements. Nous nous sommes assis côte à côte sur une grande serviette étalée sur le sable pendant que Flora sautait dans les vagues. Nos regards ne se croisaient pas, mais je voyais bien qu'il était mince, la peau tendue, les muscles qui commençaient à se dessiner dessous, un homme en devenir. Je me suis habituée à ton corps : les poils gris sur ton torse, la peau hachurée de ton cou quand tu te penches, l'ébauche d'une petite brioche quand tu penses que je ne te regarde pas. J'aimais tout cela, mais en comparaison, Gabriel était comme un homme qui venait d'éclore.

« Elle adore être dans l'eau », ai-je dit. Flora faisait la planche, elle se laissait porter vers le bord par les petites vagues, se repoussait avec les mains quand elle se rapprochait trop de nous. « Toutes les deux, nous ferions n'importe quoi pour nous retrouver ici. Elle serait même capable de mentir à sa mère. »

Il a éclaté de rire. « Je n'arrive pas toujours à voir l'intérêt de l'école. Il faut que j'y retourne dans une semaine mais l'année prochaine j'arrête.

— Que vas-tu faire ?

— Je ne sais pas. Mais j'en ai assez vu.

— Et tes parents, qu'est-ce qu'ils en pensent ? »

Aussitôt ma question posée, je l'ai regrettée, j'avais l'impression d'être une vieille.

« Ils ne le savent pas encore. »

Nous sommes restés assis à regarder Flora. « C'est vraiment difficile de me fâcher contre elle et de l'empêcher de venir se baigner. C'est la seule chose que nous aimons toutes les deux, ai-je avoué.

— Et vous aussi, vous racontez des mensonges pour pouvoir venir nager ? »

Il s'est étendu sur la serviette, les jambes en avant, prenant appui sur ses coudes.

« Ça m'arrive. »

Je me suis sentie rougir et j'ai levé la main devant mes yeux en faisant semblant de me protéger du soleil.

« À votre mari ? » a-t-il demandé.

Je n'ai pas répondu, à la place j'ai crié à Flora de ne pas aller trop loin. Elle est sortie de l'eau en courant et est venue s'écrouler entre nous. Gabriel a miaulé au contact de sa peau glacée. « Tu es gelée ! Va-t'en ! » a-t-il lancé en riant. Flora a secoué ses cheveux vers lui pour l'éclabousser. Il a reculé d'un bond et s'est levé. « Si tu recommences… » a-t-il dit, et il a couru après Flora entre les paniers de pique-nique des derniers plagistes, l'homme au détecteur de métaux, le couple de vieux dans les fauteuils pliants. Ils sont revenus, haletants tous les deux.

« Tu veux construire un château de sable ? lui a proposé Gabriel. Vous devriez aller nager », m'a-t-il dit.

C'est à peine si Flora a levé la tête quand j'ai posé la main sur ses cheveux en disant : « Je reviens tout de suite. » Une fois au large, je me suis retournée vers la plage en nageant à reculons. J'ai scruté la plage, cherchant des yeux Gabriel et Flora, mais ils n'étaient plus là où je les avais laissés. Ce n'est qu'à ce moment-là que je me suis rendu compte de ce que je venais de faire : j'avais laissé ma fille avec un inconnu ; certes il avait quinze ans, mais je ne le connaissais que depuis deux heures. J'en ai eu la nausée, en faisant demi-tour je battais des jambes comme une folle. Et puis tout à coup je les ai vus, exactement là où je les avais laissés, c'était moi qui avais dérivé avec le courant. Et à cet instant précis, ils se sont levés tous les deux, ont regardé vers moi et m'ont fait de grands signes : les bras levés haut, des gestes amples et parfaitement synchronisés. Je leur ai fait signe en retour et je suis repartie vers la bouée.

Une fois que j'ai été rhabillée, nous sommes remontés par le sentier côtier au lieu d'emprunter le chemin en lacets, Flora courant devant nous, encore en maillot de bain, cueillant les fleurs de chardon des marais et semant dans son sillon une traînée de pétales violets.

« Vous voulez d'autres enfants ? » a-t-il demandé.

J'ai ri. « Je croyais que ça faisait partie des choses qui ne se demandent pas, comme le salaire, ou si on est heureux en mariage.

— Et vous l'êtes ? »

Le silence est retombé, un peu trop long. Puis j'ai ajouté : « Gil a toujours dit qu'il voulait six enfants.

— Et vous avez fini par n'en avoir que deux. »

J'avais envie de lui parler de George et des autres, mais je n'étais pas sûre de me contenir. C'est alors que Flora a déboulé en courant.

« Je peux aller acheter des frites ? Le camion est juste là, en haut de la route. Allez ! » Elle a pris la main de Gabriel, pas la mienne, et il l'a laissée le tirer jusqu'au coin de la rue.

Il a acheté trois portions de frites, avec de l'argent qu'il avait dans la poche arrière de son jean – un billet de cinq livres tout chiffonné. Je me suis demandé si c'était tout ce qui lui restait. J'en ai acheté deux autres portions pour Nan et toi, et de retour à la maison, je les ai mises dans le bas du four pour les garder au chaud. Malgré la nage et l'après-midi, ou peut-être à cause de cela, la présence de Gabriel à l'intérieur de la maison semblait toujours aussi incongrue, nous nous sommes donc retrouvés attablés à la véranda, mangeant nos frites à même le papier journal, et je me fichais bien que plus personne n'ait faim pour le dîner ou, d'ailleurs, de n'avoir pas fini de préparer le repas. Ton livre était resté sur la table, là où nous l'avions laissé.

Quand nous avons fini de manger, Gabriel a ramassé sa guitare. Il s'est essuyé les doigts sur son jean et a joué la même chanson qu'avant la plage, une chanson sur la lune, la pluie, les amants, dont il a appris les paroles à Flora. J'ai observé ses doigts qui soulevaient les cordes, ses yeux qui se fermaient quand il chantait. C'est bizarre de penser que c'était il y a tout juste dix mois ; cela paraît des années.

C'est Flora qui t'a vu en premier. Elle a sauté de sa chaise et couru dans tes bras, en criant « Papa ! Papa ! » Je ne sais pas combien de temps tu avais passé dans l'allée à nous écouter.

Gabriel a cessé de jouer, et je me suis levée, me sentant coupable, sans aucune raison.

« Qu'est-il arrivé à la voiture ? » ai-je demandé en m'appuyant sur la balustrade de la véranda.

Flora bondissait dans tous les sens, accrochée à ta manche. Tu avais enlevé ta veste et l'avais mise sur ton épaule. « Papa, j'ai des frites. Regarde, des frites ! » Flora a pioché la dernière frite dans son papier journal tout gras et te l'a tendue. Tu t'es penché, tu as ouvert la bouche, Flora a déposé la frite à l'intérieur et tu as fait semblant de lui dévorer les doigts.

« Je mangerais bien quelques petits doigts pour aller avec ma frite », as-tu déclaré et Flora a hurlé de plaisir. Pour moi, tu as ajouté : « Cette cochonnerie a lâché. Heureusement Martin passait par là et m'a déposé. » Tu as ensuite attaqué l'autre main de Flora.

« Nous avons un visiteur », ai-je annoncé. Gabriel s'est levé, il est venu se poster au sommet des marches, en te regardant accroupi sur le chemin. Il tenait sa guitare par le manche. Tu as lentement sorti le pouce de Flora de ta bouche et tu t'es levé.

« Bonjour », a dit Gabriel, et ton sourire s'est évanoui. Flora a cessé de rire et s'est retournée, dévisageant notre invité.

« Je te présente Gabriel », ai-je dit. Par convention, je suppose, j'ai fait les présentations.

« Je sais qui c'est, ce que je ne sais pas c'est ce qu'il fait ici », as-tu répliqué. Flora a glissé sa main dans la tienne.

Gabriel a fait un pas en avant. Il a levé les mains à hauteur de sa poitrine, la guitare avec, dans un geste de reddition, comme si tu avais pointé une arme sur lui.

« Papa, a dit Gabriel.

— Va-t'en », as-tu dit, et Flora a enfoui son visage dans ton tee-shirt.

La suite, bien sûr, tu la connais ; tu étais là.

Je me suis réveillée à trois heures et quart, seule dans le lit ; l'odeur âcre de brûlé m'irritait les narines. Elle m'a attirée jusqu'à la cuisine : dans le four, les portions de frites que j'avais achetées pour toi et Nan attendaient toujours qu'on vienne les déballer, le papier journal avait roussi, il commençait à fumer. Je les ai mises à la poubelle et je suis allée m'installer à la véranda, les pieds bien au chaud sous la couverture. La lumière était éteinte dans ton atelier. Je t'avais demandé quelle était la date de naissance de Gabriel. Tu m'avais répondu que tu l'ignorais, que tu n'étais même pas sûr qu'il était de toi, mais je me souvenais de son sourire et je savais désormais où je l'avais vu auparavant ; c'était le même que le tien, le même que Flora. Plus tard, j'ai appris par Jonathan que Gabriel était né pendant le premier été que nous avions passé ensemble, sa mère t'avait écrit, mais tu avais détruit la lettre (tu te rappelles ?) et refusé de reconnaître le petit car sa mère ne voulait pas t'épouser. Aurais-tu fait la même chose avec Nan et moi si je t'avais dit non ? La manière dont tu retournes les conventions, ce pourrait presque être drôle, Gil, si ce n'était pas si triste. Gabriel a juste neuf mois et demi de plus que notre premier enfant.

Mais je n'étais pas au bout de mes découvertes ce soir-là. Il y avait pire que ton sixième enfant (un fils illégitime que tu refusais de reconnaître). *Un homme de plaisir* était toujours posé sur la table, abandonné là par Gabriel, et quand je l'ai vu, je me suis demandé s'il serait obligé de s'en acheter un autre pour finir sa lecture.

J'ai défait la page cornée et ouvert le livre au début – les rabats, les pages de garde, la page de titre, la page de copyright, et en face, la dédicace que tu avais rédigée. Celle qu'on pouvait lire dans chaque exemplaire sur chaque rayonnage de chaque librairie de ce pays : « Pour Louise. »

Ingrid

[Dans *Au revoir, M. Chips*, de James Hilton, 1934]

41

Une fois de plus, Flora était assise au chevet de son père. Sa respiration s'était transformée en un grondement évoquant l'approche du métro dans le tunnel. Elle cherchait sous ses traits effondrés cette image d'un Gil coureur de jupons, d'un homme qui « sautait sur tout ce qui bougeait ». D'un homme qui ramenait des femmes dans son atelier d'écriture pendant que sa femme et ses filles dormaient à quelques mètres de là ; inimaginable. Ce qu'elle avait appris, si c'était bien vrai, modifiait également la vision qu'elle avait d'Ingrid, cela faisait d'elle un être de chair, de pensées, de sentiments, de décisions à prendre, de conséquences à assumer. Flora aurait aimé avoir ses deux parents devant elle pour leur demander pourquoi les mots « paternité » et « maternité », séparés d'une seule lettre, recouvraient pourtant des réalités si différentes.

De temps à autre, elle se levait, allait à la fenêtre, les yeux perdus dans le ciel, parcourant l'allée en espérant entendre le vrombissement asthmatique du moteur de la Morris Minor.

Après avoir lancé le saladier contre le mur de la cuisine, Nan était sortie de la maison en courant sans prendre ses clés de voiture, que ce soit sur la plage ou la route, elle avait filé. Flora et Richard n'arrivaient pas à savoir de quel côté elle était partie.

« Laisse-la. Donne-lui un peu de temps », dit Richard en retenant Flora.

Elle voulait lui courir après mais elle se souvint de la recommandation de Nan de ne jamais laisser Gil tout seul, alors elle demanda à Richard de descendre vers la mer pour voir si sa sœur n'était pas là-bas. En revenant, il expliqua qu'il avait arpenté tout le Bout du Monde les pieds dans l'eau, qu'il était même allé jusqu'au panneau de la plage des nudistes, qu'il avait croisé des gens qui promenaient leurs chiens, d'autres avec des cerfs-volants, des oiseaux, mais pas Nan. Elle l'envoya tambouriner à la porte du pub jusqu'à ce qu'ils veuillent bien lui ouvrir ; elle n'était pas là non plus. Flora ne nettoya pas le carnage dans la cuisine, elle leur prépara des tartines de confiture mais toucha à peine la sienne, du thé qu'elle oublia dans la théière, et finalement Richard accepta d'aller sillonner les rues de la ville en voiture et demander au ferry si quelqu'un répondant à la description de Nan avait embarqué dans la journée.

Quand il fut de nouveau rentré bredouille, Flora pensa tout à coup à Viv, mais le téléphone sonnait dans le vide à la librairie, alors qu'elle aurait dû être ouverte à cette heure-là. Flora renvoya Richard à Hadleigh. Quand il fut parti, elle écrivit sur un papier les numéros de Nan notés sur le socle du téléphone de la cuisine et traîna le fil entortillé de celui du salon le long du couloir jusqu'à la grande chambre, il se coinça, elle tira un grand coup. Le fil s'était accroché à l'angle d'une colonne de livres, qui s'effondra. Des grands formats traitant de l'espace et du temps tombèrent sur des livres de poche parlant de liaisons amoureuses, qui dégringolèrent sur des pamphlets poétiques et des novellas, qui entraînèrent dans leur chute une quatrième pile et une autre encore, comme des dominos. Elle ne les ramassa pas. Assise au bord de la chaise à côté de Gil, Flora composait le numéro de la librairie, les différents numéros de Nan, laissait sonner dans le vide, attendait que les répondeurs se mettent en marche et rappelait, encore et encore. Elle avait peur d'avoir perdu sa sœur aussi.

Le bruit d'une voiture tournant dans l'allée la fit bondir sur sa chaise et courir jusqu'à la porte d'entrée. C'était une petite voiture blanche, pas la Morris Minor. Un homme sortit côté passager.

« Jonathan ! » lança Flora, en se précipitant hors de la maison vers les marches de la véranda. Il ouvrit les bras en grand et la serra contre lui, puis il la repoussa, les mains sur ses épaules, pour mieux la regarder.

« Bon sang, chaque fois que je te vois, tu ressembles un peu plus à ta mère.

— Je suis tellement contente que tu sois là », dit-elle nichée dans le tissu de sa veste, respirant son odeur – du tabac couleur écorce humide.

Elle entendit le bruit d'autres portières qui s'ouvraient et se refermaient, et lorsqu'elle se recula, elle aperçut Louise derrière lui, ses ongles manucurés agrippés à la portière comme si elle avait besoin de se tenir à quelque chose.

« Bonjour, Flora », dit-elle. Et avant même que Flora ait le temps de formuler une réponse, quelqu'un d'autre se leva du siège du conducteur ; un homme à la fois familier et inconnu. Il leva une main maladroite.

« Tu te souviens de Gabriel ? Il a dit qu'il t'avait rencontré une fois, il y a longtemps », dit Jonathan.

Flora se rendit compte qu'elle avait les sourcils froncés et la bouche grande ouverte.

L'homme portait une barbe et les cheveux longs mais il aurait aussi bien pu avoir le même âge que l'adolescent dont elle se souvenait. « Gabriel, je ne suis pas sûre que Papa… commença Flora.

— Pas d'inquiétude. C'est lui qui m'a demandé de venir, expliqua Gabriel.

— Vous nous attendiez, n'est-ce pas ? J'ai eu Nan au téléphone, dit Jonathan.

— Oui, mais je ne savais pas qui… Je ne pensais pas que vous alliez tous arriver… maintenant, dit Flora.

— Est-ce que Nan est là ? Je meurs de soif.

— Elle est sortie, dit Flora en se retournant pour leur bloquer l'accès à la maison. Je ne sais pas exactement quand elle a prévu de rentrer.

— Mais Gil est à l'intérieur, non ? dit Jonathan.

— Comment va-t-il ? » demanda Louise.

Elle claqua la portière et s'avança d'un pas décidé. Flora s'éloigna encore un peu d'eux. Ses chevilles touchaient la première marche des escaliers.

« Il est fatigué. Très fatigué. Je ne suis pas sûre qu'il soit prêt à accueillir des visiteurs tout de suite.

— Enfin, nous venons de très loin, protesta Louise, comme si la longueur du voyage pouvait y changer quoi que ce soit.

— Il est en train de mourir, putain, dit Flora, et la grimace qui déforma le visage de Louise ne lui échappa pas.

— Flora, Flora. »

Jonathan passa son bras autour d'elle et la détourna de Louise. Gabriel referma sa portière et s'appuya sur le toit de la voiture pour observer la scène. « Je sais que c'est dur, poursuivit Jonathan. Bien plus dur que je peux l'imaginer.

— Peut-être que nous ferions mieux d'attendre le retour de Nan », dit Louise derrière lui. Gabriel fit le tour de la voiture, ses yeux balayèrent la façade de la maison, l'atelier d'écriture, la mer et la vue au loin.

Flora regarda le jardin à travers ses yeux, les arbres et les fleurs retournés à l'état sauvage, l'herbe haute.

« Pourquoi tu ne rentrerais pas lui dire que nous sommes là ? » Jonathan lui donna une nouvelle longue accolade.

Elle s'efforça de réfléchir à ce que sa sœur ferait en pareilles circonstances. Elle les inviterait à entrer, leur offrirait une tasse de thé, sans doute ? Peut-être fallait-il qu'elle fasse quelque chose avec le saumon qui avait passé la matinée dans son plat à gratin. À la place, elle dit : « Nan t'a dit que Papa avait vu Maman à Hadleigh ? » L'expression qui se lut sur leurs visages lui donna envie de rire : sourcils en accent circonflexe, bouches en O. Elle décida de ne pas en rajouter en leur racontant toutes les autres choses que Gil avait vues, Ingrid dans le miroir par exemple. Jonathan la prit par le coude et la tira face à lui.

« Gil a vu Ingrid ? »

Flora mit la main dans sa poche et tomba sur le petit soldat en plastique. Elle lui caressa la tête. « Apparemment, Maman était debout, sous la pluie, devant la librairie.

— Qu'est-ce qu'elle a dit ? Qu'est-ce qui s'est passé ? interrogea Jonathan.

— Non, je voulais juste dire qu'il croit l'avoir vue ; ils n'ont pas parlé.

— Oh, Flora, soupira Jonathan comme s'il pensait qu'elle avait tout inventé.

— Quoi ? Pourquoi ne pourrait-elle pas être à Hadleigh ? Là ou ailleurs, ça n'a pas plus de sens. »

Ils restèrent là, tous les quatre, sans échanger un regard, jusqu'à ce que Louise dise : « On pourrait peut-être entrer ? Je crois qu'il commence à pleuvoir. »

« Bon sang, qu'est-ce qui s'est passé ici ? » s'écria Jonathan en entrant dans la maison. Les piles de livres à moitié effondrées s'alignaient, les unes derrière les autres, le long des murs, et là où il y avait auparavant un passage dans le couloir, les derniers éboulements ne laissaient plus qu'un sol jonché de volumes qu'il fallait enjamber pour accéder à la cuisine. Le fil du téléphone, suspendu entre les deux pièces, évoquait un piège tendu aux visiteurs indésirables.

Flora les conduisit jusqu'à la grande chambre. La pluie battait contre la fenêtre côté mer et tambourinait sur le toit de tôle, à l'intérieur, l'atmosphère renfermée était oppressante. Gil ouvrit les yeux. Elle regonfla ses oreillers comme elle avait vu Nan le faire, efficace et experte. Une odeur nauséeuse de kaki s'échappait de son pyjama, et elle se demanda soudain si elle n'aurait pas dû lui faire sa toilette. Ses paupières se soulevèrent lentement ; même cela, c'était un effort. Ses yeux se fixèrent sur Gabriel en premier, l'identifièrent, et Flora remarqua leur même fossette au menton, leur même mâchoire carrée ; l'un des deux, beau et en pleine santé, l'autre, son reflet délabré. Debout devant le lit, Gabriel et Jonathan dominaient le corps émacié de Gil et leurs visages lui renvoyaient l'image d'un bonhomme à tête de mort. Seule Louise parvint à dissimuler le choc éprouvé.

« Tu voudrais quelque chose à boire, Papa ? Je peux te préparer une tasse de thé », proposa Flora.

Gil tourna les yeux vers la brique de jus d'orange qui trônait sur sa table de chevet et elle la lui tendit pour qu'il puisse mettre la paille dans sa bouche.

« Gil, dit Louise en s'avançant et en posant la main sur la sienne. C'est tellement bon de te voir. »

Il tourna la tête. « Tu es toujours aussi belle, Louise. » La succion faisait claquer sa langue dans sa bouche. Il reporta son attention sur Gabriel.

« Alors, dit Jonathan, brisant le silence. Quelles sont les nouvelles ? Comment te sens-tu ?

— Atrocement mal, dit Gil en luttant pour prononcer chaque mot. La mort… c'est pas du tout ce qu'on croit. » Gil fut le seul à sourire, ses lèvres étaient fines, ses dents trop nombreuses pour sa bouche.

Jonathan sortit un paquet de cigarettes et une boîte d'allumettes de sa poche. Louise le regarda et secoua la tête. Il les rangea à contrecœur. « Il fait une chaleur infernale, ici, dit-il en ôtant sa veste et en la posant en travers du lit. Ça vous embête si j'ouvre une fenêtre ? » Sans attendre qu'on lui réponde, il alla à la fenêtre qui donnait sur la véranda. Il lutta avec la poignée jusqu'à ce que Flora vienne à son secours.

« Tu as perdu la main, on dirait. La fenêtre est voilée, tu te souviens ? Il faut d'abord soulever et ensuite tourner la poignée. » La fenêtre s'ouvrit. Un dessous de verre tout déchiré et plié tomba :

Ridley's 1977, et l'odeur brune de la terre humide pénétra dans la chambre.

« Chuuuut », dit Gil en penchant la tête. Tout le monde se tut. « Vous entendez ? »

Il n'y avait que le bruit de la pluie tombant sur le toit. « Le rabot du menuisier, dit-il. Il est en train de préparer mon cercueil devant la fenêtre. » Gil haussa les épaules en émettant une sorte de *ho ho ho*, et il fallut un petit moment à Flora pour comprendre qu'en fait il était en train de rire. « Il perd son temps. »

Gil ferma les yeux et ils restèrent à attendre, à guetter, Flora entendit ce raclement dans sa gorge à nouveau, ou bien était-ce une voiture dans l'allée.

« Je devrais peut-être nous préparer du thé, dit-elle, sans bouger d'un pouce.

— Je me disais qu'on pourrait faire une petite fête, dit Gil, qui marqua une pause, respira, leva les yeux vers eux sans bouger la tête. En souvenir du bon vieux temps ; en souvenir d'Ingrid. Elle adorait les fêtes, n'est-ce pas, Jonathan ? »

Les visiteurs se dévisagèrent tour à tour.

« Ah oui ? » dit Jonathan, et, comme s'il comprenait soudain que ce n'était pas la bonne réponse, il enchaîna : « Bien sûr qu'elle adorait ça.

— Danser, boire du whisky, dit Gil.

— Papa, je ne suis pas sûre que Nan sera… » dit Flora.

Gil leva sa main posée sur la couverture, pour l'interrompre. « Elle n'est pas là… C'est moi qui décide.

— Gil, commença Louise.

— Du whisky. Tu sais où il est », dit-il à Flora. Flora hésita, sans doute ferait-elle mieux de mettre la bouilloire sur le feu à la place. Elle se dandinait sur le seuil. Gil s'immobilisa, rassembla ses forces, sa volonté. « Vous n'avez qu'à voir ça comme une veillée, sauf que le cadavre est encore capable de s'asseoir et de parler.

— En ce qui me concerne, je ne dirais pas non à un whisky, intervint Jonathan.

— Et que serait une fête sans musique, Gabriel ? » lança Gil.

Gabriel se tenait à l'un des montants du lit, les deux mains posées autour du poisson à la gueule béante sculpté dans le bois.

« Je n'ai pas apporté ma guitare.

— Dommage, soupira Gil, sans le quitter des yeux. Va chercher le tourne-disque dans le salon. Tu trouveras bien un disque à nous mettre. Jonathan, aide-le. »

Gil ferma les yeux, se reposa un instant, personne n'avait bougé. « Allez », dit-il avant de faire signe à Louise d'approcher d'un geste de l'index.

Flora se fraya un chemin entre les livres dans le couloir, on l'aurait crue dans une foire, traversant un parcours d'embûches sur le sol mouvant d'un palais du rire. Dans la cuisine, elle alla sous l'évier prendre la bouteille de whisky. Elle ne trouva que trois verres. Pourtant elle était certaine qu'il y en avait plus que cela : Nan n'était partie que depuis quelques heures et déjà les choses semblaient se dérober, atterrir tout à coup au mauvais endroit. Elle rinça quelques tasses à la place.

Debout sur le seuil de la cuisine, Louise tenait ses talons hauts à la main, elle avait dû les enlever pour escalader les éboulements de livres. « Il veut la robe de ta mère, dit-elle.

— N'entre pas, la chassa Flora.

— Il a dit que tu saurais de quoi il parle.

— Il y a du verre brisé par terre, prévint Flora en désignant le sol de la tête.

— Où est Nan, exactement ? »

Louise balaya la cuisine du regard. Des giclées blanches hachuraient le mur, elles avaient dégoutté sur le sol, et se terminaient par une espèce de bulle de crème aigre figée. Le saumon, dont l'unique œil avait fini par tomber dans son orbite, gisait dans son plat. Sur le comptoir, une tartine entamée attendait dans une assiette, à côté de couteaux sales et de tasses remplies de thé gris semés ici et là.

« Pourquoi il veut la robe ? demanda Flora.

— Il a parlé de reconnaître ses responsabilités, je n'ai pas tout compris. Il a ajouté quelque chose à propos de faire ses excuses en bonne et due forme, il a dit qu'il ne s'était pas bien comporté. Et enfin, il m'a fait promettre de revenir avec la robe. »

Flora passa les verres à Louise, ramassa les tasses et la bouteille de whisky et alla dans leur chambre, à Nan et elle. La robe était par terre, là où elle l'avait abandonnée la dernière fois qu'elle l'avait ôtée.

Jonathan avait extirpé le tourne-disque du salon et dégageait le passage pour pouvoir le transporter jusque dans la chambre. Gabriel avait à la main l'album avec la photo de l'homme assis à une table – Townes Van Zandt.

Gil n'avait pas bougé. Il était dans la position où Flora l'avait quitté – appuyé contre les oreillers, les yeux fermés. Louise entra sur la pointe des pieds, suivie de Flora. « Ne vous inquiétez pas, je suis toujours en vie, dit Gil. Tu as la robe ? On ne peut pas faire une fête sans robe. »

— Je pense qu'il croit qu'Ingrid est là », murmura Louise à Flora, puis, plus fort : « C'est pour Ingrid, la robe, Gil ?

— Bien sûr que non, ce n'est pas pour Ingrid, putain. » Ses yeux étaient grands ouverts à présent. « C'est pour moi. C'est la dernière chose qu'elle a portée. » Il se débattit avec les boutons de son pyjama.

« Oh, je ne suis pas certaine, Gil », dit Louise en regardant Flora, qui était en train de penser que l'ancienne Nan, la version agréable et gentille, aurait par principe désapprouvé tout ce qui sortait de la bouche de Louise.

« Si, bien sûr » assura Flora, et elle alla s'asseoir à côté de lui sur le lit. Gil fit retomber ses mains sur les draps, laissant Flora lui passer les bras au-dessus de la tête et déboutonner le haut de son pyjama.

« On aurait au moins pu l'enfiler par-dessus son pyjama, non ? dit Louise.

— Parce que tu mets tes robes au-dessus de tes pyjamas, toi ? Je ne crois pas, non », lança Flora.

Sur le torse de son père, la peau soulignait le dessin des côtes, plongeait dans les cavités pour remonter, tendue, sur les os. Les pulsations de son cœur battaient contre la fine membrane, Flora détourna le regard. Elle tira le col de son pyjama jusqu'à son épaule droite et l'aida à plier le coude pour sortir son bras de la manche.

Jonathan et Gabriel apportèrent les enceintes et le tourne-disque dans la chambre et branchèrent l'installation. On entendit une guitare acoustique, puis une voix d'homme.

« Plus fort, murmura Gil.

— Monte le volume », dit Flora.

Gabriel s'exécuta et le souvenir de cette musique remonta, non pas du soir où elle était arrivée dans la maison, mais de beaucoup plus loin dans sa mémoire : c'était le souvenir d'un garçon à peine plus âgé qu'elle, qui lui apprenait les paroles de cette chanson sur la véranda.

La peau de Gil était mouchetée de taches, l'intérieur de son bras était bleu. Elle tira un côté du pyjama derrière son épaule et sortit précautionneusement l'autre bras de sa manche, en veillant à ne pas malmener son poignet toujours bandé.

Louise lui tendit la robe que Flora avait posée à cheval sur la chaise. Quand Flora leva les yeux, elle vit Gabriel et Jonathan qui les observaient. « Et si vous nous serviez ce whisky ?

— Encore, dit Gil.

– Encore du whisky ? chuchota Flora en l'interrogeant du regard.

– Encore de la musique », reprit-il, tandis qu'elle lui enfilait la robe et l'arrangeait sur son torse.

Gabriel monta le son, de sorte qu'il inonda la pièce et les emporta tous, couvrant le bruit de la pluie, la respiration rauque de Gil, semblable aux derniers halètements des maquereaux sur la route. Jonathan fit circuler les trois verres et les deux tasses. Et Gil, un verre serré dans son poing, tendit son bras tremblant et trinqua avec Louise, Jonathan, Gabriel et enfin Flora, avant de le vider d'une traite.

42

Pavillon de nage, 1er juillet 1992, 5 h du matin

Gil,

Hier soir, Jonathan et moi avons fait la fermeture du bar de l'hôtel Alpine à Londres. Jonathan avait commandé un whisky. La femme qui l'a servi était engoncée dans ce que l'équipe de direction devait penser être le costume traditionnel suisse : un tablier et une large jupe froncée, un corset lacé à faire exploser sa poitrine et ressembler ses deux seins à deux gros muffins bien cuits. Ses cheveux nattés étaient plaqués et enroulés autour de sa tête, et je me suis demandé comment ils faisaient pour n'embaucher que des serveuses à longs cheveux blonds et si c'était légal. Je voulais un verre de vin blanc mais Jonathan a pris une bouteille. Nous nous sommes installés face à face, assis dans deux chaises en bois inconfortables avec un gros cœur creusé dans chaque dossier.

« Encore joyeux anniversaire », a dit Jonathan en levant son verre pour trinquer avec moi.

En dînant, nous avons parlé du fait qu'il était toujours célibataire, que ses travaux avançaient et qu'il fallait qu'il se lève à six heures le lendemain pour attraper un vol pour Addis-Abeba. Je lui avais raconté la mort et l'enterrement d'Annie, et nous avions levé nos verres en son honneur. Il ne nous restait plus qu'un seul sujet à aborder.

« Il faut que tu prennes une décision, a-t-il dit. Soit tu le reprends, soit tu divorces et tu t'en vas. Pour moi, cette maison a toujours été celle de Gil, elle est remplie des vieux meubles de sa mère et puis il y a tous ces livres. Je me souviens de m'être dit que c'était un miracle qu'il y ait assez de place pour toi et les filles quand elles sont arrivées.

— Ça c'est parce que ton immense carcasse traînait sans arrêt d'un côté ou de l'autre du canapé. »

Nous avons bu. Une vague de nostalgie m'a submergée, celle de ces mois où j'étais enceinte de Nan. « Ce ne sera pas à Londres, en tout cas », ai-je dit, tout en t'imaginant avec Louise à chaque minute, dans cette même ville, dans son lit, dans son corps. Je tentais de chasser cette image. « Je ne crois pas que les filles seraient contentes de déménager. Nan veut s'inscrire à l'école d'infirmières, et de toute façon on ne pourrait pas s'en aller tout de suite, pas avant la fin des examens, quant à Flora, mon Dieu, Flora. Peut-être que si je suggérais le contraire, elle envisagerait de faire ce que je veux. Il a fallu que je paye Nan plus cher qu'une baby-sitter pour qu'elle accepte de surveiller sa sœur ce soir. » J'ai vidé mon verre.

« Vous pourriez venir vivre avec moi. »

J'ai failli m'étouffer avec le vin que j'étais en train d'avaler. « Mais tu n'as même pas un toit sur la tête, Jonathan. Tu as passé ta vie à dormir sur les canapés des gens.

— J'ai une maison, en Irlande.

— Qu'est-ce que tu racontes ?

— Je ne sais pas. » Il a reposé son verre et s'est passé les mains dans les cheveux qui, du coup, tenaient tout seuls. « Je veux juste mieux pour toi, je trouve juste que tu mérites mieux.

— C'est ce que tu as toujours dit, mais rien de tout ça n'est de ta faute. Je n'ai rien fait pour éviter tout ce qui est arrivé. Je suis la seule responsable.

— Ce n'est pas vrai, et tu le sais. C'est Gil qui a eu une liaison », a dit Jonathan. J'ai posé mon regard sur lui avant de le détourner. « Des liaisons, a-t-il corrigé. Et c'est lui qui a choisi cette dédicace, c'est lui qui a écrit ce livre ; c'est Gil, et son incorrigible goût du risque. »

J'ai fixé mon verre, je n'osais pas le regarder dans les yeux. « Mais je savais qui il était. Tu m'avais prévenu, tu te souviens, à cette soirée, la première fois ?

— J'avais fait ça ? »

Jonathan a agité son verre vide en direction de la femme au bar. Elle a resserré son corsage et l'a tiré vers le haut des deux mains, rien n'a bougé. Puis elle est revenue avec un nouveau whisky sur un plateau d'argent.

« Si tu ne veux pas faire de reproches à Gil, alors fais-m'en à moi, a déclaré Jonathan.

— Qu'est-ce que tu veux dire ?

— C'est à cause de moi si Gil et Louise se sont revus. À une soirée où il m'avait invité. Je suis venu avec elle. Ils ne s'aimaient pas tellement avant ça, n'est-ce pas ? Mon Dieu, tu te souviens de votre mariage ? Je n'ai jamais pensé qu'il pourrait y avoir quelque chose de sérieux entre ces deux-là. C'est un idiot. Je suis désolé.

— Il faut que j'arrive à me raisonner pour arrêter de penser à eux tout le temps. Ce qu'ils sont en train de faire, où ils sont. » J'ai fait rouler le pied de mon verre entre mes doigts. « Ça dure depuis des mois maintenant et c'est toujours une torture.

— Mais, Ingrid, a-t-il dit et il a tendu la main pour immobiliser la mienne. Il n'est plus avec elle. Je croyais que tu le savais. »

À son expression, j'ai lu le choc qui devait se dessiner sur mon visage. Je ne l'ai pas revu depuis la dernière fois qu'on s'est disputés, mais j'ai parlé à Louise. Elle l'a quitté il y a des semaines. Elle m'a dit qu'elle allait t'appeler. »

Qu'ai-je éprouvé à ce moment-là ? Du soulagement ? De la dérision aussi, de la colère, et puis je me suis réjouie de votre malheur. Je me suis souvenue du coup de téléphone que Flora avait refusé. Je n'avais pas parlé à Louise depuis ton départ. Je lui en voulais autant qu'à toi, bien sûr ; mais sa trahison était différente, pire peut-être. Louise avait toujours été ma voix de la raison, ou du moins une voix discordante – quelqu'un qui questionnait mes choix, me poussait à trouver des arguments pour défendre mes choix. Non seulement Louise avait couché avec toi, eu une aventure avec toi, était tombée amoureuse de toi (ou quoi que ce soit), mais surtout elle avait changé de camp.

« Alors, cette maison, raconte, ai-je dit.

— J'envisage de me débarrasser des locataires de la vieille maison de ma mère et de la rénover. De rentrer en Irlande, de m'installer là-bas. Je pourrais peut-être me trouver un boulot de prof dans une école ou ailleurs.

— Il serait temps. Tu as quel âge ? Cinquante-trois ans ?

— Cinquante-deux. Bon sang, merde, comment c'est possible que j'aie cinquante-deux ans ? Je suis fatigué de voyager. Tu adorerais cette maison. Et il y a tout l'espace que tu veux pour les enfants.

— Elles ont quinze et neuf ans. Ce n'est plus d'espace qu'elles ont besoin, c'est d'espace entre elles et leur mère, ai-je dit en riant.

— Eh bien, alors tu l'as, ta solution. »

Il a rempli mon verre. « Bantry Bay est magnifique quand il ne pleut pas. La maison a juste besoin d'un petit lifting, d'un coup de pinceau.

— Tu devrais te trouver une femme. »

Nous avons échangé un sourire.

« Il n'y a rien qui vous retienne en Angleterre, toi et les filles. Tu n'as qu'un mot à dire et on s'en va. Tu t'occuperas du jardin pendant que moi j'écrirai. »

Cela sonnait terriblement familier.

« Tu m'as dit un jour de rester avec Gil alors que j'envisageais de le quitter. »

Jonathan avait un air triste insupportable. « Tu vois, c'est pour ça que tu ne devrais jamais écouter mes conseils. Je ne sais absolument rien de ce qu'est un mariage.

— Je me dis de temps en temps que tu en sais plus sur ce mariage que Gil, ou moi, ou du moins que tu es capable de plus de clairvoyance à ce sujet. » Je me suis penchée en avant et j'ai mis ma main en coupe autour de son visage. Il a fermé les yeux, appuyé sa joue contre ma main, le moment s'est étiré jusqu'à ce qu'il ouvre les yeux d'un coup et s'écarte.

« À Gil, qu'il aille se faire foutre », a-t-il lancé en levant son verre. Nous avons trinqué à cela.

« À l'Irlande, ai-je ajouté. Je boucle la maison, les filles et on fiche le camp. » L'alcool parlait pour moi, je faisais des projets sans même avoir consulté mon cerveau.

Une nouvelle fois, Jonathan a agité son verre vide du côté du bar et rempli le mien.

« Merci pour la proposition, Jonathan », ai-je dit, concentrée sur les mots que je prononçais, qui sortaient de ma bouche plus vite que je ne les formulais. « Ça me fait vraiment très plaisir. Est-ce que tu ferais encore autre chose pour moi ? »

Jonathan a décalé sa chaise et s'est rapproché de moi, il a pris mes mains dans les siennes. « Tout ce que tu voudras.

— Si quelque chose devait arriver – enfin, si quelque chose devait m'arriver, à moi –, promets-moi que tu continueras de veiller sur Nan et Flora.

— Comment ça ? Qu'est-ce qui pourrait arriver ? »

Je l'ai fixé sans ciller. « D'accord, c'est promis. »

Quand nous nous sommes levés pour partir, j'ai chancelé et je me suis rattrapée à la table. La serveuse attendait qu'on s'en aille, elle s'était assise sur un tabouret. Sur le bar, à côté d'elle, il y avait deux tresses toutes plates de cheveux jaunes.

« Tu es ivre ? m'a demandé Jonathan.

— Qu'est-ce que tu crois, bien sûr que je suis ivre. Tu m'as fait boire une bouteille entière de vin, en plus de ce que nous avions déjà bu à table, ai-je répondu.

— Je crois que tu as besoin d'un café. Monte avec moi. »

Jonathan m'a ramenée à ma chambre, assise sur une chaise en bois dans un coin, le dos appuyé contre un autre dossier troué d'un cœur et il s'est agenouillé devant moi pour m'enlever mes chaussures. Je me suis penchée pour déposer un baiser sur son front mais il a bondi. « Café », a-t-il lancé, et il s'est emparé de la bouilloire posée sur un plateau en face de mon lit. Il l'a agitée, est allé dans la salle de bains pour la remplir. Je me suis levée, stabilisée, et je l'ai suivi. La pièce, minuscule, était couverte de carreaux représentant des edelweiss et des cœurs enlacés. Quand j'ai passé mes bras autour de son torse, Jonathan a sursauté. J'ai glissé la tête sur le côté de son épaule, et nos regards se sont rencontrés dans le miroir de la salle de bains. « Je ne peux pas faire ça, Ingrid », a-t-il dit. Je n'avais pas percuté que nous étions en train de faire quelque chose avant qu'il le formule.

« Pourquoi ? Tu n'en as pas envie ? »

Il a abandonné la bouilloire dans le lavabo, s'est retourné et a posé les mains en haut de mes bras.

« Ce ne serait pas bien. » Il semblait sobre tout à coup.

« Mais tout à l'heure, tu as dit que nous devrions vivre ensemble, en Irlande.

— Oui, mais pas comme ça. Tu es toujours mariée.

— Donc toi non plus, tu ne veux pas de moi. »

Je suis retournée dans la chambre.

Depuis la porte de la salle de bains, Jonathan a dit : « Je t'en prie, Ingrid. Ne sois pas sentimentale avec moi. C'est du vin que tu as bu, pas du gin. » Il a ri. « Allez, je te fais un café. »

Assis au bout du lit, il a bu un whisky du minibar. Moi j'étais sur ma chaise, avec une tasse et une soucoupe sur les genoux.

« Cul sec. Je vais peut-être même t'en faire un autre, a-t-il dit.

— Non, s'il te plaît, je ne préfère pas, après je vais faire pipi toute la nuit. Regarde. »

J'ai retourné la tasse au-dessus de la soucoupe, l'ai secouée ; il en est tombé deux, trois gouttes, à peine. « T'as vu, j'ai tout fini. » Je suis descendue de la chaise et je me suis mise à genoux, j'ai posé la tasse et la soucoupe à côté de moi et j'ai franchi les quelques centimètres de tapis qui me séparaient de lui.

Je sais, Gil, tu n'as pas envie de lire ça. Mais il le faut, il faut que tu lises chacun de ces mots. Ne saute pas de passage, ne lis pas en diagonale ; ceci, mon amour, est ton châtiment. Tout ce que je te demande après ça, c'est de briser cette stupide règle que tu t'es fixée, de sortir toutes ces lettres de leurs livres et de t'en débarrasser. (Encore d'autres choses que nos enfants ne doivent jamais lire.)

Je te décris les faits tels qu'ils se sont produits, la réalité. J'ai toujours pensé que la réalité était beaucoup plus conventionnelle que l'imagination. J'ai passé toutes ces années à imaginer ce qui t'entourait : les femmes, les lieux, les choses.

Jonathan avait les genoux serrés, je les ai écartés et me suis agenouillée entre eux. J'ai pris ce verre de whisky de sa main et l'ai posé par terre derrière moi, puis je l'ai embrassé. Il avait un goût sucré d'alcool ; le goût de la première bouchée de Christmas pudding tout juste flambé. Je n'avais plus embrassé d'autre homme que toi depuis seize ans.

Il s'est retiré mais j'ai retenu sa lèvre inférieure entre mes dents, en mordant délicatement la chair. J'ai passé ma robe par-dessus ma tête, défait mon soutien-gorge et ôté ma culotte. J'ai attendu, nue devant lui, il m'a attrapée par les fesses et m'a attirée à lui, il a pressé son visage entre mes jambes, il m'a humée, respirée longuement et intensément. J'ai dû l'éloigner pour tirer sa chemise de son pantalon et déboutonner sa braguette. Tout ce que nous avons fait, nous embrasser, nous déshabiller, nous toucher, nous l'avons fait lentement, comme pour bien nous laisser le temps de changer d'avis à tout moment. Nous n'avons pas changé d'avis. Et lorsqu'il a joui en moi tandis que je le chevauchais, j'ai observé ce visage si familier dans cet angle parfait, et pas une seconde je n'ai pensé à toi.

Le lendemain matin, j'ai été réveillée par le cliquètement de la porte de la chambre qui se refermait. À côté de moi, la place vide était encore chaude. Jonathan avait laissé un mot sur l'oreiller :

Je t'ai dit que je ne pouvais pas faire ça. Je vais aller voir Gil pour le convaincre de revenir vivre avec toi au Pavillon de nage. Rentre à la maison retrouver ton mari.

Jonathan, qui t'embrasse

P.-S. : Désolé pour l'Irlande.

Je lui suis reconnaissante d'avoir pensé que toi et moi, notre mariage, notre famille, étaient plus importants que son vol pour Addis-Abeba, plus importants que tout ce que nous avions pu faire lui et moi, mais je ne mérite pas tous ces égards. Je n'ai jamais voulu que ce soit ma vie.

J'aurai du temps, demain, pour une dernière lettre.

Ingrid

[Dans *Le Robinson suisse, ou Histoire d'une famille suisse naufragée*, de Johann David Wyss, 1812]

43

Ils laissèrent Gil endormi dans la robe rose, un verre vide à côté de lui. Gabriel éteignit la musique et referma la fenêtre, Jonathan emporta la bouteille et le fond qui restait à l'intérieur sur la véranda. La pluie cessa, les avant-toits gouttaient sur la balustrade, arrosant la pelouse au passage.

Jonathan sortit une épaisse cigarette roulée de sa poche de chemise et la tendit à Flora.

« J'avais apporté ça pour Gil, mais sans doute que le whisky a fait l'affaire, c'est pour toi si tu veux. »

Elle la prit, la fit tourner entre ses doigts et la porta à ses narines ; un léger parfum de tabac et marijuana mélangés, des vagues de crépuscule orangé.

« T'as qu'à le fumer maintenant. Pourquoi tu n'emmènerais pas Gabriel à la plage ? »

Flora regarda Gabriel qui haussa les épaules puis elle détourna les yeux vers la fenêtre de la grande chambre.

« Vas-y. Il dort. Tout va bien, et Nan ne va plus tarder », dit Jonathan.

Richard avait appelé pour dire qu'il avait retrouvé Nan, toute boueuse et mouillée, sur la digue à Hadleigh. Un camion l'avait déposée à mi-chemin, elle avait fait le reste du trajet à travers champs. Nan comptait aller voir Viv, mais un panneau collé à la porte signalait la fermeture de la boutique pour cause de maladie. Nan ne savait pas où habitait Viv. Richard avait dit qu'il l'emmenait boire quelque chose de chaud avant de la ramener à la maison.

Flora se leva, encore hésitante. Il y avait une chose qu'elle aurait dû dire à Jonathan, une chose que Nan aurait dite, mais impossible de se souvenir quoi.

« Est-ce que tu veux retourner à la plage ? Là où nous étions la dernière fois ? » proposa-t-elle à Gabriel.

Ils s'installèrent sur les rochers au pied du sentier côtier, les yeux tournés vers la mer grise et moutonneuse sous le vent. Deux petits garçons faisaient des ricochets dans les vagues. L'air était piquant, la marée haute, et seuls quelques galets et algues dépassaient sur le rivage.

« J'ai été désolé quand j'ai appris pour ta mère, lâcha Gabriel de but en blanc. Sa disparition, je veux dire. » Il croisa les bras et rougit. « Je repense souvent à cet après-midi que j'avais passé avec vous deux. J'aurais dû lui écrire ou l'appeler mais je n'étais pas sûr que ce soit bienvenu. »

Ils observèrent les deux enfants qui retournaient les algues avec leurs bâtons et se penchaient pour ramasser ce qu'ils trouvaient en dessous.

« Ça te dit de fumer ça ? proposa Flora en tenant le joint en l'air.

— Oui, carrément, tu as des allumettes ? demanda Gabriel.

— Merde, non. J'imagine que toi non plus ? C'était bien malin de nous filer ça sans nous donner les allumettes. Tu crois que ces garçons auraient un briquet ? »

L'un d'entre eux saisit quelque chose et le jeta sur son copain d'un cri dégoûté et ravi.

« Passe. » Gabriel prit le joint, le mit à sa bouche. Il plaça sa main en rond au bout et approcha l'autre, poing serré, sortant le pouce d'un coup, comme la flamme d'un briquet. Il inspira profondément, ferma les yeux. Puis il étendit les jambes devant lui, les talons au milieu des galets, et ôta le joint de sa bouche. Sans expirer encore, il déclara : « Elle est forte, son herbe. » Flora sourit, et il lui passa le joint toujours éteint. Elle le mit entre ses lèvres et inspira.

« Quand nous étions encore petites, je racontais des histoires à Nan sur toi le soir au lit », dit-elle. Elle se pencha pour ramasser un galet lisse et brun. « À quoi tu ressemblais, ce que tu faisais, des trucs débiles, j'imaginais que tu étais dans un groupe et que notre frère était une pop star. Elle était tellement jalouse de ne t'avoir jamais rencontré.

— Eh ben, maintenant j'ai hâte de la rencontrer. » Il prit de nouveau le joint.

« J'inventais des histoires : tu étais revenu nous voir, tu avais joué de la guitare pour nous sur la véranda. » Flora lécha le galet et passa le pouce dessus. La surface terne prit vie soudain, striée de veinules rouges. « Personne ne nous a jamais dit ce qui s'était passé, ajouta-t-elle, gênée tout à coup. Pour que Papa se comporte de cette manière.

— C'est une histoire très simple, dit Gabriel en ôtant la cigarette de sa bouche. Lui et ma mère sont sortis ensemble pendant quelques semaines. Elle est tombée enceinte. Durant un temps, il a été pleinement investi, apparemment, il lisait tous les livres sur le sujet, mais il voulait se marier et elle ne voulait pas, tous ces trucs de vie rangée, de s'installer ensemble, ça ne lui convenait pas. Alors il a refusé de reconnaître le bébé – moi – et a prétendu qu'elle avait dû coucher avec quelqu'un d'autre, et puis il est parti.

« Elle n'avait couché avec personne d'autre, bien sûr. Pourtant elle ne s'est pas laissé abattre, nous avons été heureux, rien que tous les deux. Pendant des années, elle m'a caché l'identité de mon père, jusqu'à ce que je finisse par lui tirer les vers du nez. Et quand *Un homme de plaisir* est sorti, elle m'a fait promettre de ne pas essayer de le rencontrer. Je ne l'ai pas écoutée. Mais une fois, ça m'a suffi.

— Je suis désolée, dit Flora. Donne. » Elle lui prit le joint.

« Tu n'as pas à t'excuser. »

Quand les enfants passèrent en courant devant eux et remontèrent le sentier côtier dans leur dos, aucun d'eux ne disait plus rien.

« Il y a un peu plus d'une semaine, il a plu des poissons, reprit Flora. Je rentrais à la maison, sur la route du ferry. Il y a eu un énorme orage et des seaux entiers de petits maquereaux ont atterri sur le capot de la voiture et la route devant moi.

— Des poissons ? demanda Gabriel, avant de marquer une pause. Peut-être que c'était un signe avant-coureur, ou bien – il lui toucha le bras – peut-être que c'était le signe que quelque chose s'était produit, déjà – que ta mère était revenue.

— Je ne sais plus ce que je pense de tout ça, maintenant », dit-elle. Elle lui donna une petite bourrade de l'épaule et rit. « Mais je crois que ça pourrait me plaire d'avoir un frère. »

Gabriel rit avec elle, prit le joint et dit : « Ça marche ce truc, apparemment.

— C'est sûr. J'ai presque l'impression de sentir l'odeur. Et surtout, j'entends la musique. » Flora resta immobile, à l'écoute. Le vent emportait le rythme d'une chanson au loin.

« Je l'entends, moi aussi », dit Gabriel.

C'est à ce moment-là que Flora tourna la tête, les yeux fixés sur la colline abrupte où, si on savait où regarder, on distinguait encore le chemin en lacets tracé par sa mère. La maison était trop près de la rue pour être visible depuis le niveau de la mer et l'atelier aussi était trop loin. On n'apercevait que les orties en haut de la montée, et au-delà, dans le ciel gris, des panaches d'un gris plus soutenu tourbillonnant vers le ciel. De la fumée.

44

Plage des nudistes, 2 juillet 1992, 14 h 17

Gil,

Je suis assise sur la plage. J'ai reporté l'écriture de cette dernière lettre, repensant à toutes les autres lettres déjà rédigées et cachées dans tes livres.

Tu te souviens de ton premier cours, avec le pot de confiture et la jonquille ? Ce jour-là, tu nous avais demandé de révéler nos secrets les plus noirs, les plus intimes. Les voici donc, enfin, à travers tous ces mots, mes vérités.

Lorsque tu trouveras cette lettre, et toutes les autres, n'oublie pas de les détruire, les déchirer, les jeter, les brûler ; ne prends pas le risque que les filles les lisent.

Je sais que tu es en chemin, Jonathan m'a téléphoné. Je suis désolée, mais cette fois je ne serai pas là.

Ce matin, Nan a promis de s'assurer que sa sœur prendrait bien le car pour l'école. Flora a son déjeuner (deux tranches de pain beurré jusqu'aux bords et un morceau de mimolette, à part, sinon elle ne le mange pas). Il faut que tu l'aies à l'œil, elle est fougueuse, c'est une bonne chose. Je pense que tout ira bien pour elle – Flora t'a, et toi, tu as Flora. Nan ira bien, elle aussi, j'en suis sûre. Mais ne la laisse pas s'occuper de tout, faire les choses à ta place, jouer les mères, je sais qu'elle aura tendance à endosser ce rôle naturellement. Laisse-la vivre, libère-la.

Prends soin du jardin pour moi de temps en temps, tonds la pelouse. Et n'oublie pas tes autres enfants, Gabriel et George, et les deux autres, sans nom ni visage. Six. Tu avais raison, en un sens.

Allez, une dernière nage, jusqu'à la bouée, et peut-être un peu plus loin.

I.

[Dans *Ceux qui changèrent et ceux qui moururent*, de Barbara Comyns, 1954]

45

Flora se souvient qu'elle courait devant Gabriel, ils remontaient le sentier côtier, mais juste après, c'est derrière lui qu'elle se revoit, observant les muscles de ses bras se gonfler tandis qu'il fonçait vers la route. Quand elle arriva, essoufflée, dans l'allée, la musique était si forte qu'elle en était discordante, méconnaissable, pourtant, derrière, elle distinguait un bruit d'eau éclaboussant le tarmac et la première chose qu'elle avait pensée c'était que tout allait bien puisqu'il s'était remis à pleuvoir, mais elle confondait la pluie avec le crépitement des flammes qui dévoraient le bois.

Gabriel était déjà à la porte du Pavillon de nage. La fenêtre de la grande chambre dardait sa lumière orange et les flammes léchaient le toit par le dessous.

Debout sur la marche du bas, Flora cria : « Papa ! » puis « Jonathan ! » Les verres et les tasses étaient encore sur la table avec la bouteille de whisky, vide. Une des chaises avait basculé contre la balustrade et il y avait de fines traînées de sable sous la table, dont elle pensa qu'il faudrait qu'elle les balaye pour ne pas que Nan les voie. La vitre de la porte d'entrée se bomba et se fissura avec un hurlement strident. Gabriel se plia en deux pour éviter les flammes qui s'engouffrèrent dans le trou. Le volume de la musique redoubla aux oreilles de Flora : Townes Van Zandt chantait une chanson sur la pluie et les roses, puis il s'arrêta brutalement. « Papa ! » hurla-t-elle.

« Recule ! Recule ! » Gabriel s'éloigna de la véranda en courant à moitié accroupi. « Appelle les pompiers ! » cria-t-il. Des fumées noires ondulaient de sous la porte et les tuiles du toit, elles se rejoignaient plus haut, et soufflaient vers Spanish Green, fuyant la mer. Les fenêtres du salon explosèrent. Flora tâta les poches de son short, cherchant son téléphone, mais ne trouva que le petit soldat en plastique et le joint intact.

« Je n'ai pas mon téléphone ! » cria-t-elle en suivant Gabriel, qui faisait le tour de la maison. Les fenêtres des chambres explosèrent à leur tour comme des bulles de savon quand il passa dessous, on l'aurait cru poursuivi par un sniper qui lui tirait dessus.

« Prends le mien ! Dans la voiture ! Il est dans la voiture ! » lui dit Gabriel. Il se protégea le visage avec le bras pour s'approcher de la fenêtre de la chambre de Flora. Elle courut à la voiture, ouvrit la portière. Verrouillée. Son regard se figea sur la maison. Les flammes rugissaient, crépitaient, puis se déversaient, liquides, par les fenêtres soufflées, comme si la gravité, ou peut-être le monde entier, était sens dessus dessous. À l'intérieur, elle entendit une explosion et un brasier jaune jaillit au sommet du toit. La chaleur fit faire deux pas en arrière à Flora, puis elle vit Gabriel revenir en courant.

« Les clés, Gabriel ! Où sont les clés ? cria-t-elle.

— Merde », il les sortit de sa poche, pointa le boîtier vers la voiture et appuya, appuya encore, jusqu'à ce que la voiture émette un bip.

Jonathan et Louise apparurent ensuite.

« Oh, Dieu merci, tu es sain et sauf. » Flora s'accrocha au cou de Jonathan. « Vous êtes tous là, j'ai cru que Papa était à l'intérieur. » Elle faillit éclater de rire.

« Putain ! » cria Jonathan, en poussant Flora vers Louise, il s'élança vers la maison, trébucha, se ravisa. « Putain ! » La façade de la maison n'était plus qu'une gerbe de feu, les flammes jaillissaient, s'enroulaient autour de chaque pilier, de chaque poutre de la véranda, derrière laquelle un rideau orangé dansait en crépitant.

« Où est Papa ? demanda Flora. Papa est forcément avec vous. » Louise remit son téléphone dans sa poche. Flora l'attrapa par la veste et lui hurla au visage : « Où est Papa ?

— J'ai appelé les pompiers, dit Louise. Ils seront là bientôt. Je te le promets, Flora, ils seront là bientôt. »

Elle prit Flora sous les bras. « Nous étions au pub. Nous sommes allés chercher un sandwich, nous sommes partis dix minutes à peine. Vingt minutes maximum », expliqua Louise.

Quelque chose céda à l'extrémité de la véranda, la peinture cloquait, le bois noircissait, le toit de tôle se déformait en hurlant. Les genoux de Flora cédèrent à leur tour. « Papa ! » appela-t-elle à nouveau. Un attroupement s'était formé au bout de l'allée, des grappes de femmes par deux ou trois, les hommes s'avançant, dépassant Flora et Louise, pour voir s'il y avait encore quelque chose à faire. La chaleur les ramenait en arrière, et quand les camions furent sur place, ils ne purent qu'assister au spectacle, reportant leur attention des flammes et de la maison en feu sur les pompiers déroulant des mètres de tuyaux, branchant des embouts sur d'autres.

Un homme en veste beige et chapeau jaune s'entretint avec Jonathan tandis que deux pompiers tout équipés s'engageaient à l'intérieur, derrière un jet d'eau. Louise s'efforçait de maintenir Flora en arrière, vers la route où une ambulance s'était garée, mais elle se dégagea de son bras et resta aux côtés de Gabriel, plus bas dans le jardin, à regarder.

Sous les vapeurs d'eau, la fumée noire devint blanche et l'ossature du bâtiment apparut. Puis les piliers blancs, sur des volutes et des braises étouffées. « On doit le voir jusqu'à l'île de Wight », entendit Flora dans la bouche d'un des badauds, et un voisin répliqua : « D'vait y avoir de quoi faire à l'intérieur pour flamber comme ça. » Et elle songea aux centaines, aux milliers de livres, à leurs couvertures gondolées par le feu, à tous ces mots, toutes ces traces laissées sur les pages par des inconnus, carbonisés, réduits en cendres. Puis Richard, et derrière lui Nan, à qui il avait prêté son sweat-shirt, les cheveux en bataille, bousculant les gens pour se frayer un chemin, secouant tout le monde, criant pour qu'on sorte son père de là ; Richard, courant comme un fou, jurant, puis disant à qui voulait l'entendre que Gil n'était pas fâché, qu'il semblait si tranquille quand Richard avait refusé de brûler tous ses livres.

« Je ne savais pas, répétait Richard encore et encore. Je ne savais pas que Gil le ferait lui-même. »

Flora s'enroula dans une couverture et traversa le jardin en direction de la mer. L'herbe était haute et humide, et bien que le matin fût encore froid, il y avait une intensité dans l'air, la prescience, déjà, de la chaleur à venir. Elle s'assit sur l'une des chaises de jardin – un élément de l'ensemble donné par la femme qui vivait dans la grande maison en bas de la route ; c'était étrange de penser que ces chaises avaient autrefois trôné dans un patio dont ses grands-parents étaient propriétaires, peut-être même leur avaient-elles appartenu. La couverture avait été posée sur ses épaules pendant la nuit de l'incendie, et comme elle ne savait pas par qui, elle ne pouvait pas la rendre.

« Tu n'arrivais pas à dormir non plus, Papa ? Il va faire chaud aujourd'hui », dit-elle. Elle posa sa tête de côté sur la table. En face d'elle, le soleil levant ressemblait à un champignon blanc s'élevant de la mer sur l'horizon.

Lorsqu'elle se réveilla, elle avait les rainures du bois imprimées sur la peau de la joue. En voyant la chaise vide à côté d'elle, Flora pleura.

Après l'incendie, Richard était encore resté une semaine avec elle dans l'atelier d'écriture. Il avait essayé de la convaincre de rentrer avec lui, mais une fois qu'il eut compris qu'elle ne changerait pas d'avis, il fit livrer des toilettes de chantier dans le jardin et répara le robinet extérieur. Le propriétaire du Royal Oak – l'homme qui avait racheté le pub à Martin, Flora n'arrivait jamais à se souvenir de son prénom – avait trouvé des lits pour Jonathan, Gabriel, Louise et Nan. Les jours suivants, ils avaient quitté Spanish Green un à un, et chacun, avant de partir, avait pris Flora à part pour tenter de la persuader de s'en aller.

Deux semaines plus tard, ils étaient de retour pour disperser les cendres de Gil. Il y avait eu un moment de tension lorsque Flora avait éclaté de rire en entendant Nan proposer d'incinérer les restes de Gil. « Ils vont faire brûler des morceaux de livres, de lettres et de draps avec », avait-elle dit, et cependant elle était là, debout à côté de Gabriel, Louise, Richard et Jonathan sur un petit bateau de pêche tanguant à la surface de l'eau, à l'aube, pour voir Nan répandre les cendres sur la mer. Elles avaient flotté une minute ou deux, gris clair sur gris-vert, avant de sombrer.

Une semaine plus tard, le coroner avait clos le dossier sans donner de conclusion claire. Une fois encore, les questions de Flora étaient restées sans réponse.

Après le déjeuner, elle était passée sous le ruban de la police qui délimitait le pourtour du Pavillon de nage. Ce qu'il y avait à l'intérieur, jusqu'aux murs, avait disparu, en particulier du côté droit, là où le feu avait été le plus intense. Elle se tenait là comme dans une caverne, ou dans la carcasse carbonisée d'une créature gigantesque, la cage thoracique d'une baleine ou d'un dinosaure, les rayons du soleil projetant au sol des bandes d'ombre et de lumière. L'endroit sentait encore le brûlé, la seule odeur de noir pur. Dans ce qui était autrefois la grande chambre, elle poussa du pied les débris et se pencha là où elle estimait que se trouvait le lit, ramassa des morceaux non identifiables et les examina de près. Elle aurait adoré trouver des restes du lit, l'un des faîteaux en ananas ou bien le poisson à la gueule béante, mais ce qu'elle espérait le plus était tout autre chose : un fragment de tibia, un éclat de radius, une molaire. Elle imaginait le mettre sous cloche et coller une étiquette, écrite à l'encre, qui dirait : *Relique de l'écrivain*. De son poignet noir de suie, elle dégagea les mèches qui lui tombaient sur le visage et avança d'un pas traînant dans ce capharnaüm.

« Flora ! » s'écria Nan. Lorsque Flora se redressa, elle vit sa sœur de l'autre côté du ruban, et la voiture derrière elle dans l'allée. « Qu'est-ce que tu fais dans la maison ? C'est dangereux.

— Je ne t'ai pas entendue arriver. »

Avec prudence, Flora se fraya un chemin entre les poutres effondrées et les vestiges calcinés, puis elle franchit le trou où se trouvait auparavant la porte d'entrée et repassa sous le ruban. « J'avais besoin de charbon. Je me suis dit que j'allais recommencer à dessiner, annonça Flora.

— Dessiner te ferait du bien mais j'ai autre chose qui devrait t'en faire encore plus. » Nan alla vers le coffre de sa voiture et Flora la suivit.

« C'est quoi ?

— Ne regarde pas. » Nan lui passa un sac et sortit une lourde boîte de la taille d'une petite valise.

« Qu'est-ce que tu as apporté ? demanda Flora.

— Attends, tu vas voir. »

Nan était excitée comme une gamine. Elle traversa l'herbe du jardin avec la boîte dans les bras et la posa sur la table. Elle défit les fermoirs sur le côté et souleva le haut. « C'est une platine, annonça-t-elle, contente d'elle et ravie de l'expression sur le visage de Flora. J'ai réussi à te dégoter un album que tu vas aimer je pense. Tourne-toi.

— Sans rire ?

— Oui, oui, tourne-toi. »

Flora fit volte-face et elle entendit Nan sortir quelque chose du sac, appuyer sur des boutons, mettre en route la machine, puis elle reconnut le craquement du diamant sur le vinyle. Les premières notes familières de « Rubylove » vinrent caresser les herbes penchées du jardin. Flora se retourna, hilare, et Nan claqua des doigts à la hauteur de sa tête. « C'est grec, pas espagnol, dit Flora, en souriant.

— On s'en fiche », et Nan se mit à danser, en balançant des hanches. Elle tournoyait là où l'herbe était aplatie, Flora ondulait avec elle. Elles n'arrivaient pas à se retenir de sourire, elles dansaient autour de la table, le soleil illuminait la mer en contrebas, et elles chantaient, inventant des mots sur les paroles dans cette langue inconnue, se tenant les mains, en riant de conserve, jusqu'à la fin de la chanson où Nan se laissa tomber au sol. Flora s'allongea à côté de sa sœur, les yeux fixés sur le ciel bleu au-dessus de leurs têtes, l'herbe leur picotait les jambes.

« J'aurais dû leur dire, commença Flora.

— À qui ? demanda Nan, encore hors d'haleine.

— À Jonathan et Louise.

— Leur dire quoi ? »

Nan bascula sur le côté, posant la tête dans sa main, le coude posé dans l'herbe.

« Ce que tu me disais toujours. »

Flora mit les mains en visière devant ses yeux.

« Qu'il ne fallait pas laisser Papa tout seul. »

Le sang battait à ses oreilles, comme le bourdonnement d'un hélicoptère à l'approche.

« Je suis désolée, réussit-elle à articuler.

— Oh, Flora. Rien de tout cela n'est ta faute. »

Nan arrangea une mèche de sa sœur derrière son oreille.

« Tu te trompes, dit Flora, en essayant de retenir ses larmes. Tout est ma faute. »

— Qu'est-ce que tu veux dire ?

— J'ai vu Maman le jour où elle a disparu. »

Nan était silencieuse, elle écoutait.

« Je ne suis pas allée à l'école. Je me suis cachée parmi les ajoncs et je l'ai vue quitter la maison. »

Une fois de plus, Flora revit Ingrid dans sa robe de mousseline rose, se tournant vers le soleil.

« Et je ne l'ai pas arrêtée.

— Mais tu ne pouvais pas deviner ! Aucun d'entre nous ne savait qu'elle ne reviendrait pas. Et puis, tu n'étais qu'une enfant, ce n'était pas à toi de l'arrêter. »

Flora laissa tomber son avant-bras sur ses yeux, sa poitrine se souleva et Nan l'attira contre elle. Elles restèrent allongées là, les deux sœurs, dans les bras l'une de l'autre, le soleil dardant ses rayons sur elles, jusqu'à la fin de l'album.

Dans l'après-midi, quand Nan fut partie, Flora sortit l'un des tiroirs qui se trouvaient sous le lit de l'atelier d'écriture et s'installa dehors sur la table avec une tasse de thé. Le tiroir était rempli de morceaux de papier : des bribes de nouvelles tapées à la machine, des paragraphes de descriptions de paysages, de chants d'oiseaux, de scènes de sexe. Son père avait gribouillé par-dessus, raturé des lignes, fait des annotations dans la marge : *Merde*, et *Déplacer ici* et *N'importe quoi putain*. Cela la fit sourire, c'était difficile de penser que ces mots pouvaient continuer d'exister alors que son père, lui, n'existait plus.

Le lendemain matin, Flora marcha jusqu'au magasin du village. Elle choisit une miche de pain tranché et se planta devant la vitrine réfrigérante la porte grande ouverte, accueillant la morsure du froid avec bonheur. La seconde Mme Bankes, une version plus jeune et plus mince de la précédente, toussa, et Flora sortit un paquet de bacon. Elle prit aussi une boîte de six œufs, et lorsqu'elle l'ouvrit pour vérifier qu'aucun n'était cassé, quelque chose dans leur forme, leur couleur brune fragile, l'obligea à s'agripper au rebord du rayonnage. Ses larmes perlèrent sur la boîte et ramollirent le carton. Quand elle alla payer ses courses, la deuxième Mme Bankes lui rendit trop de monnaie. Flora savait qu'elle l'avait fait exprès et elle jeta les cinquante pence de trop dans le tronc tenu par une silhouette de petite fille en plastique devant le magasin.

Tandis qu'elle posait la poêle en équilibre sur le poêle de l'atelier d'écriture et s'efforçait de retourner un œuf, Flora perçut l'inimitable cahot de la Morris Minor. Appuyée sur la partie basse de la porte d'écurie, mangeant le bacon avec ses doigts, elle guetta Richard.

« Salut », dit-elle.

Il l'embrassa sur les lèvres.

« Quoi de neuf ?

— Tu veux un petit-déjeuner ? Je peux te faire un œuf.

— Un café, ça ira très bien. Tu ferais mieux de t'asseoir pour manger, tu sais », dit Richard.

Elle alla chercher une autre tasse, lui servit du café et le rejoignit à table. Le tiroir était toujours là, un gros caillou empêchait les pages de s'envoler.

« Nan m'a apporté un tourne-disque, annonça Flora, mais Richard était trop occupé à feuilleter les papiers.

— C'est quoi tout ça ?

— Des bribes écrites par Papa. Des déchets, rien d'autre. »

Il baissa les yeux dessus.

« Tu crois qu'il y aurait quelque chose de publiable ? »

Elle voyait bien qu'il était surexcité.

« Richard. »

Il leva la tête.

« Pardon, c'est toi que je suis venu voir. J'ai apporté un pique-nique. J'ai pensé qu'on pourrait aller se promener sur la plage. Ou que tu pourrais aller te baigner. Qu'est-ce que tu en dis ? »

Elle sentit ce picotement remonter sur l'arête de son nez et détourna la tête.

« Je suis désolé. C'est trop tôt. On ira une autre fois, si tu veux. Quand tu seras prête, dit Richard.

— Non. »

Elle essuya les larmes sur ses joues.

« Non, ce n'est rien. Ce n'est pas ça. Je me suis souvenue tout à coup que je n'avais pas de maillot de bain ni pour toi ni pour moi. C'est stupide, vraiment. Quelle importance ? Ce ne sont que des choses. »

Ils emportèrent le pique-nique, la couverture et une serviette donnée par le propriétaire du pub, et marchèrent jusqu'à la plage nudiste. Ils installèrent la couverture au creux d'une dune de sable et regardèrent la mer. Un nuage de chaleur brouillait l'horizon et, plus près, quatre voiliers ancrés au large se balançaient dans les vagues, qui portaient jusqu'au rivage le claquement des drisses contre leurs mâts métalliques.

« C'est là que ta mère est venue ? demanda Richard.

— Avant sa dernière nage ? Je ne suis pas sûre. Peut-être. C'est un bel endroit. »

Flora sourit.

« Chiche ? » dit-elle en tirant sur la manche de sa chemise.

Richard balaya la plage du regard. Les gens les plus proches étaient à un peu moins de cinquante mètres, des corps roses et bruns allongés sur leurs serviettes.

« Je ne crois pas me souvenir d'avoir jamais enlevé mes vêtements en public. » Un groupe de randonneurs suivait la ligne de crête qui partait du village ; ils regardaient droit devant eux avec une telle détermination, ils auraient aussi bien pu porter des œillères.

« Tout le monde s'en fiche, et personne ne regarde. »

Elle se débarrassa de ses chaussures et de sa blouse et dégrafa son soutien-gorge. Elle leva les bras en l'air. « Liberté ! » lança-t-elle, et elle éclata de rire. Tandis qu'elle ôtait son short, Richard déboutonna sa chemise, la sortit de son pantalon de treillis. « Allez, le bas maintenant », l'encouragea-t-elle. Il enleva ses chaussures, les vida de leur sable et les aligna soigneusement. Il rangea ses chaussettes à l'intérieur, puis se redressa avant d'enlever son pantalon et de le plier par-dessus. Puis il ajouta ses lunettes au petit monticule. « Prêt ? » lança-t-elle. Debout côte à côte, ils ôtèrent leurs sous-vêtements. Flora prit la main de Richard. « Qu'est-ce qu'on risque, après tout ? »

Le contact de l'eau faisait l'effet de l'ombre à midi les jours de grande chaleur. Ils avancèrent, se dressant sur la pointe des pieds à chaque vague qui venait leur lécher la peau. Quand il eut de l'eau à mi-cuisse, Richard annonça : « Il y a une chose que je dois te dire. » Sa voix était grave, Flora se sentit nauséeuse soudain, craignant d'entendre ce qu'il allait dire. « Je ne sais pas nager. » Elle le dévisagea. « C'est vrai, je ne sais pas nager. »

Elle savait qu'il était là, derrière, debout dans les vagues au bord, pendant qu'elle s'éloignait, mais elle ne se retourna pas. Elle nagea fort et vite, jusqu'à ce qu'elle atteigne la bouée et que les muscles de ses jambes et ses bras la fassent souffrir. Lorsqu'elle revint sur la plage, Richard était assis sur la couverture. Il avait remis son pantalon et ses lunettes. Flora enfila ses baskets et sa culotte puis s'assit à côté de lui.

Richard la regarda d'un air triste et elle se tourna vers lui. Elle l'embrassa tout en mettant la main dans sa poche pour en sortir le petit soldat en plastique.

« Tu crois que ça va marcher ? Toi et moi ? » demanda Richard.

Il ne la vit pas enfoncer le soldat dans le sable à côté d'elle : l'enterrement que sa mère n'avait jamais eu et qu'elle n'aurait jamais. Dans sa tête, elle récita « Que tes os soient lavés par l'eau salée, que ton esprit retourne au sable, que l'amour que nous te portions demeure avec nous pour l'éternité. » À Richard, elle dit : « J'espère bien. »

Épilogue

La brise s'empara de Hadleigh. Les badauds et les marcheurs qui allaient de la grand-rue à la plage courbaient le corps en avant, le visage fouetté par le vent. C'était marée haute, les vagues venaient claquer à gros bouillons sur le sable et les rochers, tandis que plus loin à la surface de l'eau, le courant se déchaînait sous le soleil et un manteau blanc d'écume. Sur la digue, un jeune garçon jeta des frites en l'air et les mouettes vinrent s'ébrouer autour de lui, leurs ailes battaient au vent comme des pages de journaux.

Le sac en plastique qui s'était accroché au Tyrannosaurus Rex six semaines plus tôt se remplit d'air et fut arraché à la griffe en fibre de verre où il était coincé. Gonflé comme une voile, il escalada le grillage pour retomber sur le parking, dansant sur les marquages au sol jusqu'à la sortie où il se regonfla et fut emporté haut dans le ciel par une bourrasque, tel un ballon de plage. Le sac s'éleva au-dessus des maisons, de la librairie, survola les cheminées, un petit ballon blanc faisant voile vers le nord, là où les maisons cédaient la place aux champs et au bocage.

Il fut arrêté par la pointe d'un portail en barbelé, puis giflé, malmené, il se démena comme un diable pour se dégager jusqu'à ce que le vent le remplisse à nouveau et le libère. Alors il vola sur la lande, dépassa le Vieux Fumeur, rasa la cime des hêtres et les toits en bois des Écuries du Bois lacté. Le vent du large ballotta ensuite le sac vers le continent et la bruyère, le poussant à travers les sentiers sablonneux, les passages marécageux et les arbres rabougris. Là où la terre remontait vers l'Enclume du Diable, le sac blanc fut capturé par les pointes épineuses d'un buisson d'ajonc, et lorsque le vent le secoua à nouveau, il se froissa mais demeura fiché là. Le vent poursuivit sa route, contournant les rochers, soulevant la poussière de la terre, raclant la craie sous la surface, polissant plus encore le nez du boxeur, érodant les mots gravés dans la pierre.

La femme arriva en contournant l'Enclume du Diable, face au vent. L'air fouettait ses cheveux couleur de paille sur son visage. Elle les dégagea d'un geste du poignet, et les emprisonna dans son poing pour que l'horizon entier se déroule, sous ses yeux. Devant elle, la bruyère et les ajoncs étalaient leur robe violette, une cascade de plis descendant vers la mer scintillante ; au loin, on distinguait les terrasses sur les toits de Spanish Green.

Remerciements

Il y a beaucoup de gens que je souhaiterais remercier :

Adrienne Dines, pour son aide au tout début. Mes premiers lecteurs : Jo Barker-Scott, Louise Taylor, Henry Ayling, India Fuller Ayling et Tim Chapman. Tous ceux qui m'ont fait part de leurs avis constructifs à la taverne St James, notamment Amanda Oosthuizen, Sarah Wells, Rebecca Lyon, Natasha Orme et Kate Patrick. Tous les Friday Fictioneers, passés, présents et à venir. L'adorable équipe de Lutyens & Rubinstein, en particulier Juliet Mahony et Jane Finigan pour leur soutien et leur enthousiasme. Toute l'équipe de Penguin and Fig Tree, notamment Anna Steadman et Poppy North, et surtout ma magnifique et toujours franche éditrice, Juliet Annan. Caroline Pretty, qui a corrigé mes erreurs. Masie Cochran pour son œil aiguisé et tout le reste de la merveilleuse équipe de Tin House, notamment Nanci

McCloskey, Sabrina Wise, Erika Stevens et Allison Dubinsky. Diane Chonette, pour son incroyable travail d'illustration de couverture. Isabel Rogers pour son expertise en matière de mœurs de coq. Tommy Geddes pour ses conseils quant à l'administration universitaire dans les années 1970. Angela Lam pour son aide dans mes recherches sur l'accouchement dans les années 1970. Jill Kershaw pour sa patience face à mes questions médicales. Matt Holt pour les informations concernant la Morris Minor. Ursula Pitcher, Steven Fuller et Heidi Fuller pour leur amour et leur soutien. Et Townes Van Zandt pour la BO de mon écriture.

Les lettres d'Ingrid sont cachées
dans les livres suivants :

Barbara Comyns, *Who was changed and who was dead*

Alan Hollinghurst, *The Swimming-Pool Library* (*La Piscine-Bibliothèque,* C. Bourgois, 1991)

Shirley Jackson, *We Have Always Lived in the Castle* (*Nous avons toujours habité le château,* C. Bourgois, 1990)

Walter Bachmann, *Swiss Bakery and Confectionery*

Oswald J. Smith, *Prophecy: What Lies Ahead*

Amy Lowell, *The Complete Poetical Works of Amy Lowell*

T. S. Eliot, *The Cocktail Party* (*La cocktail-party*, Éditions du Seuil, 1952)

Robert Cormier, *I Am the Cheese* (*Je suis le fromage*, L'École des loisirs, 1985)

Spike Milligan, *Small Dreams of a Scorpion*

Bernard Ullman, *Hand Crocheted Creations for the Home: Bedspreads, Luncheon Sets, Scarfs, Chair Sets*

Pye Henry Chavasse, *Advice to a Wife: On the Management of Her Own Health and on the Treatment of the Complaints Incidental to Pregnancy, Labour, and Suckling*

Alessandra Comini, *Egon Schiele* (*Egon Schiele*, Éditions du Seuil, 1976)

Nicholas von Hoffman, *We Are the People Our Parents Warned Us Against*

Martin Amis, *Money: a suicide note* (*Money, money*, Mazarine, 1987)

Lydia Vellaccio et Maurice Elston, *Italian* (*Harrap's italien : méthode intégrale*, 2006)

Frederick Warne and Co, *Warne's Adventure Book for Girls*

Vance Barnum, *Joe Strong, the Boy Fish*

Harold Q. Masur, *The Last Gamble*

William Shakespeare, *Twelfth Night (La Nuit des Rois)*

Clive James, *Brilliant Creatures*

James Hilton, *Good-bye, Mr. Chips* (*Au revoir, M. Chips*, Hachette, 1953)

Johann David Wiss, *The Swiss Family Robinson (Le Robinson Suisse*, 1813*)* la cosmopolite

Collection créée par André Bay

(Extrait du catalogue)

Kôbô Abé	*La femme des sables*
	La face d'un autre
	L'homme-boîte
Vassilis Alexakis	*Talgo*
Jorge Amado	*Tieta d'Agreste*
	La bataille du Petit Trianon
	Le vieux marin
	Dona Flor et ses deux maris
	Cacao
	Les deux morts de Quinquin-La-Flotte
	Tereza Batista
	Gabriela, girofle et cannelle
	La découverte de l'Amérique par les Turcs
	La boutique aux miracles
Maria Àngels Anglada	*Le violon d'Auschwitz*
	Le cahier d'Aram
Reinaldo Arenas	*L'assaut*
Elisabeth Åsbrink	*1947*
Jo Baker	*Une saison à Longbourn*
James Baldwin	*Si Beale Street pouvait parler*
	Harlem Quartet
Elena Balzamo (sous la dir. de)	*Masterclass et autres nouvelles suédoises*
Herman Bang	*Tine*
	Maison blanche. Maison grise
Julian Barnes	*Le perroquet de Flaubert*
	Le soleil en face
Jon Bauer	*Des cailloux dans le ventre*
Mario Bellatin	*Salon de beauté*
Karen Blixen	*Sept contes gothiques*
Britta Böhler	*La décision*
Ivan Bounine	*Le monsieur de San Francisco*
André Brink	*Un turbulent silence*

	Une saison blanche et sèche
	Les droits du désir
Louis BROMFIELD	*La mousson*
Ron BUTLIN	*Appartenance*
Karel ČAPEK	*La vie et l'œuvre du compositeur Foltyn*
Dulce Maria CARDOSO	*Le retour*
Raymond CARVER	*Les vitamines du bonheur* suivi de *Tais-toi, je t'en prie* et *Parlez-moi d'amour*
Paolo COGNETTI	*Les huit montagnes*
Cristina COMENCINI	*Être en vie*
Gabriele D'ANNUNZIO	*Terre vierge*
Robyn DAVIDSON	*Tracks*
Kathryn DAVIS	*À la lisière du monde*
	Aux enfers
Federico DE ROBERTO	*Les princes de Francalanza*
Lyubko DERESH	*Culte*
Anita DESAI	*Un héritage exorbitant*
Karim DIMECHKIE	*Comme un Américain*
Tove DITLEVSEN	*Printemps précoce*
Carmen DOMINGO	*Secrets d'alcôve*
Emma DONOGHUE	*Room*
	Égarés
	Frog Music
Jennifer EGAN	*Qu'avons-nous fait de nos rêves ?*
	Le donjon
Monika FAGERHOLM	*La fille américaine*
	La scène à paillettes
Lygia FAGUNDES TELLES	*Les pensionnaires*
Nona FERNÁNDEZ	*La quatrième dimension*
Kjartan FLØGSTAD	*Grand Manila*
	Des hommes ordinaires
Tomomi FUJIWARA	*Le conducteur de métro*
Claire FULLER	*Les jours infinis*
Horst Wolframm GEISZLER	*Cher Augustin*
Alberto GERCHUNOFF	*Les gauchos juifs*
Margherita GIACOBINO	*Toutes nos mères*
Witold GOMBROWICZ	*Kronos*
	Les envoûtés

Robert GRAVES	*King Jesus*
Wendy GUERRA	*Tout le monde s'en va*
	Mère Cuba
	Poser nue à La Havane
	Negra
Farjallah HAÏK	*L'envers de Caïn*
	Joumana
Samantha HARVEY	*La mémoire égarée*
	La vérité sur William
Alfred HAYES	*In Love*
Mark HELPRIN	*Conte d'hiver*
Hermann HESSE	*Demian*
E.T.A. HOFFMANN	*Les élixirs du diable*
NICK HORNBY	*Funny Girl*
Yasushi INOUÉ	*Le fusil de chasse et autres récits*, édition intégrale des nouvelles de l'auteur publiées dans La Cosmopolite
	Histoire de ma mère
	Les dimanches de Monsieur Ushioda
	Paroi de glace
	Au bord du lac
	Le faussaire
	Combat de taureaux
	Le Maître de thé
	Pluie d'orage
	Histoire de ma mère
J. W. IRONMONGER	*Le génie des coïncidences*
	Sans oublier la baleine
Jens Peter JACOBSEN	*Niels Lyhne*
Henry JAMES	*L'autel des morts* suivi de *Dans la cage*
	Le regard aux aguets
Tania JAMES	*L'atlas des inconnus*
Eyvind JOHNSON	*Le roman d'Olof*
Ismaïl KADARÉ	*La ville sans enseignes*
Yoram KANIUK	*Adam ressuscité*
	Confessions d'un bon Arabe
Jack KEROUAC	*Maggie Cassidy*
Ken KESEY	*Vol au-dessus d'un nid*

	de coucou
Katie KITAMURA	*Les pleureuses*
Rachel KUSHNER	*Les lance-flammes*
Pär LAGERKVIST	*Le nain*
	Le bourreau
	Barabbas
Selma LAGERLÖF	*L'anneau du pêcheur*
	Jérusalem en terre sainte
	L'empereur du Portugal
Eduardo LAGO	*Appelle-moi Brooklyn*
	Voleur de cartes
Timothy S. LANE	*Devenir une légende*
D.H. LAWRENCE	*Île, mon île*
Sinclair LEWIS	*Babbitt*
Davide LONGO	*L'homme vertical*
Amy Grace LOYD	*Le bruit des autres*
LUXUN	*Le journal d'un fou*
Thomas MANN	*Tonio Kröger*
	La mort à Venise
Katherine MANSFIELD	*Nouvelles*
	Lettres
	Cahier de notes
Trude MARSTEIN	*Faire le bien*
Ronit MATALON	*Le bruit de nos pas*
Predrag MATVEJEVITCH	*Entre asile et exil*
Carson MCCULLERS	*Le cœur est un chasseur solitaire* suivi de *Écrivains, écriture et autres propos*
	Le cœur hypothéqué
	Frankie Addams
	La ballade du café triste
	L'horloge sans aiguilles
	Reflets dans un œil d'or
Gustav MEYRINK	*Le Golem*
Henry MILLER	*Tropique du Capricorne*
	Un dimanche après la guerre
	Entretiens de Paris
	Virage à 80
	Tropique du Cancer suivi de *Tropique du Capricorne*
Henry MILLER / Anaïs NIN	*Correspondance passionnée*

Wu MING-YI	*L'homme aux yeux à facettes*
Natsu MIYASHITA	*Une forêt de laine et d'acier*
Antonio MONDA	*Le goût amer de la justice*
Vladimir NABOKOV	*Don Quichotte*
	Austen, Dickens, Flaubert, Stevenson
	Proust, Kafka, Joyce
	Gogol, Tourgueniev, Dostoïevski
	Tolstoï, Tchekhov, Gorki
Ramita NAVAI	*Vivre et mentir à Téhéran*
William NAVARRETE	*La danse des millions*
	En fugue
Nigel NICOLSON	*Portrait d'un mariage*
Anaïs NIN	*Les miroirs dans le jardin*
	Les chambres du cœur
	Une espionne dans la maison de l'amour
	Henry et June
	Journaux de jeunesse (1914-1931)
Joyce Carol OATES	*Eux*
	Bellefleur
	Blonde
	Confessions d'un gang de filles
	Nous étions les Mulvaney
	La Fille tatouée
	La légende de Bloodsmoor
	Zombi
	Les mystères de Winterthurn
	Marya, une vie
	Corky
Kenzaburo OÉ	*Une affaire personnelle*
Sofi OKSANEN	*Purge*
	Les vaches de Staline
	Quand les colombes disparurent
	Baby Jane
	Norma
O. HENRY	*New York tic-tac*
Robert PENN WARREN	*La grande forêt*
Julia PIERRPONT	*Parmi les dix milliers de choses*
Jia PINGWA	*La capitale déchue*

Kevin POWERS	*Yellow birds*
	Lettre écrite pendant une accalmie dans les combats
Ruth PRAWER JHABVALA	*La vie comme à Delhi*
Lucia PUENZO	*L'enfant poisson*
	La malédiction de Jacinta
	La fureur de la langouste
	Wakolda
Midge RAYMOND	*Mon dernier continent*
Virginia REEVES	*Un travail comme un autre*
Erich Maria REMARQUE	*À l'ouest rien de nouveau*
	Cette terre promise
Thomas ROSENBOOM	*Le danseur de tango*
Vita SACKVILLE-WEST / Virginia WOOLF	*Correspondance*
Moshe SAKAL	*Yolanda*
Rebecca SCHERM	Le *passé aux trousses*
Arthur SCHNITZLER	*Madame Béate et son fils*
	La ronde
	Mademoiselle Else
	La pénombre des âmes
	Vienne au crépuscule
	Mourir
	L'étrangère
James SCUDAMORE	*La clinique de l'amnésie*
	Le dédale du passé
Mihail SEBASTIAN	*Journal (1935-1944)*
Kamila SHAMSIE	*Là où commencent et s'achèvent les voyages*
Isaac Bashevis SINGER	*Ennemies*
	Keila la Rouge
	La couronne de plumes et autres nouvelles
	La famille Moskat
	La mort de Mathusalem
	Les aventures d'un idéaliste et autres nouvelles inédites
	Le blasphémateur
	Le domaine
	L'esclave
	Le fantôme
	Le magicien de Lublin

	Le manoir
	Satan à Goray
	Sosha
Ersi SOTIROPOULOS	*Eva*
	Ce qui reste de la nuit
Muriel SPARK	*Le pisseur de copie*
Elena STANCANELLI	*La femme nue*
Saša STANIŠIĆ	*Le soldat et le gramophone*
	Le soldat et le gramophone (théâtre)
	Avant la fête
Sara STRIDSBERG	*La faculté des rêves*
	Valerie Jean Solanas va devenir Présidente de l'Amérique (théâtre)
	Darling River
Junichiro TANIZAKI	*Deux amours cruelles*
Bilal TANWEER	*Le monde n'a pas de fin*
Rupert THOMSON	*L'église de Monsieur Eiffel*
Carl Frode TILLER	*Encerclement*
Léon TOLSTOÏ	*La mort d'Ivan Ilitch* suivi de *Maître et serviteur*
Ivan TOURGUENIEV	*L'abandonnée*
	Le Roi Lear des steppes (et autres nouvelles)
	Dimitri Roudine
	L'exécution de Troppmann et autres récits
B. TRAVEN	*Le visiteur du soir*
Magdalena TULLI	*Le défaut*
Anne TYLER	*Toujours partir*
	Le voyageur malgré lui
	Le déjeuner de la nostalgie
	Le compas de Noé
	À la recherche de Caleb
	Leçons de conduite
	Une autre femme
	En suivant les étoiles
	Les adieux pour Débutant
Fred UHLMAN	*La lettre de Conrad*
	Il fait beau à Paris aujourd'hui
Sigrid UNDSET	*Olav Audunssøn*

	Kristin Lavransdatter
	Vigdis la farouche
	Printemps
Birgit VANDERBEKE	*Le dîner de moules*
Mariapia VELADIANO	*La vie à côté*
Ernst Emil WIECHERT	*La servante du passeur*
Oscar WILDE	*Intentions*
	De profundis
	Nouvelles fantastiques
	Le procès d'Oscar Wilde
Christa WOLF	*Scènes d'été*
	Incident
	Trois histoires invraisemblables
	Cassandre
	Médée
	Aucun lieu. Nulle part
	Trame d'enfance
	Le ciel divisé
Jacqueline WOODSON	*Un autre Brooklyn*
Virginia WOOLF	*La chambre de Jacob*
	Au phare
	Journal d'adolescence
	Journal intégral (1915-1941)
	Instants de vie
	Orlando
Kikou YAMATA	*Masako*
	La dame de beauté
Samar YAZBEK	*Les portes du néant*
A Yi	*Le jeu du chat et de la souris*
Stefan ZWEIG	*Nietzsche*
	Vingt-quatre heures de la vie d'une femme
	Le joueur d'échecs
	La confusion des sentiments
	Amok
	Lettre d'une inconnue

Cet ouvrage a été composé
par PCA à Rezé (Loire-Atlantique)
et achevé d'imprimer en avril 2018
par CPI Bussière
pour le compte des Éditions Stock
21, rue du Montparnasse, 75006 Paris

Stock s'engage pour l'environnement en réduisant l'empreinte carbone de ses livres. Celle de cet exemplaire est de :
1 Kg éq. CO_2
Rendez-vous sur www.editions-stock-durable.fr

Imprimé en France

Dépôt légal : mai 2018
N° d'édition : 01 - N° d'impression : 2036511
53-08-4022/3